JN050285

米澤穂信

米澤屋書店

Yonezawa
Bookstore

文藝春秋

米澤屋書店

目次

8 私室 249

9 対談② 295

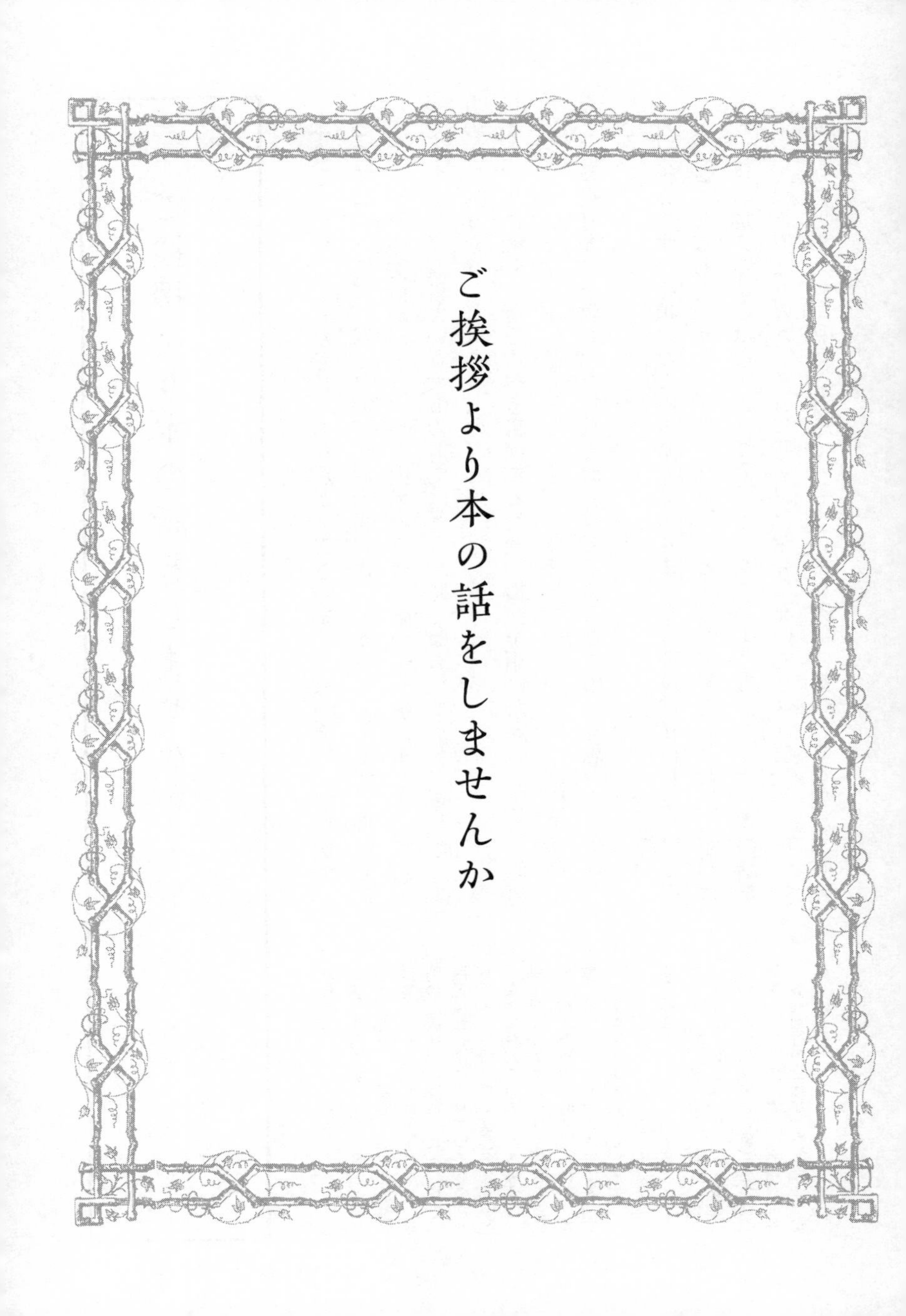

ご挨拶より本の話をしませんか

ご挨拶より本の話をしませんか

本書を手に取ってくださってありがとうございます。米澤穂信と申します。

この本は主として、私が初めて小説を世に出してから二十年の間に書いてきた本にまつわる文章が、どういった因果のなせる業か、一書にまとまってしまったものです。読書という大海の前ではとんだ蛙ではありますが、蛙も時には真の宝に巡り合うことはあったのだと思し召し頂ければ幸いです。

また、折に触れて尊敬すべき御同業と対談の機会を頂いた際の記録も、何篇か収録しています。本の話のみならず、ミステリ全般について、創作についてなど、私自身多くを教わった対談をお届けできることを嬉しく思います。

さて。

自己紹介をすべく頂いたこの紙幅ではありますが、別段、私自身について申し上げることはありません。ミステリを専らとする作家であるとお伝えすれば、それに付け加えることはないようです。そんなことよりも、さっそく本の話をしようではありませんか。それに勝る自己紹介はないでしょう。

ありがたいことに、私はこれまで、さまざまな条件に基づいて本を選ぶ機会

著者註
本書で書名を扱う場合、書名と著者名のみを記し、原則として出版社名は書きません。本は絶版になったり別の出版社から復刊されたりして、版元情報は常に古びていくものだからです。出版社名や叢書名、レーベルなどに触れる必要がある場合は、別途記載します。シリーズ名の表記法は統一基準がありませんので、本書では便宜的にヤマカッコに入れています（例〈古典部〉シリーズ）。

編集部註
本書では特に断りのない限り、脚注は著者によるものです。編集部による作品紹介は文末に（編）をつけて区別しています。なお作品紹介は各出版社刊行の目録などを参考に作成しています。

に恵まれてきました。条件とはたとえば、現在流通しているものの中から選ぶとか、初読者向けに選ぶとか、私が小説の書き方を教わった本を選ぶ、などといったことです。しかし一方で、いっさいの条件を課さず、文字数も気にせずに、ただ好きな本を語るということはしてきませんでした。けだし当然と言えましょう。好きなことを好きなように好きなだけ書くというのは、ほとんど仕事とは思えませんので。

しかし私は今回、自己紹介の美名に隠れ、あるいは敬愛しあるいは偏愛するミステリについて何ら憚（はばか）ることなく……そうですね、さしあたり十作ほど挙げて、書き連ねようと企んでいます。とはいえ完全な自由とはまことに難しいもの、事に先立っていくつかお断りをしなくてはなりません。

まず、これから挙げるミステリは私が本当に好きなものばかりなので、過去に幾度も言及してきたものを選ぶことになります。本文中にもしばしば登場することでしょう。重複*を恐れない強い気持ちを持ち続けられますように！

とは言いながら、この文章の中では、一人の作家につき一作品のみを挙げることにいたします。そうしないと、十作のうち七作ぐらいが一人の作家で占められてしまいかねませんから。それでも別に構わないと言えば構わないのですが、バリエーション豊かな方がきっと楽しいでしょう。

ではそろそろ——本の話をいたしましょう。好きなものに順位はつけません。よって、順不同です。

重複
こういう本で同じミステリが二度も三度も紹介されるのは、不体裁ではあります。そこで、同じ本について書くのは一回だけというルールを課し、二度目以降は本文を直したり削ったりすることも考えました。——ですが、そうした調整は最低限にとどめておきます。好きなミステリをその時々でどう書いてきたか、時が経っても同じことを言っているとか、ちょっとずつ違っているとか、そうしたことが元の形で残されているのも、まったく意味のないことではないでしょう。

①『時計館の殺人』綾辻行人

あるオカルト雑誌の取材班が、曰く付きの館「時計館」を訪れる。そこは室内に何十何百と時計が据えられた、まさに時計の館だった。取材班はここで、交霊会を執り行おうというのである。しかし館は閉ざされ、取り残された人々は一人また一人と殺されていく――。

別段ミステリを特に好んで読んでいたわけでもなく、『西遊記』や『二年間の休暇』や『宇宙戦争』、吉川英治『三国志』を読んでいた私が、書店の店頭で『十角館の殺人』を手に取ったのは、いま思えばあまりに脈絡のない偶然です。けれどいま思えば、おそらく、人生最良の偶然だったのでしょう。もう面白くて面白くて、あっという間に読み終えて、立て続けに手に取った『水車館の殺人』のおそろしさ、『迷路館の殺人』の洒脱さ、よく憶えています。そしてなんといっても『時計館の殺人』、これがもう息を呑むほど素晴らしかった。

だいたい、題名がいいですよね。「時計」と名のつく言葉は、*全てそれだけでミステリの最高の題名になります。『砂時計』、『日時計』、『水時計』、『花時計』、『置時計』、『銀時計』、どれもそれだけでミステリらしいではないですか。『体内時計』や『クォーツ時計』ですら、充分に雰囲気がある。その「時計」に「館」がつくのですから、その大上段の構えにページを開く前から呑まれてしまいます。

真相を知った時には目を剝きましたよ、あまりの衝撃に、こんなことを考える人間がこの世にいていいものかと思った。そしてですね、読み終えてしばら

＊「時計」と名のつく言葉
『日時計』はシャーリイ・ジャクスンに、『水時計』はジム・ケリーに作例があります。辞書を引いていたら『腹時計』が出てきました。これは……さすがにミステリにはならないか、「全て」は言い過ぎだったか……いやでも、案外ユーモアミステリでいけそうな気もしますね。

く経って、ふと再読した時に二度目の衝撃が襲ってくるんです。文章のあちこちに、ほとんど答えそのもののような形で、真相が示唆(しさ)されているではないですか。こんなにあからさまに手掛かりがちりばめられているのにさっぱりわからなかったなんて、自分はなんて迂闊(うかつ)で、この綾辻行人という作家はなんて大胆不敵なんだ……と思ったものでした。

ところで『十角館の殺人』に始まる一連のミステリは、探偵役の名を冠して「島田潔シリーズ」「鹿谷門実シリーズ」と呼ばれることはありません。常に、〈館〉シリーズです。殺人は希代の建築家である中村青司が設計した館で起きます。それぞれの館には、施主の複雑な、やむにやまれぬ、切実な思いが込められている。それは時計館も同様です。そして、施主の思いを中村青司が形にした「館」は、常の場所とは異なっています。そこは異界*であり、時にふつうの思念は通用しないのです。

綾辻先生の「館」が異界であることがもっとも明確な形で描かれているのは、実は〈館〉シリーズではなく、『時計館の殺人』とほぼ同時期に書かれた**『霧越邸殺人事件』**でしょう。あの無類の傑作において、場所が霧越邸でなかったら殺人は起きなかったであろうという読み解きは、決して無理なものではないはずです。そして『霧越邸殺人事件』を補助線に置くことで、私は、『時計館の殺人』がどのような小説であるかを知りました。

『時計館の殺人』は、運命とそれに抗(あらが)う祈りの物語なのです。犯人は自らの感情を満たそうとして行動したのかもしれませんが、それは時計館にまつわる宿

異界
『奇面館の殺人』では、東京の山奥、おそらく奥多摩であろう場所に建つ館が、四月であるにもかかわらず吹雪によって孤立します。私はこの吹雪を、館を異界化するための手続きであると感じました。季節外れの雪は館をこの世から切り離し、ミステリの舞台へと変貌させました。もちろん、本格ミステリを書く上で舞台を孤立させた方が書きやすいというのも事実でしょうが、その手段として四月の雪を選ぶところに、並々ならぬ覚悟と美学がうかがえます。

命に呑み込まれたことにほかならなかった。つまり『時計館の殺人』とは幻想の小説であり……そして、そうでありながらなお、まがうことなきミステリなのです。そう読み直した時、私は、三度目の衝撃に襲われました。

②『乱れからくり』泡坂妻夫

さる事情で玩具会社の部長を尾行していた探偵の前で、その部長が降ってきた隕石*の直撃を受け、命を落とす。その葬式も終わらぬうちに、こんどはその部長の幼子（おさなご）が事故のような形で死んでしまう。奇禍（きか）に襲われた一族が住まう「ねじ屋敷」は庭に巨大な迷路を備え、過去の因縁と伝説を秘めている——。

冒頭に掲げた一作家一作品という方針は、泡坂妻夫のために定めたようなものです。ふつうに好きなミステリを挙げていけば十作の中に**『妖女のねむり』**を入れることは間違いありませんし、**『写楽百面相』**も大好きだし、仕掛けだけの小説と見られがちな**『しあわせの書』**や**『喜劇悲奇劇』**も小説として良いと思っていますし、それらに次いで**『11枚のとらんぷ』**や**『湖底のまつり』**も忘れがたい。記憶喪失の柔術家が伝説の必殺技を炸裂させる**『旋風』**や、出るぞ、出るぞと期待したものがきっちり出てくる**『猫女』**も好きです。ですが今回は一作家一作品の方針を堅持し、『乱れからくり』を選びます。

てんこ盛りだ、と大声を上げたくなるような小説です。隕石による死といい謎に満ちた一族といい、屋敷の庭に据（す）えられた大迷路といい、どれひとつとってもミステリ好きが目を輝かせそうな要素ばかりをこれほど盛り込んで、凡手

隕石
隕石が人の命を奪うミステリは、これが最初の例ではありません。ここで特筆しておきたいのは、泡坂妻夫の偶然の使い方の上手さです。先生は、ここぞというところで鮮やかに偶然を放り込みます。下手に使われた偶然はご都合主義だけれど、上手く使われた偶然は天命を思わせ、ミステリに陰影を添えます。たとえば**『死者の輪舞』**でも、偶然は印象的に用いられています。

が真似れば焦点のぼけた総花的な小説になりそうなところ、ぴしりと見事にまとめ切っている。人工的だと言えば、これほど人工的なミステリはない。しかしそれもそのはず、これは壮大で乱れた「からくり」なのですから。

ミステリは大人の知的な遊び、*とはよく言われることですが、その言葉にあてはまるようなものを書く作家は、そうざらにいるものではありません。本邦にあっては、泡坂妻夫こそがその第一人者と言えるでしょう。その小説はどこかおおらかで、知的で洒落(しゃれ)ていて、いかにも人間が練れている。それを遊びがうまいと表現しても、さほど的外れではないでしょう。そして『乱れからくり』は、泡坂妻夫が遊びに遊んだ、遊びの大伽藍(だいがらん)なのです。

遊びというのは、比喩ではありません。右に記したあらすじからもおわかりの通り、この小説は、人間が叡智(えいち)と技術の限りを尽くして作り続けてきた遊びの道具、すなわち「おもちゃ」をテーマとしています。

この小説では、随所でからくりや玩具に関する知識が語られます。新しくはレーシングカー*から、古くはエジプトで紀元前二千年に作られたパン捏(こ)ね人形まで、まさに縦横無尽。ところで私は、ミステリにおける「知識」の効用について、若干懐疑的でした。知識を存分に駆使した小説を読んだことがないわけではなかったのですが、どうも、それが面白いとは思っていなかった。知識が少しでも小説から浮き上がってしまうと、たちまち鼻持ちならない衒学(げんがく)趣味に堕(だ)してしまう。最善でも「へえ、そうなんだ」と感心する程度で、だからといってミステリが面白くなったような気はしていなかったのです。

大人の知的な遊び
ミステリと大人の関係については、本書296ページから始まる対談で、有栖川有栖先生が示唆に富む指摘をなさっています。

レーシングカー
現在はラジコンカーと呼ばれるもののようです。

その謬見(びゅうけん)を改めてくれたのが、この本です。ペダンティックと言えば言えるのでしょうが、乱れ飛ぶ玩具に関する知識を読んでいくうち、私は、小説が広がっていくのを感じていきました。肩ひじの張らない文章で書かれる知識を読んでいくうち、小説に縦軸、時間軸が生まれていく。遊ぶことに関する人間の執念と歴史を思い知ることで、その末端としての現在が浮かび上がってくるのです。一歩間違えれば荒唐無稽の一語で片づけられてしまいそうな小説を趣味的な名著と成さしめたのは、泡坂妻夫の飾らない文章と、このディレッタンティズム*でした。

いわば『乱れからくり』は、人間が積み上げてきた営為とミステリとを接続させるすべを、私に教えてくれたのです。謎とその論理的解決を存在意義とするミステリにおいて、知識を並べ立てることは、無用の事かもしれない。ですがその無用にこそ、別の言い方をするなら遊びにこそ、豊かさがある。私はこの本を楽しみ、同時に、知る喜びを改めて学んだのです。

③**『白雪姫の殺人』辻真先**

東京郊外のある老人ホームに、アニメーション業界の草分けとなった技術者たちが入居している。苦労の多かった彼らに安楽な老後を過ごしてもらおうと用意された、特別な施設だ。だがその平穏は、思いもかけない形で破られる。元アニメーターの通称「アッコちゃん」が、白雪姫の面と衣装を着けたまま殺されたのだ。その首は落とされていた――。

ディレッタンティズム
広汎な知識の中で遊ぶようなミステリは、ほかにもいろいろあります。その代表例はやはりなんといっても、**『黒後家蜘蛛の会』**(**アイザック・アシモフ**)でしょう。知識の面白さが素材そのままの味で供されるような作例も、豊富に含まれていまして、たとえば**「東は東」**や**「ロレーヌの十字架」**などは、まさにそうでしょう。そこにアシモフらしい料理が加わると、またこたえられません。シャーロック・ホームズの宿敵モリアーティー教授の研究とは何だったのかを解き明かす**「終局的犯罪」**、火星に行ったことがあると喧伝する教祖の嘘を天文学的に暴く**「欠けているもの」**などは、非常においしくいただけます。しかし私が『黒後家蜘蛛の会』で最も好きな短篇はほかにあります。それについては、また後ほど。

辻先生のお仕事を振り返ると、愕然（がくぜん）を通り越して、慄然（りつぜん）とします。本当に、これが一人の人間が成したことなのでしょうか。人間とはこれほど多様な能力を身につけられるものなのか、と唸（うな）らざるを得ません。テレビ黎明（れいめい）期のＮＨＫで放送作家を務められ、後にはアニメーションの脚本家として活躍され、小説家としての著作もミステリを中心にゲームブックやノベライズ、*架空戦記ほか二百冊を超え……二百五十冊以上かな、いや、もっとありますね……その全体像を把握することさえ、容易ではありません。その質もまた目を瞠（みは）るもので、**『アリスの国の殺人』**、**『たかが殺人じゃないか』**、**『完全恋愛』（牧薩次名義）**など、その年を代表する著作がいくつもあります。

先生はまた、しばしば非常に先進的かつ挑戦的な技巧を用いられることでも知られています。**『仮題・中学殺人事件』**から始まるスーパー&ポテトのシリーズでは、作者が犯人だったり読者が犯人だったり、*毎回凝りに凝った趣向が釣瓶（つるべ）打ちにされました。いやあ……このシリーズには参りました。**『本格・結婚殺人事件』**では作中作を用いたミステリが展開されるのですが、私、これ看破（かんぱ）したと思ったんですよね。動機から犯人から手口から、完全に見切ったと思っていた。ところがぜんぶ、掌（てのひら）の上ですよ。あそこまでまんまとやられたのは、作家になってからは初めてだったかもしれません。そしてシリーズ最終巻の**『戯作・誕生殺人事件』**では……作中に、米澤穂信の名が出てくるんです。読んでいて、本を取り落としそうになりましたよ。シリーズ第一巻の**『仮題・中学殺人事件』**が刊行されたのは一九七二年、私が生まれる前のことです。その

ノベライズ
実は後でわかったことなのですが、私が初めて読んだ辻先生の小説もノベライズでした。『小説!!!ルパン三世』です。これが怪作でして、アルフレッド・ベスター『虎よ、虎よ！』もかくやのフォント芸が炸裂するのです。こういう書き方があるとは知らない頃に読んだので、面食らったものでした。

作者が犯人だったり読者が犯人だったり
あらすじにも書かれていることですから、不用意に真相を明かしたわけではありません。念のため！

シリーズの最後に自分の名前が出てくるだなんて、この感慨をわかっていただけますでしょうか。

……と続けていくと、際限がないですね。その質、量ともに充実した辻先生の筆業から、私はここで、『白雪姫の殺人』を挙げます。

この小説は、技巧派に対置して言うならば、本格派のミステリです。犯人は誰か。そして何より、首はなぜ切られたのか……探偵役がロジックと推理を武器に真相を探り出す、ストレートのミステリです。では、この小説のどこがそれほどに優れているのか。

この小説は、死を扱っています。ミステリが死を扱うのは当たり前ではないかと思われるかもしれませんが、月並みの意味ではない。『白雪姫の殺人』の登場人物たちの多くは、年老いているのです。今日明日の事ではないにせよ、死はそれほど遠くにはない――事件は、そういう状況で起きます。老いたといっても、人間が木石になるわけではありません。人に恋することもあれば、人を殺したいほどに憎むこともある。人間を最後まで人間として尊厳をもって扱うことは当然のことではあるけれど、その当然が、どれほど難しいものか。本書で描かれる首切りの動機、憎むべき殺人の動機をどういう言葉で批難したらいいのか、私はわからないでいます。

つまり『白雪姫の殺人』は、業界の第一線で長く活躍してきた辻真先が著した、社会派ミステリ*なのです。「社会派」という言葉は現代のミステリにおいて、「かつて隆盛を極めて本格ミステリを日陰に追いやった*元凶であり、ミス

社会派ミステリ
私にとって社会派ミステリと言えば、なんといっても、『**火車**』（**宮部みゆき**）です。傑作中の傑作、日本ミステリ屈指のド傑作で、「現代」を描いたものは時の流れとともに古びてしまうことが多いのですが、この世の人間が全員幸福にならない限り『火車』が古びることはないと思っています。

日陰に追いやった
〝社会派の台頭により、本格派は「暗黒」の時代を迎えた。〟（『**J's ミステリーズ KING&QUEEN**』）
〝従来、社会派の勃興に始まるこの時代（米澤註：一九五七年から一九八七年まで）は本格の衰退期と見なされており、本格論ではエア・ポケットになりやすかった〟（『**本格ミステリ・フラッシュバック**』）
付記しておきますと、「この時期本格ミステリは衰退していたのか」「仮に衰退していたとして、それが社会派のためであると言えるのか」については、こんにち意見がわかれているように思います。

テリとしては弱い読み物」というぐらいの受け止め方をされているきらいがある。しかしどんな小説であれジャンルをもって侮られる理由にはなりませんし、それにミステリが、つまり小説がこの世の何かと切り結ぶのは、むしろ当たり前のことだと私は思います。

『白雪姫の殺人』は、私が読んだ最良の社会派ミステリの一つです。解決は寒々としたものですが、未来を予感させる終幕は胸に迫ります。

④『せどり男爵数奇譚』梶山季之

語り手が偶然出会った人物は、斯界に隠れもなき古書店主にして書痴、ひとよんで「せどり男爵」だった。せどり男爵は、本に彩られたその生涯を語り始める――。古書の世界を描いた、連作短篇集。

小説が面白いというのにも、いろいろと種類があります。

一行一行を丹精込めて読み解いて、ようやく読み終えた払暁に、何か偉大なことを成し遂げたような満足感と共に「ああ、面白かった」と言うこともあるでしょう。読み終えた時はさほどとも思わなかったけれど、時が経つにつれ、あれはよほど面白かったのではあるまいかとしみじみ振り返ることもあるでしょう。

そして、もう言葉にならないほど引き込まれ、寝食も忘れ果て、無我夢中でページをめくってめくってめくりまくるような面白さというものも、あります。きっと皆様も身に覚えがあることでしょう。『せどり男爵数奇譚』の面白さというのは、私にとっては、このたぐいでした。
「せどり」という言葉は、ネットの普及とともにずいぶん知れ渡りました。要するに、相場に比べて安値がついている古本を見つけて購入し、別の店に高値で売り払うことです。作中では「憎まれるような、小遣銭稼ぎ」と書かれています。

　これは強烈な欲望の物語です。描かれるのは、言ってしまえば「本を手に入れる」ということだけなのですが、それなのに、なんとダイレクトに欲望が表出されることか。読んでいるとちょっと酔ったような気分になってきます。後に古美術を扱った小説はいくつか読みまして、中には蒐集（しゅうしゅう）に関する小説もあったはずですが、これほど物欲が露骨だったものはちょっと思いつきません。

――いや、そうでもない。**紀田順一郎『魔術的な急斜面』***も、かなり強烈だった。そしてこれも、古本に関する小説です*。およそ人間はコインや切手や、絵や焼き物や、その他あらゆるものを蒐集の対象にしているはずなのに、どうして古書に関わる小説ばかりがこれほど物欲まみれなのかと訝（いぶか）しく思ってしまいます（まあ、心のどこかでは、わからんでもないと納得してもいるのですが）。

　連作短篇形式でして、どの話も無類に面白いのですが、一つご紹介するなら第四話でしょうか。題して**「桜満開十三不塔」**。さる蔵書家が亡くなってせどり男爵が呼ばれ、男爵は初版の洋書三千冊を、三十万円で仕入れる。時は昭和二十五年、終戦から五年後にして、朝鮮戦争の気配が色濃くなってきた時期です。仕入れた本を棚に並べておいたらアメリカ海軍の士官がやって来て、棚を

『魔術的な急斜面』
文庫化に際して**『古書収集十番勝負』**と改題されました。ずいぶん傾向が変わったものですが、古書収集とは勝負なのだ！　という気迫が、また欲望の強さを感じさせます。

古本に関する小説
古本と言えば、ひとつ忘れがたいミステリがあります。**仁木悦子**の**「倉の中の実験」**という短篇です。愛書家の老人が、本に満ちた倉の中で寝たきりになっている。家族は老人を邪険にし、ある日とうとう、本を売り払ってしまう。老人は幾度も「おれの本を、どこへ持っていった――」と言いながら死んでいく。そして……。こんなミステリの書き方があったのかと瞠目しますが、それ以上に、おそろしい。悪い夢に出て来そうなお話でした。

見るや大喜びし、三冊を千五百ドルで買っていく。一ドル三百六十円の時代だから、三冊で五十四万円。どうやらせどり男爵、そうとは知らずにとんでもない値打ち物にぶつかったらしい。噂を聞きつけて店にやって来たコレクターに男爵が提示した価格は、なんと五十万ドル（一億八千万円）。ところがコレクターが目をつけたのは、そのコレクションではなかった——。

このコレクターというのが、本を手に入れるためなら、本当に手段を選ばない。*そんな言い分が通るものか、というような無茶を押し通して、どうでも本を巻き上げようとする。「金に糸目をつけない」というわけではないのが、またいいのです。上手いこと手に入れたいのであって、言われるがままに金を出して買うのはいやだというのだから、まことに欲が深い。どうも、基になった実話があるのではないかと思うのですが……。

この文章を書くために『せどり男爵数奇譚』を手に取って、ページをめくったら面白く、案の定、もう朝になってしまいました。やっぱり私は、この本の魅力にとりつかれているようです。

⑤『第三の時効』横山秀夫

F県警の強行犯係には、三人の班長がいる。彼らが組織するそれぞれの班は F県警史上指折りの捜査能力を持ち、そしてお互いに、ライバル意識を超えた、敵意とでも言うべき感情を抱いている。刑事らの執念を描く連作短篇集。

私などがいまさら申し上げるまでもないことですが、松尾芭蕉は俳句を一新

手段を選ばない
ビブリオマニア（愛書家）たちの話を読むことは、深淵を覗くような感覚があります。怖くて近づきたくなくて、だから、ずっと見てしまう。紀田順一郎先生が編まれたアンソロジー『**書物愛**』は書物にまつわる小説がずらりと揃った垂涎の本で、ビブリオマニアの話も数多く収録されています。日本篇と海外篇の二冊にわかれているのが、また嬉しい。私が好きなものは海外篇に多く、ビブリオマニアにまつわる実際の事件として名高い、バルセロナのドン・ヴィンセンテ事件をモデルにした**フローベール「愛書狂」**は外せませんし、**オクターヴ・ユザンヌの「シジスモンの遺産」**はビブリオマニアたちの狂乱を描きつくして、引きつった笑いを誘います。

した人として知られています。それまで面白おかしいだけのものであった俳諧を、その一生をかけて芸術へと生まれ変わらせました。芭蕉は、かれ以前と以後では、俳句というものをまったく変えてしまったのです。

『第三の時効』を読みながら、私は、芭蕉のことを思い出していました。これは違う。いままで読んできたものとは、違う。この先、ミステリの一種である警察小説を書く者は、否応なく横山秀夫の影響下に置かれるか、でなければ、影響から逃れるために脇道を選ばざるを得ないだろう、と思ったのです。それは面白いというよりも、ほとんど驚愕に近い読書でした。実際これは私個人の感慨に留まらず、日本における警察小説は横山秀夫以前と以後に分けられるということは、広く了解を得ているように思います。

ところで俗に、自転車の漕ぎ方と泳ぎ方、スキーの滑り方はいちど覚えたら忘れないなどと言いまして、たしかにいまとなっては、自転車に乗れないとはどういうことであったか、思い出すことも難しい。それに似て、『第三の時効』を読んで時を経たいまとなっては、そのどこがそれほどまでにほかと違っていたのか、言葉にすることには困難を覚えます。しかしとにかく、やってみましょう。

この小説の美点は、まず、それが組織の小説だということです。言うまでもなく警察は巨大組織ですから、警察小説は必然、組織を描くことになります――上司がいたり、部下がいたりするのです。およそ警察が出てきて上司も部下も登場しない小説は、洋の東西を見まわしてもほとんどないでしょう。しかし『第三の時効』で描かれた組織は、それまでにない立体感と奥行きを備えていました。優秀だが扱いにくい部下を何とかコントロールしようと、ほとんど唯一残された武器である人事権で現場に介入する上司。敵愾心を燃やし実績を競い合う各班。いかに上意下達の警察組織でも、同期の命令なんぞ聞けるかと言い放つ刑事……。**『深追い』**で露骨なまでに描かれた「組織としての警察」の書き方が、本作ではさらに深化しているのです。

そして、ミステリとしての充実が圧倒的です。コンゲーム*としての**「沈黙のアリバイ」**、リーガルサスペンス*の味わいが濃厚な**「第三の時効」**、一幕もの*のフーダニット*「**密室の抜け穴**」、たった一つの手がかりが犯人を追い詰める**「モノクロームの反転」**など、どれもその年を代表する傑作ミステリ*です。

そして最後に、これが職業についての小説だという点が、いいのです。その点は**「囚人のジレンマ」**における捜査第一課長の仕事ぶりに顕著です。彼は部下を統率しきれていないことを自覚しながら、捜査能力を削ぐことを恐れて強く指導できず、夜討ち朝駆けの取材に対して事実を小出しにしたり、沈黙をイエスの返事に代えたり、繊細な駆け引きを続けています。部下に対して激発したり、しつこいマスメディアを恫喝(どうかつ)したりはしません。粘り強く、丁寧に、時に陰険とさえ思えるほどの慎重さをもって、警察幹部としての役割を、自らの仕事を果たしていきます。こういう陰影のある人物が配置されることによって、「個性派」とされる刑事たちは好き勝手に振る舞う一匹狼などではなく、職場のお膳立てによって能力を最大限に引き出された猟犬なのだということが浮き

コンゲーム
騙し合い。

リーガルサスペンス
法廷もの。「第三の時効」は、裁判所の判断や法律の問題が深くかかわってきますが、典型的なリーガルサスペンスとは異なります。

一幕もの
幕間なし、舞台も一ヶ所だけのお話。もともとは演劇用語。作劇は難しいですが、成功すると実に鮮やかな、好きな形式です。

フーダニット
犯人あて。ミステリの本道と言えますが、それだけに読者にパターンを読まれてしまうことが多く、独特の難しさがあります。

その年を代表する傑作ミステリ
「その年を代表する」と書きましたが、「沈黙のアリバイ」が二〇〇一年に書かれたほかは、すべて二〇〇二年の一年間に書かれています。なんだこれ……そんなことがあり得るのか……。

彫りになるのです。

こうして言葉にしてみましたが、『第三の時効』を読んだときのショックをどれほどお伝え出来たのか、少々心もとなく思います。もっと抽象的な喩えの方がいいかもしれない。――『第三の時効』は、警察小説の解像度を二ケタ上げたのです。

⑥『ユージニア』恩田陸

私が生まれ育ったのは山あいの町で、そこはしばしば霧が立ち込める土地でした。たいていは霧というよりも朝靄で、日が昇ると嘘のように消えていくのですが、季節と気候によっては深い霧が何もかもを包み込んで、自動車のヘッドライトさえ呑み込んでいくことがありました。数十メートル先が見えないので車を運転するなど狂気の沙汰なのですが、車がないと一日だって生活を維持できない地域の事ですから、人々はそれでも、道が見えていた時の記憶を頼りに出かけていくのです。「外のお人にはお勧めしません。こんな日は、わたしら霧の民だけが道に出るのです」――こんなふうに言えば、雰囲気のある言い方になるでしょうか。いえ、いけませんよ、いくら慣れていても、安全が確保できない状態で自動車を運転してはいけません。

ともあれ、『ユージニア』のことを思う時、私は幼い日に見た霧の街を思い出します。

『ユージニア』の霧の話をするためには、『六番目の小夜子』のことから書か

過去に起きた出来事
過去に何が起きたのか、関係者の証言から辿っていくタイプのミステリを「回想の殺人」、またはクリスティー

なくてはなりません。あれはふしぎな読書でした。美しい転校生は神秘の霧に包まれていた——という物語の始まりに、まずは心をつかまれます。果たして彼女は何者なのか、本当に伝説の小夜子なのか。数々の怪事が引き起こされますが、物語が進むにつれて、転校生を包む霧は少しずつ晴れていきます。たしかに特異な経歴の持ち主ではあるけれど、転校生も一人の生徒であることがわかっていく。ここまでは、すばらしく魅力的ではあっても、どこにもない唯一無二の物語とまでは言えません。ところが『六番目の小夜子』の本当の魅力は、ここから立ち上がってきます。いちどは晴れたはずの霧が、別の、思いもしなかった場所にたちこめ始めるのです。この時の驚きと、足元がふっと頼りなくなったような感覚は忘れられません。

　恩田陸は、霧の濃度を自在に操る作家なのです。——ここで言う霧とは、不吉さという言葉に近似しています。不安な予感という言い方でも、近いでしょう。ですがたぶん、それらの言葉で充分に言い尽くせているわけでもない。そして、数ある恩田作品の中で最も深い霧がわだかまっているのが、この『ユージニア』です。

　幾人もの証言者のことばから成る小説です。はじめは、何が起きたのかもわからない。次第次第に、過去に起きた出来事*の輪郭が見えてくる。帝銀事件を思わせる、十七人もの毒殺——その犯人は自殺し、事件は解決したはずだった。つまり物語のはじまりで悲惨な事件について語られはするものの、それは既に過去のもので、霧はかかっていません。しかし、当時のことを知っているはず

の同名作にちなんで「スリーピングマーダー」と呼ぶことがあります。ふつうミステリは過去に起きたことを探るので（まだ起きていない殺人について捜査するわけにはいきませんから。……そういう作品も、映像作品でいくつか思いつきますが）、「回想の殺人」でいう過去とは、もう忘れられようとしているけれど関係者はまだ生きている程度の過去のことです。クリスティーが得意とした形で、**『五匹の子豚』『象は忘れない』『運命の裏木戸』『スリーピング・マーダー』**などの作例があります。事件はとっくに起きてしまい、捜査も裁きも終わっていて、いまさら真実がわかっても何が取り返せるのか……というやるせなさが漂うことが多く、この形のミステリは私も好きです。**若竹七海**先生は**佐々木俊介『繭の夏』**（『スリーピング・マーダー』にオマージュを捧げた佳作）に寄せた解説の中で、過去の出来事について殺人が露見していない（事故死や失踪と見なされている）なら「スリーピングマーダー」、殺人は露見しているが過去に指摘された犯人が間違っていたなら「回想の殺人」だと指摘しておられます。

の人々のことばにふれていくと、だんだんと事件に霧が立ち込め始める。語られれば語られるほど、事件の全体像を包む霧は濃くなっていくのです。

もしここで「真実なんてないんだ」という立場に立つとすれば、小説はあまり面白いものにはなりません。皆が別々のことを並べ立て、さあ、本当のことはわかりません、真実なんてどこにもないのかもしれませんねと言うだけでしたら、小説としては割とよくある思いつきにすぎない。『ユージニア』がたまらなく面白いのは、その霧の中に、確かに「何が起きたのか」という真実が存在する、あるいは存在すると信じられることなのです。何かある。ただ、それがはっきり見えない。私が慎重かつ象のようにすべてを忘れない読み手であれば、きっと、自信をもって霧の向こうを見通せるはずなのに……。そう思えるからこそ、『ユージニア』は傑出したミステリなのです。

⑦『大誘拐』天藤真

刑務所を出所したばかりの三人組が、それぞれの事情で金を求めて、誘拐を試みる。狙いは和歌山県に広大な山林*を所有する柳川家当主・柳川とし。まんまと成功したかと思われた誘拐だが、身代金を要求する段になって、当の柳川としがその額に文句をつけた。

「あんた、この私を何と思うてはる。やせても枯れても大柳川家の当主やで。見損のうてもろうたら困るがな。私はそない安うはないわ」

刀自（とじ）の主張する身代金は百億円。ビタ一文負からんで——。

広大な山林
和歌山県は紀伊国で、かつては「木国（きのくに）」と書かれました。言わずと知れた木材の名産地です。余談ですが、私は子供の頃、木材の名産地があるというのが不思議でした。日本中どこに行っても山ばかり、森ばかりで、木なんかどこに行ったって生えているのに、なぜ木材の名産地があるのか。運搬ルートの有無や大規模消費地との距離など答えは多岐にわたりますが、もっとも基本的な答えは、木材に用いられる樹木が植物である以上、野菜がおいしい土地、果物がおいしい土地、米がおいしい土地があるように、樹木が上質に（質の意味は用途に応じて「堅い」「太い」「まっすぐ」など複数あるでしょう）育つ土地があるのだ、というものになるかと考えています。『大誘拐』のほかに林業を扱ったミステリはあまり思い当たりませんが、**クロフツ**に**『製材所の秘密』**があります。捜査の面白みというクロフツらしい魅力が横溢する好篇で、地味さは否めませんがかなり好きです。

『大誘拐』は完璧なミステリです。あまりにも面白い。

あらすじを聞いただけで「最高！」と言いたくなります。自らの身代金を吊り上げる被害者など、どこでどうして思いついたのか。おそるべきアイディアです。そのアイディアを支えるディテールは神経が行き届き、この大胆不敵なプロットをしっかり下支えしている。文章がいいんですよね。会話文は関西弁で時に軽み、おかしみが漂うのに対して、地の文は引き締まって余計なことを書かない。ユーモアを書くときはこうでなくては*、と思います。

誘拐ミステリと言えば、誘拐そのものの過程を別にすれば、「被害者をどこでどう監禁するのか」「警察とどう交渉するのか」「身代金をどう受け渡しするのか」、だいたいこの三つが山場です*。『大誘拐』はそのどれもに隙がなく、読んでいて納得感があります。さらに事件が公開されたことで、百億円を狙う有象無象（うぞうむぞう）も出て来かねない、という心配もある。百億という数字を中央にどかんとおいて、そこから広がったヒビや地割れがミステリを形作っていると言えるでしょう。

小説はスケールが大きく、かつ、射程が長い。まさかこのミステリがそんなところまで届くとは思わなかった、という展開を見せる。屋敷の一室のドア一枚が徹頭徹尾問題になるような、こぢんまりとした小さなミステリも私は好きですが、スケールの魅力というのもいいものです。『大誘拐』は総じて、隙のない完成されたミステリだと言えます。

……が、それだけでは到底、この小説の魅力を語ったとは言えないのです。

こうでなくては
会話文も地の文もユーモアに満ちていると、緩急がつかないんですよね。地の文にときおりボケやツッコミが差しはさまれる小説を読んだことがありますが、あまり読みやすいとは思いませんでした。……とはいえ、世の中にはいろいろな小説がありますから、会話も地の文も最初から最後までユーモア横溢で、かつ読み飽きのしないものにも、いつか巡り合うでしょう。

だいたいこの三つが山場
もちろん最初に「誰をどうやって誘拐するのか」というハードルがありますが、そもそも誘拐が成功しないと話が始まりませんので、そこは手短に済ます傾向があるようです。「誰をどうやって」に焦点があてられたミステリに『CIA桂離宮作戦』（**多島斗志之**）がありますが、これは誘拐というよりも国際謀略、拉致です。暗躍する各国スパイの思惑が桂離宮で交差する、サスペンスフルな物語でした。

『大誘拐』を日本ミステリ史上燦然（さんぜん）と輝く大名作にしたのは、それら油断のない作家の準備と並んで、あるいはそれ以上に、「被害者」の魅力に他なりません。和歌山の、押しも押されもしない大地主柳川家の当主、柳川とし子刀自*、彼女が、抜きん出ているのです。

小さく、かわいらしく、人当たりのいい刀自。多くの人間を世話し、育て上げ、深い尊敬を集める刀自。やわらかな関西弁で、しかし譲らぬところは一歩も譲らぬ刀自。彼女には天衣無縫（てんいむほう）さと、分限者（ぶげんしゃ）としてのプライド、一族の長としての責任感が同居しています。これほど傑出した、味わい深い人物をミステリに見ることは稀です。ミステリのみならず、すべての小説に枠を広げても、そうそういるものではない。刀自の一挙手一投足を見るだけでも、この小説は結構なものであったはずです。しかるに、そこに磨き抜かれたミステリのプロットがかぶせられるのです。面白くないはずがない。

人物の魅力、ミステリの工夫、物語の入念さ、設定の妙が四つながらに小説を支え、想像をはるかに超える高みに押し上げた。『大誘拐』は、そんな大傑作*です。

⑧『明治断頭台』山田風太郎

明治政府において役人の綱紀粛正（こうきしゅくせい）を任とした弾正台（だんじょうだい）*に、変わった男がいた。政府は正義の府でなくてはならぬと信じ、ふだんから水干（すいかん）姿を通す大巡察、香月経四郎である。彼は混迷を極める明治初期の怪事件を、フランスから彼を追

柳川とし子刀自
本名は「柳川とし」ですが、下に「刀自」という敬称をつける時は、語調を整えるため「とし子刀自」と「子」が入るようです。

大傑作
著者はこの小説を六十三歳で書き上げ、その五年後に亡くなっています。「大誘拐」は著者晩年の作と言っていいでしょう。

弾正台
もとは、律令制下で設けられた役所です。独立官庁として活動していたようですが、さしたる実績も挙げないまま、早くも九世紀には検非違使に権限を奪われ、形骸化しました。

ってきた美女にして巫女エスメラルダの力を借りて解決していく。酸鼻な事件の数々はどこに行きつくのか――。

小説家はいろんな偽りを書くもので、ミステリ作家は実際に人を殺しているだとか、SF作家は実際に宇宙に行っているだとか考えるのはおかしなことです。小説を読んで、それが作家の実体験そのままであると考えるのは、たとえそれが私小説であっても、あまりにナイーブです。同様に、作中の登場人物が何を言っても、それが作家の肉声*であると受け取っては大きな間違いを犯すことになるでしょう。

ですがそれは、作家が何を考えていようと小説にはいっさい反映されないということではありません。私が思うにという範囲の事ではありますが、小説を書く上ではおそらく、この世をどういう場所だと思っているのかは、偽ることができない。この世はしょせん堕落が蔓延するだけの場所だと解しているのか、世界は理想に向かって進歩し続けていると信じているのか、人間の本性は善だと思っているのか、それとも人間は一皮むけばどいつもこいつも醜悪だと考えているのか、そしてもっと複雑で全体的な「この世の見方」、いわばその人の哲学を偽って小説を書くこと*はできない――私はそう思っています。

この世の見方を偽ることが難しいとしても隠すことは容易ですから、多くの小説家はそうした自分自身の目が作中に現れないようにしていて、ミステリでは、その傾向がさらに強いような気がします。自分がこの世をどう思っていようが魅力的な謎とその論理的解決をこそ書く、という姿勢を貫くわけで、それ

作家の肉声
この議論に関しては309ページから始まる**朝井リョウ**先生との対談で取り上げられています。

その人の哲学を偽って小説を書く
より正確には、やってやれないことはないけれど小説が薄っぺらくなると思っています。

も一つの尊敬すべき選択*です。しかし山田風太郎の小説は、そうではない。何かを書いている。では山田風太郎は、何を見ていたのでしょうか。私なりに問いを整理して言い換えるなら、なぜ、『明治断頭台』はあのような終わりを迎えなければならなかったのでしょうか。

この小説においてミステリは、幕末の京都において刀がそうであったように、現実に対して切り結ぶための武器として用いられます。その切れ味は抜群で、山田風太郎が本人の言とは裏腹に傑出したミステリ作家でもあったことを存分に思い知らせてくれます。しかしミステリはすべてを割り切るものであり、合理性の産物であるのに対し、現実はそうではありません。合理の刃で一刀両断にできるものなど、ほとんど何もないのです。それゆえに山田風太郎はエスメラルダという特別な舞台装置を用いて、現実に対しては無力なミステリという武器を妖刀へと変化させました。しかしそれさえも弥縫策に過ぎず、無謀な試みに運命づけられた敗北を少し先延ばしにすることしか出来なかったのです。

作中でミステリは、潔癖さ、原理主義、理想といった言葉と関連づけられていきます。『明治断頭台』の終わり方は、あたかも、それでは駄目なのだと言うかのようです。そこに、現実とはそれらとは反対のものなのだという視座が現れてはいないでしょうか。この小説においてミステリとは、怒濤のような時代の流れに対する儚い抵抗のメタファーではなかったか。

対談集『風々院風々風々居士』の中で明治ものについて問われた山田風太郎は、ほかの作品に対しては饒舌に語るのに対し、『明治断頭台』については例

尊敬すべき選択
ロンドンが爆撃される中でミステリを書き続けたジョン・ディクスン・カーを、尊敬せずにいられるでしょうか。

外的に言葉少なです。「二十年以上も前の作品で忘れちゃって」と語ってはいますが、ミステリと現実が正面衝突し、ミステリが玉砕する物語に対し、改めて言えることがあまりなかったからではないでしょうか。

『明治断頭台』において真相を解き明かすのは推理ではなく、根まわしと権謀と脅迫です。作者がこの世を見る目が、最高のミステリにおいてミステリを敗北させました。誰がこれを上回るミステリを書けるでしょうか。

⑨『アヒルと鴨のコインロッカー』伊坂幸太郎

大学に通うため引っ越したアパートの隣人は、会ったその日に、本屋を襲わないかと言った。広辞苑を奪って、辞書を欲しがっている外国人にプレゼントするのだと。現在と二年前が入り混じる、静かな物語が始まる——。

思い出話で恐縮ですが、『**さよなら妖精**』という本を書いた時、それを新しく興す叢書に入れて頂くことになりました。東京創元社のミステリ・フロンティアです。その第一号が、『アヒルと鴨のコインロッカー』でした。伊坂先生の小説は『**オーデュボンの祈り**』を読んでいましたから、ああした映像的かつ幻想的な小説を書かれる方がどんなミステリを物したのだろう、と興味津々でした。

ところで**江戸川乱歩**に「一人の芭蕉の問題」*という文章があります。**木々高太郎**への反論*として書かれたもので、探偵小説と文学との関係において、探偵小説であるからには一応まずは謎と論理の興味を第一とするべきだ、という趣

芭蕉
また芭蕉の話で申し訳ない……引きたかったのは乱歩なのですが。

木々高太郎への反論
〝木々説は探偵小説本来のもの即ち謎や論理の興味が如何に優れてゐても、独創があつても、それが文学でなければ意味がないといふ〟ことに対する反論です。

旨のものです。しかし乱歩は文中で幾度も、探偵小説における文学を排撃するものではない、と断りを入れています。すぐれた探偵小説であり、かつ素晴らしい文学であるという小説が書かれることは、至難ではあるけれど、不可能ではない。文中の言葉で言うなら「科学精神と芸術精神とを如何にして有機的に化合せしめんか」という難題を解決し得る天才を想定することは可能である、*というのです。

文学のことはさておき、物語の豊かさという点において、『アヒルと鴨のコインロッカー』を読んだ私はこの乱歩の文章を思わずにはいられませんでした。文章は乾いたユーモアを含み、低温でぶっきらぼうで、それでいて洗練されていて、真情を捉えています。過去と現在を行き来するプロットは極めて巧みで、読むほどに、取り返しのつかないことはきっともう起こってしまったのだというさみしさが胸を浸していきます。一枚の絵が否応なく脳裏に現れる印象の深い場面を数え上げれば、片手では足りません。比喩も巧妙で、くさみがない。面白い小説だった。これほどの小説が叢書のトップバッターでは、続く作家は苦労するだろうなと思いました――まあ、私自身が、その「続く作家」*のひとりだったのですが。

そして何よりも感銘を受けたのは、これほど優れた小説でありながら、それがミステリの技法なくしては成立しないものだったという点です。さきほどの乱歩の文章をもう少し引くと、「文字通りトリックを第二とし、人間及人間相互の関係のみを重視してその必然を追って行く時は、（中略）果してそこから

可能である
余談ではありますが、芭蕉のような天才であればその化合がかなうと想定できるという文章は、それは事実上不可能だという意味を含んでいるのでしょう。乱歩は、そのような天才が出現したならば〝あらゆる文学をしりへに、探偵小説が最高至上の王座につく〟ことも不可能ではないと続けるのですが、これは本気でその日の到来を期待しているというより、思考実験によってその不可能性をほのめかしているように思います。とはいえ、私の拙劣な読みが間違っているというのも、大いにありそうなことです。どうぞ、話半分までに。

「続く作家」
第一回配本が『アヒルと鴨のコインロッカー』、第二回配本が『ヘビイチゴ・サナトリウム』（ほしおさなえ）で、拙作『さよなら妖精』は第三回でした。

探偵小説的トリックが生れて来るかどうかは疑問である」という一節があります。言い換えるなら、小説として生きた人間を書こうとすると、その人間はミステリ的なトリックを思いついてくれない*ということでしょう。しかし『アヒルと鴨のコインロッカー』では、人間が人間らしく切なる思いを叶えようとした時、必然的に、ミステリ的構図が生じていたのです。そして、伏線の張り方が絶妙に上手い。真相が明らかにされた時、どうしてこれに気づかなかったのかと地団太を踏む、ミステリの最高の瞬間が味わえる。しかもその瞬間は小説的な最高潮と合致しているのです。

この小説の後、私は立て続けに、いい物語とミステリがお互いを引き立て合う本を読むことになります。たとえば**桜庭一樹『少女には向かない職業』**や、**道尾秀介『向日葵の咲かない夏』**など……。私は、何かが変わったのだな、と思いました。**ポーの「モルグ街の殺人」**を推理小説の嚆矢（こうし）とするなら、それから百六十年が経って、ミステリ的手法というものが理解され、拡散され、一般化していったのだ、と。タイムリープや平行世界といったSF的な道具立てが拡散し、いまや非ジャンル小説でないものでも当たり前に使われるように、ミステリの考え方は乱歩言うところの普通文学の中にもいまや取り入れられているのだ、と。

つまり私はこの小説に、未来を見たのです。

トリックを思いついてくれない
この文章を読んだ司法関係者の方々が「え、現実の事件でもトリックあるよ。ぜんぜんあるよ」と思っていらっしゃいませんように！

⑩『六の宮の姫君』 北村薫

芥川龍之介が、彼自身の短篇「六の宮の姫君」についてこう言った。――「あれは玉突きだね。……いや、というよりはキャッチボールだ」。その言葉の意味を求める一方、主人公の、大学四年生の時は過ぎていく。

ある本をどこで読んだか憶えていることはよくありますが、いつ読んだのかを正確に憶えているのは、私の場合、珍しいことです。私はこの本を、大学四年の春、古城の一角で、ちょうどいい大きさの石に腰かけて読みました。城は改修工事中でしたが、別段工事がうるさかった記憶はありませんので、日曜日の事だったのではと思います。

当時私は物語を作って生きていこうと決意していましたが、ミステリを書き続けるかどうかは、少しだけ迷っていました。いまにしてみるとおこがましいことではありますが、もしかしてミステリにはあまり先がないのではないか、と思っていたのです。あらゆるトリックが出尽くしたので、もうミステリは出涸らしでしかあり得ない……という、時々見かける言説に与していたのではありません。たとえば手品はミステリよりもはるかに長い歴史を持ちますが、毎年のように大きな大会が開かれ、新手が発明されています。ミステリトリックが出尽くすことはないでしょう。私が少し不安に思っていたのは、別の事です。せっかくなのでそのまま手品で喩えるなら、もしかしてミステリは、カードマジック*しかない手品のようなものではないか、と思っていたのです。カードマジックはたしかに、奥が深いかもしれない。人類の文明が続く限り、新しいト

カードマジック
トランプを使った手品。

リックが生み出され続けるかもしれない。けれどもし、すべてのマジックショーのすべての演目がカードマジックだったら……ふと退屈する瞬間が、あるのではないか。

私が言うのは、おそらく、殺人と推理の事です。ミステリはそれこそあらゆる手段であらゆる人間を殺し、あらゆる探偵にそれを解かせてきました。探偵役になったことのない職業はなく、被害者になったことのない職業はなく、死体が出たことのない土地はない……とまで言っては言い過ぎですが、まあ、それに近い状況ではあるでしょう。私はたぶん、ミステリに読み飽きることはないと思います。ですが、書くとなると、どうか。手を替え品を替えても結局すべて殺人と推理の話に帰結するのであれば、それは、本当に広い世界に向き合っていると言えるのか。私は少し、不安だった。――念のためですが、いまの私は、そうは考えません。「殺人と推理の話」という縛りをかけられてさえ、ミステリは様々なことを描けると考えます。そして何も描かず、ただ「殺人と推理の話」であるだけでも、ミステリは生涯を懸けて取り組むに値すると言い切れる。私の迷いはあまりに半可通の言い分で、つまり当時の私は、ミステリをほんの少しかじっただけで、何かわかったような気になっていたのでしょう。恥ずかしいことです。でもまあ、学生らしいと言えば言えるでしょう。

もちろん、当時すでに「日常の謎」と呼ばれる一群のミステリは書かれていました。私はそれが好きで、夢中になって読んでいた。* けれど、では「日常の謎」が、ミステリとは結局すべて殺人の話に帰結するという宿命を打ち破るに

夢中になって読んでいた
北村薫先生の諸作を別にすると、いま思い出せるのは加納朋子『ななつのこ』『魔法飛行』『掌の中の小鳥』、倉知淳『幻獣遁走曲』（『日曜の夜は出たくない』は全作で殺人が起きていますので、日常の謎には含みにくいです）、若竹七海『ぼくのミステリな日常』、澤木喬『いざ言問はむ都鳥』……。はやみねかおる『少年名探偵虹北恭助の冒険』は、文中の時点よりもう少し後になります。北森鴻『花の下にて春死なむ』や有栖川有栖『山伏地蔵坊の放浪』、青井夏海『スタジアム　虹の事件簿』も既に刊行されていましたが、これらは文庫で読んだので、本文中にある時点では未読だったはずです。どれも面白かった。これ以上付け足すことがあるのかと思うほどに、面白かったのです。

足る広大な新天地かと訊かれると、それもちょっと自信が持てませんでした。

　私が『六の宮の姫君』を読んだのは、そういう時でした。

　嬉しかった。『六の宮の姫君』で書かれていたのは、明らかに、文学の冒険です。それでいて、間違いなくミステリだった。これが何を意味するか。――学問はミステリになり得る、ということです。学問というと高踏的ですが、私が言いたいのは要するに、好奇心の事です。知りたいという欲求と知るための方法を体系化したものが学問で、それがミステリになるならば、人間が何かを知りたいと思う時、それは凡そミステリたり得るということになる。つまり、『六の宮の姫君』は、ミステリで描けないものは何もないということを証明したのです。

　読み終えた文庫本を閉じて、私は、ミステリを書こうと決めました。


　さて、こうして国内の長篇、連作短篇集で好きなものを十冊挙げたのですが、それだけではどうも物足りない感じがいたします。私は、短篇小説が好きです。珠玉ということばは長篇ではなく短篇に用いられるべきと思っています。こと小説に関して、長は短を兼ねるというわけにはいきません。そこで好きな短篇小説も、続いて挙げることにいたします。

①「殺された天一坊」* 浜尾四郎

将軍吉宗の落胤(らくいん)を騙(かた)った天一坊が刑場の露と消えてしばらく、事件を裁いた大岡越前に宛てて文が書かれた。越前はかつて自信をもって判決を下し、自らが正しいことを信じる奉行だった。だがある事件から、越前は変わった。自らを信じられなくなった——。

神ならぬ人が人を裁くことの不可能性と、それでも裁かねばならない苦悩を描いた、稀なる大傑作。検事であり弁護士であった浜尾四郎であればこそ書けたものでしょう。法とは何か。法の支配の原則に則(のっと)れば、条文を型通りに解釈すると不正義となる場合は司法が敢えてそれを回避することも可ではあるとして、では法の通り、真実の通りに判決を下しては世のためにならぬと思った時、判事はどう振る舞うことが法の支配にかなうと言えるのか。ミステリでは犯人を指摘すれば物語は終わるけれど、「その先」を描いたこの小説は決して忘れられないし、法を司(つかさど)る者は(本当に気の毒だけれど)このように苦しんでもらわねばならないとさえ思うのです。

もっとも、裁判員制度の導入以降、苦しむ役を司法関係者のみに押しつけてそれ以外の人間が口を拭(ぬぐ)うことは、原理的にはいちおう、出来なくなりました。なにしろ百点満点の制度というのはそうそうないものですから、運用についてはそれぞれ見方はあるでしょうが、私はこれを基本的には、いいことだと思っています。

天一坊
史実上の事件としては、一七二八年(享保十三年)、源氏坊天一と名乗った修験者が品川で吉宗の落胤と偽り、金品をだまし取ったり浪人を集めたりしたため、関東郡代に捕らえられ、翌年勘定奉行によって処刑されたという流れになります。町奉行であった大岡越前は関わっていなかったのです。この事件は江戸時代末期、講談などで越前に結びつけられました。つまり「殺された天一坊」は、物語が生んだ物語であると言えます。

② **「可哀相な姉」渡辺温**

都会の場末に、貧しい姉弟が住んでいる。姉と弟は腹違いだが、姉は弟を慈しみ、命を懸けて育てていく。姉は病み衰え、それでも弟を守り育てる。弟は思う、「——私は、姉を食べて大きくなったようなものだ」と。弟が育ち、髭が生え始めた頃、二人の関係は変わり始める。

淀んだ、薄暗い、悪そのものを書いた、じっと見ていると人間というものに絶望したくなるような小説。ただし露悪とは違います。私は露悪は好きではない。ここで描かれているのは身勝手で見るに堪えない悪なのだけれど、どこか、お前が生きて育ってきたというのも程度の差こそあれおおよそこういうことなのだ、と短刀を突きつけられるような感じがあるのです。私はこの悪を憎むよりも先に、作中の姉のことばかりを思ってしまう——そして題名を見た時、作者の意図が那辺にあったかを知りました。このおそろしい物語が、ほとんど「ぬけぬけと」と言っていいほど大胆な伏線に支えられたミステリであることに、深い感銘を覚えます。

③ **「ひとごろし」山本周五郎***

福井藩御抱えの武芸者が、藩主の側小姓を斬って出奔した。ただちに上意討ちの討手が出されることになったが、武芸者の腕を恐れて誰もその役を買って出る者がいない。そこに、一人の武士が名乗り出る。彼は藩内でも隠れなき臆病者であった。

山本周五郎
言わずと知れた大作家で、実はシャーロック・ホームズのパスティシュを書いていたりもします。「ひとごろし」を挙げるか**「その木戸を通って」**を挙げるか、最後まで迷いました。出世を約束する縁談が決まろうという武士の家に、娘が訪ねてくる。ところがこれが誰なのかわからない。娘自身も、武士の名前を憶えていたから来ただけで、何の用事があるのかまったく思い出せないという。武士の出世を妬む誰かが縁談を壊すために仕掛けた罠ではないかと思われるが、どうも尻尾がつかめない。いったい、この娘は誰なのか……。細やかに描かれた人情が大いに読ませますが、小説の骨格を見れば最初から最後まで謎だけがある、一種のリドルストーリーです。

臆病だが剣の腕は立つ、などという裏設定はありません。臆病で、かつ武芸の稽古などろくにしたこともない男が、臆病者と呼ばれ続けた生涯の中で初めて勇を鼓(こ)し、しかしこれといった作戦もなく討手となるのです。男はどうやって、武芸者を討つという不可能事を成し遂げようというのか。つまりこれはハウダニット*です。そしてこの小説は、男が武芸者への討手となることを志願するところから始まり、その主命を果たすまでを書いています。つまりこれは倒叙*です。

作中で主人公が取る手段がどれぐらい有効なのか、私は少し疑っていました。これはある種の寓話であって、そこに著者自身の視線があらわれているのだろうと思っていたのです。ですが情報化された現代の様相を見るにつけ、さすがに著者の考えは深かったと思い知りました。なるほどこうすれば、人を殺せるでしょう。

すばらしい余韻を残す、一読忘れがたい佳篇です。

④「白蘭」連城三紀彦

戦後の混乱が少し落ち着き、時代が底なしの陽気さを求めていた頃、大阪は梅田の劇場に一組の漫才コンビがいた。ひとりは軍人の息子で、漫才師としては堅物すぎ、二枚目すぎ、品が良すぎた。そしてもうひとりは、天才だった。笑いを取るためなら何でもありの舞台の上で、一つの秘密が育っていく。

連城三紀彦の文章は、情景が瞼(まぶた)の裏に浮かぶように細密で、読み味が濃いも

ハウダニット
手法あて。到底不可能に見える殺人をどうやってのけたのか、その手段を解き明かすタイプのミステリ。手段が判明すると芋づる式に犯人もわかることが多いですが、犯人はわかっているのに手段だけがわからない、というタイプのミステリもあります。

倒叙
犯人の視点から書かれたミステリ。視点人物は計画を練り、殺人を成し遂げ、罪を逃れようとする。その犯行のどこに綻びがあったかを当てるタイプのミステリが多いです。映像に作例が多く、「刑事コロンボ」「古畑任三郎」などが有名です。

のです。しかしこの短篇は、段落の数さえ極限まで絞って大阪弁の一人称で軽妙に喋りまくるという特別な文体を選んでいて、連城三紀彦とはこういう書き方も出来る作家だったのかと目を瞠(みは)ります。初期作品によく見られた構図の逆転という手法と、それ以降の作品でひたすら書き続けられた報われない愛という主題がここにおいて渾然一体となり、構図が逆転するのは人が人を愛しているからであるという、連城小説のひとつの到達点となって、時代の徒花(あだばな)を鮮やかに描き出しています。

題名*がまたすばらしい。白い花が小説の始まりと終わりに配置され、それを題名が包み込んで、すべては遠い過去の事なのだという距離感を生じさせています。

⑤「方壺園(ほうこえん)」陳舜臣

唐の都である長安に、変わった屋敷がある。その屋敷には、高さ十数メートルの壁に囲まれた小さな庭があるのだ。ひと呼んで方壺園。屋敷の主人と二人の食客には、ある緊張があった。そして誰も入れず、出られなかったはずの方壺園の中で、一人が死ぬ。

密室トリックのミステリであると同時に、これは、幾人もが自らの人生のすべてを懸けて相争う物語です。屋敷の主人である商人にとって、人生とは商売のことです。彼は塩の相場を動かせるほどの、つまりは王朝の命運を左右できるほどの大商人です。彼が屋敷に置いている(あるいは養っている、さもなく

題名
物語を読み終えると題名の意味が立ち上がってくるという仕立ては、うまくいけば読後に深い余韻を残しますが、その効果をあまり狙いすぎて題名としてよくないものになってしまっては本末転倒です。詠坂雄二『インサート・コイン(ズ)』に収録されている「そしてまわりこまれなかった」は、小説の内容と深く呼応した、極めて印象深い成功例です。この題名を忘れることはないでしょう。

ば、飼っている）食客の男は、ただの穀潰しのはずでした。ですが商人は知らなかったのです。その食客は詩人*であり、ある世界では、商人など及びもつかない名声を博していたことを……。商人は生活力のない食客を侮蔑（ぶべつ）していましたが、実は食客も、詩を解さない商人を侮蔑していたのです。そして、他人に侮蔑を与えているのは、この二人だけではありません。

この小説に登場する人物たちは、誰の人生が最も有意義なのか競うように、みなが誰かを侮蔑しています。そのそれぞれの侮蔑が敵意に変わった時、方壺園は幾つものトリックに満ちた悪意の空間に変わるのです。緊張に満ちて、射程の長い物語と言えるでしょう。その小説の中心にミステリが置かれ、最初はハウダニットが、最後には人間心理の奥底を突くホワイダニット*が問われるのです。

⑥「横しぐれ」丸谷才一

横降りの雨が降りしきる中で父が出会った酒飲みの坊主は、もしや、種田山頭火ではなかったか。雨を見て出てきた「横しぐれ」という言葉に感嘆し、雨の中に去っていったというが……。

文学の冒険であると同時に、「あれは誰だったのか」を無数の手掛かりの中から探っていくのだから、これをミステリ的な構造だと言うことは的外れではないでしょう。世の中にこれほど面白いものがあるのかと思った小説は多々ありますが、その中でも、これは特に忘れがたいものです。もっとも、最初から

詩人
陳舜臣はしばしば小説の中に漢詩を用います。**『陳舜臣中国歴史短編集5 王朝推理篇』**のあとがきで、陳先生は「方壺園」について、こう書いています。

〝私は後年抜けられなくなった癖を、はやくも出している。それは登場人物に託して、自分の作った詩を入れることである。呉炎という人物の作った詩がそうであり（後略）〟

たしかに作中で呉炎は詩を自作していますが、その出来栄えに満足できず、意中の人に見せるのをやめてしまいました。陳先生の慎み深さが垣間見えます。

「煙の娘」という短篇で陳先生が用いた自作の詩は、ミステリと直結するものでした。どのように漢詩がミステリにかかわったか、ここで書くことは出来ませんが、ああいう仕掛けはほかで見たことがありません。ずいぶん驚いたということだけ、書いておきます。

それほど身に染みて面白く思ったわけではありません。私はこれを先述の『六の宮の姫君』との関連で読んだのですが、その時は、すごいものだなあという程度の感慨しか抱かなかったように思います。再会したのはそれから数年後で、当時私は既に何冊か小説を出していて、執筆のために図書館に籠(こも)っていました。そこでふと、「横しぐれ」を見つけて手に取ったのです。
　設定の面白さ、探索のいかにも学問的な入念さ、そして何より洗練されつくした文章に、今度こそ打ちのめされました。小説は出会う時を選び、読む者に読む力を要求するという、当たり前のことをまざまざと思い知らされたのです。そしてたぶん、私はまだ、この小説を充分読めていないのでしょう。幾度も読み返したし、これからもそうするだろう一篇です。

⑦「三月十三日午前二時」大坪砂男

　旅の画家が北陸のある村を訪れ、栄えた造り酒屋に逗留する。この家では先代夫人、先々代夫人が、同じ井戸に身を投げて死んでいるという。それも三月十三日、お水取りの夜に……。果たしてこれは本当に自殺か。
　何よりもまず文章がいい。いかにも入念で、恰好がいいのです。書簡形式で書かれる因縁話が実に読ませます。真相の提示の仕方も凝っていて、気の配り方に遺漏(いろう)がなく、そうした隙のなさ、丁寧さが没入を生みます。そして事件の発生と推理と相成るのですが、これが物理トリック*の……なんというかその……ある種の、極みのようなミステリなのです！

ホワイダニット
動機あて。人の心は必ずしも合理的ではないので、動機あてを本格ミステリにすることは容易ではありません。

物理トリック
実際に物を動かして仕掛けられるトリック。対になるのは、実際には物を動かさず、人の思い込みや錯覚を利用して仕掛けられる「心理トリック」です。物理トリックは、あんまり小手先だとつまらないし、あんまり大仰でも馬鹿馬鹿しさが出てしまうし、あんまり巧妙だと読者がついてこられず、あんまり単純だとがっかりされて、なかなか厄介なものです。しかし成功した物理トリックの驚き、面白さたるや、爆発的なものがあります。**島田荘司『斜め屋敷の犯罪』**を挙げれば、その魅力をお伝えするには十全でしょう。

著者大坪砂男は短篇「天狗」で知られ、「立春大吉」などもそうですが、しかつめらしい顔でとんでもない大物理トリックを繰り出してきます。いろんなものが飛んだり跳ねたり滑ったり流されたりして、人が死んでいくのです。なんて大がかりで、なんて馬鹿馬鹿しく、そして何と胸躍る面白さでしょう！

こんな愉快なミステリなのに、読後の心境は妙にしんみりとして、犠牲者たちを哀れに思わずにはいられません。これはやはり——トリックの面白さと比べて少々釈然としませんが——小説が上手いということでしょう。

⑧「無惨や二郎信康」南條範夫

名族の跡を継いだ二郎信康は温和な当主だったが、謀叛（むほん）の疑いをかけられて京に呼び出され誅殺（ちゅうさつ）された。だが別の史料は、彼は丹後で暴政の限りを尽くし、ある日城の外で何者かに討たれたと記す。なぜ、同じ人物について書かれた史料がここまで食い違うのか？

あまりに堂々と書かれているので、本当にそういう史料があるのだと私もうっかり信じていました。これは偽史です。いや、小説なのだから偽なのは当たり前で、創作と書くべきでしょう。しかし史実に基づく小説と並べて出されたものだからつい、著者ほどの学識経験者なればこそ探り当てられた史料に拠（よ）っているのかと思い込んでしまいました。この著者は歴史を書くのと同じ顔で唐突に創作を、なかんずくミステリをぶつけてくるので、意外なところで好物に出会った喜びに頰が緩（ゆる）んでしまいます。どれも良くて一篇を選ぶことは難しい*

一篇を選ぶことは難しい 難しいので、この註釈欄でもう少し触れてみましょう。『廃城奇譚』という短篇集は、時代小説の本に見えて、その実ほとんどミステリ短篇集です。暴虐な兄を穏やかな弟が支え、それなりに上手くまわっていたはずが、ある日城内の全員が死に絶えてしまう**「横尾城の白骨」**。黄金を愛し、黄金と共に谷底に消えた城主の謎を描いた**「亀洞城の廃絶」**。同じ名前で三度死んだ男を巡るリドルストーリー**「三度死んだ城主」**。史実らしく書かれた**「宇都宮城の間道」**さえ、新政府軍に追われて城に立て籠ったはずの旧幕府軍が忽然と消えるという、消失ミステリを思わせる仕立てになっています。

のですが、ここでは好みで「無惨や二郎信康」を挙げます（この信康は、徳川家康の息子のことではありません。一色家の物語です）。

この小説は、相反する二つの史料を丸のみするという体裁で書かれます。ある史料では温和な当主であり、ある史料では残酷な暴君なのであれば、二郎信康は二人いたのではないか……。なんと大胆なプロットでしょう。著者一流の無惨な描写が、歴史の一時代におそるべき陰謀を現出させます。読ませる文章に引き込まれてやり切れない結末を見届けると、腑に落ちるホワイダニットが開陳され、偽史は歴史に合流します*。胸がすくほどに見事な手際です。

⑨**「蝶の絵」久生十蘭（ひさおじゅうらん）***

終戦から四年もたって、一人の男が復員してくる。顔を洗う水が足に落ちても風邪を引くような箱入りが南方戦線に送られて、これは到底生きては帰らないだろうと誰もが思っていたが、あんがい平気な顔をして、ニューギニアでオランウータンを狩って生き延びていた、などと言う。だが自宅に戻った男の暮らしには、暗い影があった。

十蘭は何でも書きましたが、それでもその短篇群をいくつかのグループに分けることは出来て（もちろん分類しようがないものも多々ありますが）、戦争を書いたもののグループをさらに**「少年」**や**「風流旅情記」**のような南方戦線もの、**「その後」**や**「黄泉から」**のような復員ものなどに分けていくことができます。さらに一方で十蘭は、**『魔都』**のように上流階級を描いたものも得意

偽史は歴史に合流します
どんなに大胆な創作をしても、最後は歴史に合流するのが歴史を舞台とする場合の作法です。義経をいくら贔屓しても、奥州藤原氏が鎌倉を征服して幕府を開きました、という終わりには出来ないもので、そこが難しいところであり、面白いところでもあります。……ただ、どんな奇手も許されるのが小説というもの。たまに、歴史がひっくり返ってしまった小説もあります。単にひっくり返しただけのものもあれば、それによって異様な絵が浮かび上がることも、ありました。

久生十蘭
小説の魔術師とさえ言われる久生十蘭ですが、私は十蘭の短篇を読むとき、凝りに凝ったものより比較的ストレートなものの方を好むようです。**「幸福物語」**や**「白雪姫」**、**「犬」**などが好きです。一方でまた、十蘭はユーモアものにもたまらない魅力がありますね。**「カイゼルの白書」**など、ほかに誰がこんな話を思いつくだろうと思います。

としています。南方戦線もの、復員もの、上流階級ものの三つの交叉点に現れてきたのが「蝶の絵」で、最初は戦争神経症の話に見えますが、次第に、これは南方戦線版の「舞姫」ではないかと思われてきます。そして最後に至ってこれが何についての小説であるか明らかになった時、描かれたものの救いようのなさに私は言葉を失いました。最後まで間然（かんぜん）するところのない傑作です。

これについてはあまり、どういう種類のミステリであるかを言いたくありません。ミステリにかかわる人間がこういうものの言い方をするときは叙述トリック*だと相場が決まっていますが、そうではないということだけ、書いておきます。

⑩「わが一高時代の犯罪」高木彬光

戦争を間近に控えたある日、一高の時計台から一人の学生が忽然（こつぜん）と姿を消す。寮を訪れた謎の女、出没する偽学生、意味ありげな校長の訓辞。やがて寮の一室に死体が現れる。

懐旧の情に満ちた、青春を描いたミステリ。一高生たる者、正門から出入りするべし。門限を過ぎて正門が閉じられたとしても、塀を乗り越えて戻るような真似をすれば退寮である。門に飾られた校章を踏んででも、越えるのは正門でなければならぬ。弊衣破帽（へいいはぼう）こそが誇りであり、手拭いは一本を三年使う。「友の憂いにわれは泣き、わが喜びに友は舞う」……そういう空気の小説です。そのような時代は過去のものとなり、現在では通用しない価値観も書かれては

叙述トリック
文章により読者の先入観を誘い、小説中で起きていることを隠蔽したり誤解させたりするトリック。作中人物が作中人物に仕掛ける場合と、作者が読者に仕掛ける（作中人物は何ら誤解していないが、読者だけが誤解を誘われる）場合に大別されます。好き嫌いの話をいたしますと、私は前者が好きです。

いますが、時を超えて通底するものも確かにあります。〈神津恭介〉シリーズ本来の洒落た雰囲気とは一線を画すこれは、著者自身の青春の書でもあるでしょう。

ミステリとして見た時、トリックは卓越したものとは言えません。特に、門番が見張る正門からしか出入りできないはずの学内に死体が出現する仕掛けは、その情景を想像すると、滑稽ですらあります。ですが、そうするよりほかに手がなかった「犯人」の心根を思うと笑みは消え、どこか厳粛な念が胸を浸すのです。

本棚を見せる以上の自己紹介はないでしょう。それゆえ、私は、人に本棚を見せることを好みません。しかし今回こうした文章を書いて、いまは、手の内を無防備にさらけだしたような心細さを感じています。

もはや私自身について、そしてこの本について申し上げるべきことは思いつきません。では、願わくば、お楽しみ頂けますように。

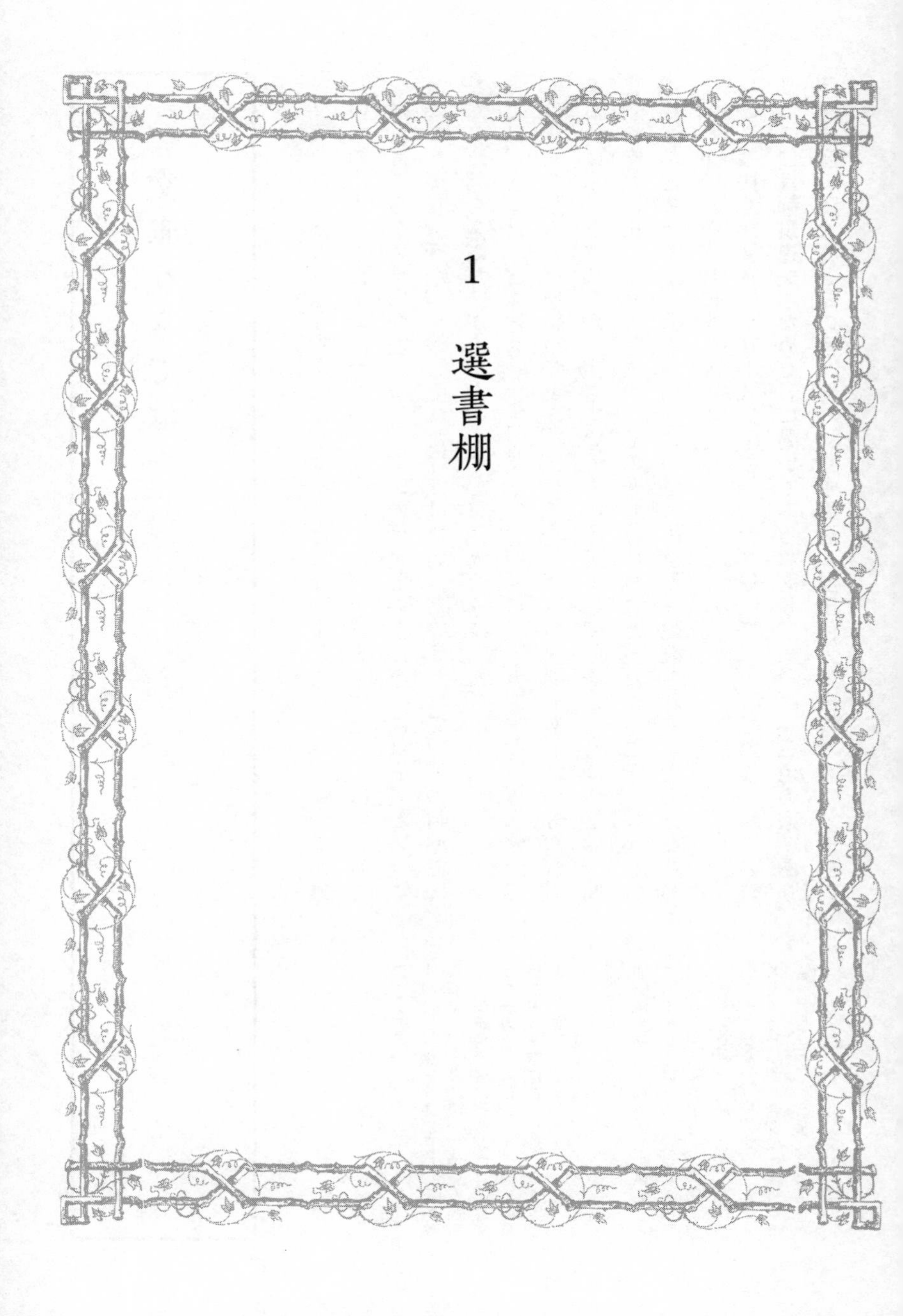

1
選書棚

文庫ならでは

文庫ならではの好きな本を十冊挙げることになりましたが、さてなかなか難しいものです。単行本で出たものを文庫にした、それを挙げたのでは、文庫でなければならない理由が弱くなる。文庫の価値といえば第一には廉価ということになりましょうが、しかしそれだけではない。というわけで、他の判型ではなく文庫判を選ぶ意味があるものを中心に選んでみました。

では、まずは**『どぶどろ』***（**半村良**）を。何と言っても前半の短篇部分が、生の悲哀をしみじみ物語って実に読ませます。江戸の片隅であるいはもがき、あるいは幸せを諦めながら生きている人々の姿を見ていると、ちょっと「人間喜劇」を思い出したりもします。その悲しさに触れた後だからこそ、掉尾（ちょうび）を飾る「どぶどろ」の主人公平吉の、この世の汚辱から隔離されてきたような初心（うぶ）な感じがいっそ哀れにすら映るのです。

これは扶桑社文庫のシリーズ〈昭和ミステリ秘宝〉に入っています。このシリーズには**都筑道夫『なめくじに聞いてみろ』**あり、**陳舜臣『三色の家』**あり、**岡田鯱彦『薫大将と匂の宮』**あり。**福永武彦『加田伶太郎全集』***なんて面白い

『どぶどろ』
半村良　扶桑社文庫。江戸の下町吹き溜まり、そこに降って湧いた怪事件。夜鷹蕎麦屋の親爺が切り口鮮やかな一刀のもと殺された。殺しの真相を追う平吉がたどり着いた真実とは？（編）

『加田伶太郎全集』
加田伶太郎は、福永武彦の筆名です。これを書いた時、福永氏は自らの名前を伏せていました。加田伶太郎（Kada Reitarou）は「誰だろうか（Taredarouka?）」のアナグラムです。ちなみに登場する名探偵は伊丹英典（Itami Eiten）、名探偵（Meitantei）です。

ものもあって、ミステリに詳しい人と話していて、「ああ、そういえばあれも面白いんだよ」とひょいと話題に出るものがそこにある感じがします。文庫は単行本に比べて復刊のハードルが低いからこそ成り立つシリーズでしょう。

次は『**警視庁草紙**』（山田風太郎）。警視庁が発足した東京で、元南町奉行や同心、岡っ引きらが新参者の警視庁をからかい、おちょくり、その悪ふざけの合間合間に、江戸に置き忘れられたもののかなしみが見えてくる。軽妙であった物語もいつしか時代の波に呑まれて思いがけない結末へと至る、傑作です。

こういう本を読むと、「ああ、この人の本をもっと読みたいなあ」と思うわけです。そこで本屋に行くと、文庫で全集が揃っている。ひょいひょいと手を伸ばすだけで『**明治波濤歌**』『**ラスプーチンが来た**』と読んでいける。これは贅沢ですよ。そういう文庫全集・選集といえば、創元推理文庫の〈天藤真推理小説全集〉や集英社文庫の〈陳舜臣推理小説ベストセレクション〉にも、大いに恩恵を受けました。

当然挙げる『しあわせの書』*（泡坂妻夫）。巨大な新興宗教組織が配る小冊子「しあわせの書」。そこには驚嘆すべき秘密がひとつならず隠されている……。私は「泡坂妻夫は『しあわせの書』や『**生者と死者**』のような仕掛け本だけの人じゃない！」と言いたいクチではありますが、文庫ならではという話をするならこれを外すわけにはいきません。これはまさに文庫のための小説です。あんまり詳しいことを書けない上に、類作も思いつかないのがつらいところ。ミステリとしても、かなり好きです。ハウダニットとしても類例がないんじゃな

『しあわせの書』
泡坂妻夫　新潮文庫。二代目教祖の継承問題で揺れる巨大な宗教団体“惟霊講会”。超能力を見込まれて信者の失踪事件を追うヨギガンジーは、布教のための小冊子「しあわせの書」に出会った。41字詰15行組みの何の変哲もない文庫サイズのその本には、実はある者の怪しげな企みが隠されていたのだ——。（編）

いかと思います。

まさにオールタイムベスト、**『戻り川心中』**（連城三紀彦）。いつも「好きだ」と言っていますから、何もここでまで挙げなくてもいいじゃないかという気がしますが、文庫という括りだと外せないわけがある。ここで挙げたいのはハルキ文庫版です。『戻り川心中』は〈花葬〉シリーズの一環で、シリーズはもともと『戻り川心中』と**『夕萩心中』**の二冊に分かれて出ています（ただし『夕萩心中』は〈花葬〉の他にコミカルな刑事物が併録されている）。ところがハルキ文庫版は、『夕萩心中』から〈花葬〉を抜き取って『戻り川心中』と合本にしてある。文庫オリジナル編集にして〈花葬〉完全版という泣かせる一冊なのです。

私は〈花葬〉シリーズの中で、『夕萩心中』収録の**「花緋文字」**が一番好きなんです。だからハルキ文庫版『戻り川心中』は殊にありがたい。ハルキ文庫の連城三紀彦は**『夜よ鼠たちのために』***もオリジナル編集だったりして、ちょっと手放せません（**『密やかな喪服』**の抜粋と合本）。こういう再編が可能なのも文庫ならではの魅力でしょうか。

さて、この辺りでミステリから一旦外れましょう。**『海に住む少女』**（シュペルヴィエル・光文社古典新訳文庫）。もしこれが文庫でなかったら、気軽に手に取ることはなかったと思います。すると美しい水死者の物語**「セーヌ河の名なし娘」**や成長の哀しみを寓話的に描いた**「バイオリンの声の少女」**に、震えるほど引き込まれることもなかった。そうなると後日**エリアーデ**や**ユルスナー**

＊『夜よ鼠たちのために』
連城三紀彦 ハルキ文庫。妻の復讐のために次々と殺人を犯していく一人の男の執念を描いた表題作をはじめ、意外な結末の余韻が心を打つ、サスペンス・ミステリーの傑作全九篇を収録した短篇集。（編）

ルも手に取ったかどうか。趣味の読書の傾向は全然違っていたはず。思えば講談社文芸文庫でも、同じような経験を何度もしています。

文庫だったおかげで守備範囲外の本にふと出会えたといえば、**『古本屋探偵の事件簿』**（紀田順一郎）もそうです。書店で棚を整理しながらふと見かけ、「探偵と事件簿はよく見るけれど、古本屋で？」と首を傾げながら、本の話を読みたくて何気なく買ってきたら、これがもう、この世の見方が変わるほどに面白い。執念の鬼のような書痴たちの話で、狂騒の中に人間の悲哀が滲み出ている。

これと『せどり男爵数奇譚』（梶山季之）を読んで、「私は本が好きです」と言うのをやめたんでした。猟書家と読書家を一緒にした上に小説を真に受けて、と笑われるかもしれませんが、それだけ衝撃が強かったんでしょう。後に本当の読書家たちと巡り合って自分の選択が正しかったことを知るわけですが、それはまた別の話です。

漫画もひとつ。**『百日紅』***（**杉浦日向子**・ちくま文庫）。葛飾北斎が狂言まわしの連作短篇で、上下巻です。漫画は小説よりも棚から消えるのが早く、思いがけないものがあっというまに入手不可能になることもありますから、それだけに、長く読まれるべきものが長期安定供給されるありがたさはひとしお。コミックの方が身軽に増刷できそうな気がするんですが、文庫になった方が「ああ、これでしばらく安心だ」と思えるのは、どうしてなんでしょうね。

杉浦日向子一流の江戸描写はむろん凄い。その中で、ふと創作論が顔を出す

『百日紅』
杉浦日向子　ちくま文庫。文化爛熟する文化文政期の江戸の街の暮らし、風俗を多彩な手法で描き出す代表作。（編）

のが胸にズンと来ます。今回久しぶりに読み返して、「ああそうだ、その通りだ」という心得に再会しました。たぶん十年後に読み返しても、同じように再発見があるのでしょう。

『敵は海賊・海賊版』*（**神林長平**・ハヤカワ文庫）。なぜ数ある神林作品の中からこれをと思われるかもしれませんが、〈敵は海賊〉シリーズは文庫書き下ろしなんですよね。文庫書き下ろしというのは難しい形態です。書籍は全面的に文庫に移行すればいい、とは思わない。けれど一方で、こういう文庫書き下ろしがなかったら、大して小遣いもなかった中学生の頃の私が神林長平にすんなり入って行けただろうかとも思うのです。手前味噌の話で恐縮ですが、拙作**『春期限定いちごタルト事件』***から始まるシリーズが文庫書き下ろしで世に出るたび、そういえば「敵は海賊」もそうだったなあと思い出します。

ずいぶん夢中になって読んだものでした。「海賊版」というからには海賊版が出てくるんだろうけど、いったい何の海賊版だろう。本だろうか音楽だろうかと思っていたら、まさかそういう海賊版だとは。あと猫がかわいい。

アンソロジーには文庫オリジナルのものも結構多いですね。就学者の「朝の読書」を当て込んだ**『きみが見つける物語』**（角川文庫）はよく読まれましたし、SFからは**『NOVA』**（河出文庫）が出ました。文庫アンソロジーと言って思い出すのは、**『世界短編傑作集』**（江戸川乱歩編・創元推理文庫）全五巻です。実にストレートな題名ですが、その名に恥じない質を備えています。何より、この世にどれほど多様なミステリがあるのか直接的に教えてくれたのが

『敵は海賊・海賊版』
神林長平　ハヤカワ文庫。ロングピース社が開発した著述支援用人工知能CAWシステムが出力する、悪名高き宇宙海賊・匋冥（ヨウメイ）の物語——火星の赤い砂漠の町サベイジのバー“軍神”で、匋冥はフィラール星の女官長シャルファフィンと名乗る女の訪問を受け、火星で行方不明になったという王女の捜索を依頼されるが……。（編）

『春期限定いちごタルト事件』
米澤穂信　創元推理文庫。小鳩君と小佐内さんは、清く慎ましい小市民を目指す。それなのに、二人の前には頻繁に謎が現れる。小市民シリーズ第一弾。（編）

この五冊でした。「**オッターモール氏の手**」（トマス・バーク）も、「**銀の仮面**」（ヒュー・ウォルポール）も、「**十五人の殺人者たち**」（ベン・ヘクト）も、みんなこのアンソロジーで知った短篇です。一冊だけ選ぶとしたら第三巻*でしょうか。**バークリー**、**ノックス**、**ダンセイニ**に、**クリスティー**も入っています。

さて、最後の一冊になりました。ここまで文庫ならではの意味を持つ九冊を挙げてきましたが、文庫という形態が持つ最大の魅力についてまだ書いていません（廉価というのは別にして、ですが）。

それはポータブルであるということです。いくら本が好きでも、四六判上製ではつらいシチュエーションは少なくない。満員の電車に乗る時。鞄ひとつで旅行に出る時。登山の時。身軽でいたい時、小さくて柔らかい文庫は偉大な友人になります。

最後に挙げるのは、『六の宮の姫君』*（北村薫・創元推理文庫）です。私はこの文庫をカーゴパンツのサイドポケットに入れて、早春の古城跡で開きました。興醒めなことを言ってしまえばちょっと寒かったことも確かですが、石垣の上で風の当たらない場所を探し、日の光で読みました。読み終わった時、私は「うん。ミステリを書こう」と思ったのです。そして再び本をサイドポケットに入れ、帰途に就きました。

それからも様々な場所に文庫本を持っていきました。デパートで読んだり、公園で読んだり、墓地で読んだなんていうこともありました。「場所」と分かちがたく結びついた読書のお供はいつも文庫本。さすがにあの頃のカーゴパン

第三巻
二〇一八年に改版が行われ、収録順が変わりました。新版から一冊挙げるなら第四巻です。

『六の宮の姫君』
この文章は好きな文庫本を選ぶものでしたが、前文で挙げた私の好きなミステリとはいくつかかぶっています。前文で重複を恐れないとは書きましたが、やっぱり少し、忸怩たる思いはあります。私がいかに文庫のおかげを蒙って来たかということでしょう。城跡で読んだ話も本書二度目ですが、どうぞご寛恕ください。同じ本について語れば、同じ話になってしまうのです。
いや、それとも、別の話をするのも面白いでしょうか。「**ジョン・ディクスン・カーを読んだ男**」（ウィリアム・ブリテン）、「**ディケンズを愛した男**」（イーヴリン・ウォー）のひそみにならって、「北村薫を読んだ男」と題し、それを読んだいろんなシチュエーションを捏造していくのです。そう、実は、私が『六の宮の姫君』を読んだのは冬の列車の中でした。海に行かねばならなかったのです。それには長い理由がありまして――。

ツは捨ててしまいましたが、先日新しいカーゴパンツを買ってきました。
選ぶ基準はもちろん、サイドポケットに文庫本が入ること、です。

日本という異界

土地に染みついたまじないを見出すことは、こんにち容易ではない。複製したような街並みからは、積み重なった人々の息吹が聞こえてこない。それでも稀には、曲がり角や坂道や、古い三角点や剥落した石碑に、物語の予感を感じることがないでもない。優れた作家は卓越した目でそれらの予感を見出し、それぞれの手の内のなにかを加えて、見慣れた土地をあらぬ姿へと変容させる。そうした、ここであってここでない場所の話が、私は好きだ。

『神州纐纈（こうけつ）城』*（**国枝史郎**）は日本にあやしの術をかける。広大な富士の裾野のどこかに建つ纐纈城では月に一度、捕らえた人々の血を絞り、目にも鮮やかな赤い染め物が生み出される。因縁は巡り、やがて緑深い富士の樹海から、災厄が甲府へとやって来る。妖美の世界に総身でのめり込む、怒濤の読書を体験した。

『赤朽葉（あかくちば）家の伝説』*（桜庭一樹）では、戦後、高度経済成長期から現代に至るまでの時間に神話の薄絹がかけられる。製鉄所の煙突が聳（そび）え立ち、黒々とした煙が時に誇らしげに時に不吉に立ち上る山陰のちいさな村で、いのちといとな

纐纈
纐纈は絞り染めの一種です。纐纈という名字がありまして、中部には特に多いようですが、さすがに画数が多いので「交告」など別の表記をすることがあるようです。

『赤朽葉家の伝説』
桜庭一樹　創元推理文庫。架空の村である紅緑村に古くから続く製鉄業を営む名家、「赤朽葉家」の女三代の一九五三年から二十一世紀にわたる歴史を描く大河小説。（編）

みと、不思議の物語が縷々綴られる中で、薄絹は少しずつ消え去っていく。『赤朽葉家の伝説』とは一つの伝説であり、いま小説を読むなら避けることのできない一冊だ。

『紫苑物語』（石川淳）の表題作は、茫漠たる関東平野に降り立ったひとりの男を書く。自らの歌に加えられた一文字の朱筆が許せず、歌を捨てひたすら弓の道にのめり込んだ彼は国司となり、けものを射る、民を射る、血族を射る、なにもかもを射て、ついにはなにを射ようとするのか。併録された「八幡縁起」*も構えの大きな小説で引きつけられるが、「修羅」の最後、この国のすべてを収めた文庫を焼く場面には、とてつもなく強いものを見てしまったという畏れを覚えた。

そもそも都で終わる言葉が好きで、古都、聖都、王都、学都、商都、軍都、水都、仏都、死都、どれにもそそられる。極めつけはなんと言っても『魔都』（久生十蘭）であり、出会って以来忘れられない、愛する一冊である。日比谷公園の青銅の鶴が鳴き、銀座の酒場で年を越そうという青年紳士は実は安南の皇帝であり、一個の宝石が失われたまま戻らねば国難は必至だという。帝都の一晩の物語は複雑怪奇、久生十蘭の語り口は縦横無尽、この小説はまことに贅沢で酔いを招き、魔都の名にふさわしく、不穏である。

『東京異聞』*（小野不由美）は、夜を主題とする。近代化に伴い、夜を克服したはずの都市で、火に包まれた者や人魂を売る者が暗躍し、人が殺されていく。しかし近代的自我の発露たる推理の力は、夜の闇さえものともせず、真実を明

「八幡縁起」
この小説の面白さに惹かれて「下津山縁起」というお話を書いたことがあるのですが、どうしてこうなったのか……と自分でも言いたくなる、妙な話になりました。

亰
私、以前、この亰の字は『東亰異聞』のために作られた新字だと聞いたことがあるんですよね。実際は違いまして、辞書を引くと「亰」は「京」の俗字と出ています。俗字の方が画数が多いというのも面白い話ですが、むかしは現在ほど字体の統一ということにうるさくなかった、という証しの一つかもしれません。

らかにするのだ――本当に？　私は推理小説が好きで、風変わりなものもそれなりに読んできたつもりだが、本書の解決は破格だ。それは一つの呪術だった。

ミステリならば**『ニッポン硬貨の謎』**（**北村薫**）も是非挙げたい。不思議の国ニッポンを訪れたのは、なんと、かのエラリー・クイーン。豊富な註釈に彩られながら日本を旅するクイーンは、奇妙な両替*をする男の話を聞き、それは異界のロジックへと繋がっていく。小説でありながら本格ミステリ大賞を評論・研究部門で受賞した、異色の作品だ。

『絹』（**アレッサンドロ・バリッコ**）もまた、旅人が奇妙な日本を訪れる小説だ。彼はフランスの商人であり、蚕を求めて海を渡り、日本の有力者ハラ・ケイ（！）から虫の卵を買う。この小説はある程度まで愛の小説で、男は構成上遠くへ行く必要はあるが、そこが日本である必然性はない。日本は作家によって、おそらく、なんとなく選ばれた。それゆえのふんわりとした日本描写が生のままのエキゾチシズムを感じさせ、こたえられない。

連作短篇集**『百万のマルコ』**（**柳広司**）では、マルコ・ポーロが日本を、いや黄金の国ジパングを訪れる。奇妙な法律が支配するジパングで、いかにしてマルコは危機を脱し、見事黄金を手にしたのか？　ジパングを舞台とするのは最初の二篇だけだが、特殊なルールが支配するいっぷう変わったミステリとして、忘れがたい。

『安徳天皇漂海記』*（**宇月原晴明**）にも、マルコ・ポーロが登場する。壇ノ浦に沈んだ安徳帝はふしぎの力で生きており、しかし昏々と眠り続けたまま、

奇妙な両替
ある書店に毎週同じ男がやって来て、五十円硬貨二十枚を千円札に両替してくれと言う、という話です。これは若竹七海先生の実体験だそうで、これを種にした**『競作　五十円玉二十枚の謎』**が創元推理文庫から出ています。たしかアマチュアからも募集したんですよね。おおらかで楽しい企画です。**剣持鷹士**、有栖川有栖両先生のものが好きでした。そして『ニッポン硬貨の謎』は、北村薫先生が「五十円玉二十枚の謎」に長篇で挑んだ小説ということになります。

『安徳天皇漂海記』
宇月原晴明　中公文庫。壇ノ浦の合戦で入水した安徳天皇。伝説の幼帝が、鎌倉の若き詩人王・源実朝の前に、神器とともにその姿を現した。山本周五郎賞受賞作。（編）

人々の夢に現れる。小説は最後の源家将軍・源実朝（さねとも）の歌を交えて進み、安徳帝と実朝の夢の交流は、やがて日本史上の一大事件へと繋がっていく。そしてその物語を、マルコが汗（カン）に語るのだ。二部構成の第一部は時間に、第二部は空間に広がりを持つ構えの大きさがあり、そのすべてを幼帝のかなしみが貫く、絢爛たる鎮魂の小説だ。

その『安徳天皇漂海記』のオマージュ元と思（おぼ）しいのが、仏の教えを求めて日本から旅立った親王の物語、『高丘（たかおか）親王航海記』*（澁澤龍彥）だ。この小説において日本はふつうだったと思われるのに、親王の旅が進むにつれアナクロニズムと奇想の嵐が襲い、親王はだんだんおかしく、だんだんヘンな世界へと旅を進めていく。伝奇とも奇譚ともつかない、幻想小説と呼ぶのも少しためらわれる、これは奇書である。

以上十冊、好きなものを好きに挙げた。絶版で挙げられないものが多々あったのが残念だ。

*『高丘親王航海記』
澁澤龍彥　文春文庫。貞観七年（八六五年）正月、高丘親王は唐の広州から海路天竺へと向かった。幼時から父平城帝の寵姫藤原薬子に天竺への夢を吹き込まれた親王は、エキゾチシズムの徒と化していた。著者の遺作となった読売文学賞受賞作。（編）

みじかいミステリのちいさな本棚

素敵な仮想の本棚を手に入れたとしよう。小さくて十冊しか収まりそうにないが、装飾が精緻でたたずまいがいいものとする。素敵な本棚に収める本にはこだわりが、別の言い方をするなら何か特別な条件がほしい。どうだろう、ミステリ短篇集の棚、というのは。小さな棚にはいかにも見合いそうだ。それもただの短篇集ではない、名探偵の魅力を堪能できるシリーズ短篇も、本一冊での目論見で合わせ技を決めてくる連作短篇も好きだけれど、それらの要素から切り離され、収録作一作一作のキレで勝負するしかない独立短篇集にはある種のロマンがある、それを集めよう。思い出深いものや深い感銘を受けたもの、だれ憚る(はばか)ことなく傑作だと言い切れる短篇がたっぷり詰まった小さな棚が、仕事机の横にちょこなんと置かれていて、ふとした時にどこからでも読めるというさまは、想像するだに楽しいことだ。

さて、ミステリの独立短篇集で思いつく傑作は、まず泡坂妻夫『**煙の殺意**』*、これはどうしたって動かない。逆説の極致「**紳士の園**」、ホワイダニットにして前代未聞のアリバイ崩し「**煙の殺意**」など捨てるところなき作品集だが、か

*『**煙の殺意**』
泡坂妻夫　創元推理文庫。捜査そっちのけの警部と美女の死体に張り切る鑑識官コンビの殺人現場リポート「煙の殺意」を表題に、愛すべき傑作「紳士の園」など八篇を収録。(編)

つての私を震わせ、背すじを正させたのはなによりも**「椛山訪雪図（かざんほうせつず）」**だった。椛山訪雪図は見事な水墨画だが、その本当の趣向、真価が明らかになるには、一つの殺人事件を待たねばならなかった——。人間の文化というものが持ちうる深さ、広さすらも謎として描き得るミステリの奥深さに、私はしびれ、いまでも魅せられ続けている。これを書くには本当の教養が必要だっただろう。

言うまでもなく、教養とは知識の別名ではない。むしろ、人間性の深さを言う言葉だ。**A・H・Z・カー『誰でもない男の裁判』**は、長らく書籍化されなかった幻の短篇集だが、この本の価値は珍しさにではなく、作者の人間性のあらわれにある。表題作では、神がいるならば俺を殺してみろと演説した男がたちどころに射殺され、全キリスト教世界が男の死は神の罰だと信じる中、一人の神父が真実に忠実であろうとする。**G・K・チェスタトン**や**M・D・ポースト**を思わせる一方、底知れない無力感が作品を唯一無二のものにする。**「市庁舎の殺人」**の、良き人たちがやりきれない結末を迎える静かな感じも忘れがたい。ところで猫が好きなら**「猫探し」**を読み逃す手はない、私にとって猫ミステリの第一位*だ。

結局小説とは、人間をどのように見ているか、その視線のあり方が問題なのだと改めて思い知らせてくれる傑作群の一つが、**スタンリイ・エリン『九時から五時までの男』**。まっとうな大人がおそろしい子供に陥れられる**「ロバート」**も佳作だが、同じように子供時代を扱い、その残酷な終わりを描いた**「運命の日」***は読んでいて本当につらい。**「ブレッシントン計画」**は当然のことを書

猫ミステリの第一位
ちなみに犬ミステリは激戦でして、犬の可愛さがどこまでも図抜けている**『助手席のチェット』（スペンサー・クイン）**、掌篇に犬と人間のかかわりを詰め込んだマージェリー・アリンガム**「犬の日」**（**『窓辺の老人』**収録）、犬に人間の思いを投影することの愚を描いたG・K・チェスタトン**「犬のお告げ」**（**『ブラウン神父の不信』**収録）あたりが思い浮かびます。猫ミステリは斯界に有識者も多く、その見識に頼ります。

「運命の日」
ミステリとは言いがたい小説なので敢えてさらりと書いていますが、私はエリンで、この「運命の日」が最も好きです。少年時代の終わり、守られていた時代の終わり、無垢なる信頼の終わりをまざまざと描いた、おそろしい小説です。ミステリに限定すれば**「クリスマス・イヴの凶事」**が好きです。

いた小説だ。この短篇は、あなたも老いるのだと伝えてくる。あなたも老いる、私も老いる、その時、あなたや私はかつての自分に出会うのだ、と……。一方、**「不当な疑惑」**は愉快なリドルストーリーで、ちょっと読み返したくなる。

　読み返したくなるといえば、**竹本健治『フォア・フォーズの素数』***もまた、ずいぶんと読み返している。病気療養中と思(おぼ)しき少年が、ふとしたことから四つの「4」を計算記号で結んで任意の数字を作るゲームに取りつかれ、いくつもの数字を作り出していく。四つの「4」では作ることができない最小の数を見つけることを、先に死んでしまった友との絆のように感じながら――。数学の美しささえも小説の形にできるのかと、本当に感動した。**「白の果ての扉」**も忘れられない短篇だ。カレーを作るだけのミステリである。

　美しさ、という言葉を使ったが、ミステリにおいてそれは二つの意味を持つだろう。美しいものを扱ったミステリと、論理が美しいミステリだ。前者の作例として、私にとって先述の「桃山訪雪図」と双璧を成すのが、陳舜臣『方壺園(ほうこえん)』の表題作である。長安に隠れなき詩人の名声を、詩人が居候していた屋敷の主人だけが知らなかった。無能な居候だったはずの男が名声を博していることを知った主人と詩人のあいだに、緊張が生まれる。そこに、豪門の生まれではあるが詩の才能はない若者や、優れた詩人しか相手にしない美妓が絡む時、名庭「方壺園」は一個の密室と化し、人が死ぬ。手の届かない美に対し、叶わぬまでも必死に手を伸ばすか、それともあれは酸っぱい葡萄さと目を背けるか、嫉妬の炎に身を焦(こ)がすか……。他に収録されているものでは、**「九雷渓」**もす

『フォア・フォーズの素数』
竹本健治　角川文庫。四つの4と計算記号が広がる世界。奇想色の濃い表題作他、SF、ホラーなど全十三篇を収録。（編）

ばらしい。

論理が美しいミステリ短篇を堪能させてくれる一冊としては、**鮎川哲也『下り〝はつかり〟』***を本棚に置きたい。**「赤い密室」**は、密室が密室でなくなる条件を幾つも重ね、困難を分割する手際が冴える、お手本のような短篇。**「誰の屍体か」**は、小さな情報を一つ一つ精査するごとに事件の様相が変わっていくダイナミズムと、その果てに余詰めなく犯人が突き止められるフーダニットがたまらない。そもそも短篇で犯人あては難しいと決まっている、枚数が限られているのだから、たいていは一番描写が多い人間が犯人になる……が、その困難は技量で解決できるのだという動かぬ証拠だ。シリーズ探偵である鬼貫警部が出てくるものも複数入っていて、完全な独立短篇集とは言えない（そもそも「選集」だ）が、偏愛する**「絵のない絵本」**はあまりに捨てがたい。まさかの「奇妙な味」！

思い返せば、「奇妙な味」に触れたのは、エリンよりも**ジェラルド・カーシュ**の方が先だった。中でもとりわけ印象に残っているのは、**『廃墟の歌声』**に収録されている**「無学のシモンの書簡」**と**「クックー伍長の身の上話」**。前者では、布教先で弾圧に遭った宣教師が瀕死の状態で沙漠をさ迷い、ある男に救われる。恢復に向かった宣教師は当然の義務として男にキリスト教の教えを伝えるが、男は不思議そうな顔でその話を聞き流すばかり。男の手や足には、いや、これ以上は書くまい、ああ無学のシモン！「クックー伍長の身の上話」では、とある偶然から不死の妙薬を調合し、飲んだ男が描かれる。彼はその長い

『下り〝はつかり〟』
鮎川哲也　創元推理文庫。都内のアパートで起きた殺人。現場で目撃された男には犯行時刻に別の場所にいたことを示す充分なアリバイがあった。表題作他十篇を収録。（編）

長い生の中で、なにを成してきたのか。これはもう、大好きだ。

大坪砂男『**天狗　大坪砂男全集②**』も入れてみたい。文章は洒落（しゃれ）が利いていて、そのミステリは……もう、はちゃめちゃだ。飛んだり跳ねたり、はね飛ばされたり沈んだり、よくもまあと思うような数寄（すき）を凝らして人が死ぬ。これはもう、しかつめらしい顔で拝読するよりも、笑ってしまった方がいい。伝説的な表題作や、「三月十三日午前二時」が面白い。「**ロボット殺人事件**」は、アシモフの三原則に従っているはずのロボットたちが人を殺すという興味深いSFミステリ。ロボットが活躍するのは特殊なレスリングで、機体名が「タニカゼ」「ライデン」*だというのだから、ついにやってしまう。

デイヴィッド・イーリイの『**タイムアウト**』はどうだろうか。ご近所づきあいの嫌なところを煮詰めたような「**大佐の災難**」や「**隣人たち**」もねっとりと記憶に残っているが、この本を仮想の本棚に置くのは、ひとえに表題作のためだ。イギリスを愛し、いつかイギリスに行きたいと願いつつ果たせずにいる学者の元に、イギリス調査団のメンバーに選ばれたという知らせが届く。うきうきと、ルール・ブリタニアを口ずさんだりしながら飛行機に乗り込んだ彼に、軍人らしい男が告げる。実は……一般には伏せられていることだが……イギリスは核攻撃で消滅したのです。一面焼け野原になったイギリスで、ただの人文学者に求められることは何か。本当に傑作だった。

最後の一冊には、**フリードリヒ・デュレンマット**『**失脚／巫女の死**』*を選ぼう。独裁国家における閣僚会議に、一人の大臣が現れなかった。遅刻、いや、

「タニカゼ」「ライデン」
ともに江戸時代の名力士、歴史的名横綱の「谷風」と、最強とうたわれた「雷電」です。

『失脚／巫女の死』
フリードリヒ・デュレンマット　増本浩子訳　光文社古典新訳文庫。いつもの列車は知らぬ間にスピードを上げ……日常が突如変貌する「**トンネル**」。独特の皮肉と社会風刺が利いた四篇の物語。（編）

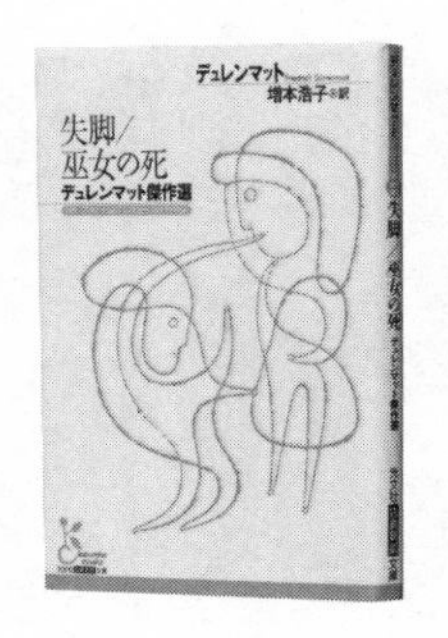

粛清だ、とうとうやられたんだ、次は誰だ——「失脚」を読んでいるあいだ、サスペンスの息苦しさに耐えかねて、何度ページを閉じたことか。そして「巫女の死」！　これを一篇のミステリと捉えるなら、なんと恐ろしい話だろう。「真実はそっとしておく間だけ真実なのだ」。この短篇をいつでも読める場所に置き、折に触れて再読することには価値がある。

これで十冊、おおよそどこからでも読める短篇の本棚が出来上がった。仕事机の横に置いてちらちら見るだけで、きっとなんとなく幸せな気分になれるだろう。けれども二年か、ひょっとしたら一年ほどで、私はどれかを入れ替えるはずだ。それは、新しく入る本が外される本よりも良いからではない。理想の本棚とは固定されたものではなく更新され続けるもの、私はそう信じるからである。

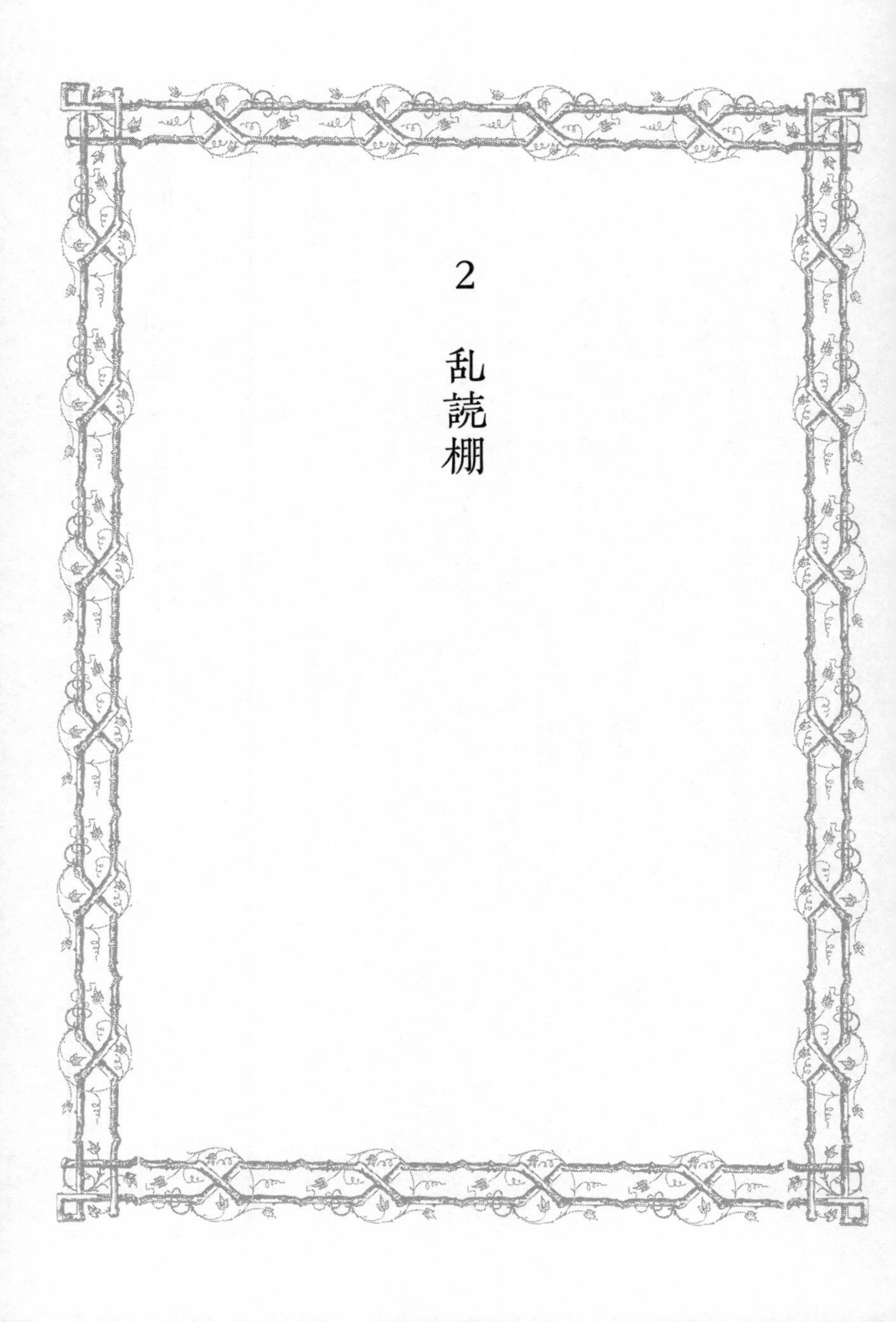

2

乱読棚

何事も例外はありますが

これは日経新聞のリレー連載「半歩遅れの読書術」に寄稿した文章です。「ふだんはあまり本を読まない日経新聞読者」に向けて、国内ノンフィクションを買う場合に少し気をつけてみるといいかもしれないことを書いたものです。四回連載ということでしたので、ノンフィクションについて、図書館について、非ミステリについて、そしてミステリについて本選びのポイントを（及ばずながら）書くつもりでしたが……（66ページに続く）

乱読ほど楽しいことはない。知りたいという欲に身を任せ、自宅に眠る未読書の山のことなど忘れて書店のレジに本を積む快楽は背徳的ですらある。ただ、もし「この本は信用できるのかな?」という疑いが生じたら、見るべきところが何ヶ所かある。

国内ノンフィクションの場合は著者略歴を確認し、いま起きていることについて読むならもっぱらルポライターの、かつて起きたことについて読むなら現役の学者の本を選ぶ（何事も例外はあって、たとえば記者の**斉藤光政**氏が書かれた**『偽書「東日流外三郡誌」事件』**は読まないわけにはいかない本だった。泡坂妻夫氏の**『家紋の話』**を、小説家の書いたものだからと敬遠するのはもったいない。氏は職人でもあった）。学問分野にもよるが一般的に学者は、過去の議論を踏まえ資料に基づいて考える訓練を完了した、知的生産のプロだ。頼らない手はない。ただし、専門分野と本の内容が合致しているかは確かめるべきで、文学者が書いた健康法の本や数学者が書いた歴史の本は眉に唾をつける（何事も例外はあって、たとえばイタリアルネサンス史を専門とする**会田雄次**

氏が書かれた**『アーロン収容所』**は名著として知られる)。

次に本文を少し見て、参考文献の取り扱いに注目する。主要参考文献一覧がないなら、もちろん避ける。文中に「山田二〇二〇」というような記述があれば学問的な手順を踏んでいると考えられるが、この記法を使っていないからといって即信用に欠けるというわけではない。要は資料と議論の過程を辿れるように書いてあるかどうかだ。「近年の研究では」とか「という資料もある」とかいう書き方をしていて出典が書かれておらず、話の出どころがわからない本は、話半分のまた半分ぐらいで読む。

最近だと**高木久史『撰銭とビタ一文の戦国史』**が実に楽しかった。貨幣とは信用であるという考えが骨の髄まで染み透った現代に暮らす私にとって、良い貨幣と悪い貨幣があるという考え方そのものが面白く、かねて撰銭には興味があった。貨幣を他国から輸入し、その輸入が滞ると自分たちで貨幣を作り始め、それでも貨幣不足が深刻化するととうとう米で勘定を始める――つまり石高制へと移行するという中世末期から近世初期の経済の混乱を読むことは、まったくもって衝撃的な経験だった。

現代とは違う時代、こことは違う場所の考え方を知ることは、肥大する自己を抑制してくれる。読書の徳である。

必然性のない読書

（続き）新型コロナウイルスの感染が拡大し、世間に恐怖が蔓延しました。図書館も閉鎖されてしまいましたから、即時性を旨とする新聞で図書館の使い方を書くわけにもいきません。そこで、既に書いていた原稿を急遽差し替えたのが、この文章です。

文化はどのような災禍の中からも生じる。人間とは、戦地でさえ詩を詠み歌を唄うものであるらしい。明日は二十一世紀の『デカメロン』*が書かれるかもしれない。だが今日は、まだ頭を引っ込めていた方がよさそうだ。

可能な限り多くの情報に接しなければならない仕事もある（医療、物流、報道、行政そのほか難局に対応するすべての人々に敬意を払います。彼らが充分に報いられることを願います）。また、厳密に言えば、民主主義国家において個人に無関係の事柄というのは存在しない。だが、普通の生活者が更なる情報を求めてテレビやネットに常時触れ続けることは、必ずしも安全なこととはいえない。

あらゆる情報に接し、あらゆることに怒り、あらゆることに不安を抱いていては心がすり減るのだ。すり減った心はさらなる怒りと不安を招き、攻撃性や妄信や憂鬱を引き寄せ、自他の生活を劣化させる。我々が社会を築くのはつまるところ生活を守り改善するためなのだから、生活を劣化させるのであれば、情報の過剰摂取もまたすなわち害となり得る。無知は恐怖を招き不合理な行動

*『デカメロン』ジョバンニ・ボッカッチョ　平川祐弘訳　河出文庫。ペストが猖獗を極めた十四世紀フィレンツェ。恐怖が蔓延する市中から郊外に逃れた若い男女十人が、面白おかしい話で迫りくる死の影を追い払おうと、十日のあいだ代わるがわる語りあう百の物語。（編）

を引き起こすが、過度の情報もその点はまったく同じなのだ――このことは**ラヴクラフト**の諸著作に詳しい（なんとまあ、ラヴクラフトから教訓を引き出す日が来るとは思わなかった）。

心がすり減りつつあるなと思った時は、いま読む必然性がまったくない本がいい。かつて東日本大震災の際、いまと同じように情報の氾濫にさらされた果てに、これ以上を見る必要はないと心を決め、私はテレビを消して**『落語百選』『落語特選』**（**麻生芳伸**編）を延々と読みふけった。かつて京都で大きな事件*が起こり、仕事を共にした良き人々の安否が不明になった時、胸がつぶれるのを防ぐため情報から強いて目を逸（そ）らし、**『怪談と名刀』**（**本堂平四郎**著　**東雅夫**編）や**『江戸奇談怪談集』**（**須永朝彦**編訳）を読んだ。今日的なテーマを持たない、短い話が合っていた。

いま読む必然性のない物語を心に入れると、その無用さが緩衝材になる。必要なこと、役に立つことばかりを追い求めては心が硬く、脆（もろ）くなるのは平時でも同じことだ。「ああ面白かった」「いやあ美しかった」と言って顔を上げれば、過度の楽観や悲観から逃れる道も見えてくるというもの。古人の言う無用の用とは、あるいはこのようなことでもあっただろうか。

事件
二〇一九年七月十八日の事件です。

好きなように

私はミステリ小説を書くことを生業(なりわい)にしており、ミステリを読むことは仕事でもあるが、独学のかなしさか体系的な読書に穴がある。白状してしまうと、初めての小説を世に出した時点では鮎川哲也*『黒いトランク』さえ読んでいなかった。読むべきミステリは、まだ無数にある。

その点、ミステリではない海外小説を読むことは仕事ではないので、好きなように選んでいる。奇妙な題名が気になって『イワシの埋葬』（野々山真輝帆編。冒頭の一篇の恐ろしさ！）やダイ・シージエ『孔子の空中曲芸』（新島進・山本武男訳）を買い、装幀(そうてい)に惹かれてホレーニア『両シチリア連隊』（垂野創一郎訳。詩のように美しい、滅びの小説）やサムコ・ターレ『墓地の書』（木村英明訳）を手にする。マヌエル・ゴンザレス『ミニチュアの妻』（藤井光訳）を見かけ、手持ちのアンドリュー・カウフマン『銀行強盗にあって妻が縮んでしまった事件』（田内志文訳）との思いがけない共通項*にくすりと笑ってレジに持っていく。

こうして好きに選ぶ中でエベリオ・ロセーロ『無慈悲な昼食』（八重樫克

鮎川哲也
ほかで書くタイミングがないかもしれないのでここで書きますと、鮎川先生の〈三番館〉シリーズが、精緻さと軽みを両立させていて好きです。無実を証言してくれるはずの人が消えてしまったという「新ファントム・レディ」は傑作ですし、新人賞の盗作をテーマにした「ブロンズの使者」なども面白い。ただ、時代の要請か掲載誌の要請か、描写に無用のどぎつさがありまして、こんにち再び広く読まれることはないかもしれない、とも思います。

彦・八重樫由貴子訳）に出会えたのは幸福だった。一方、時には気の乗らない読書になることも……まあ、そんなこともあるだろう。

本をどう選ぶかは、完全に自由なのだ。だがその自由さは、ほかのあらゆる自由と同じく、努力しなければ保つことが出来ない。はずれを引くことが怖くて話題作ばかり読むことも、天邪鬼な気持ちで話題作は決して読まないことも、どちらも自由とはいえない。これは面白そうだと本を手に取りかけてスマートフォンで評判を検索し、誰かが星一つをつけているからと本を棚に戻すのは、感受性を他人に売り渡すようなものだ。

「好きなように本を選ぶ」とは、単にいい加減に選ぶことではない。自らの好奇心と感受性を信じてそれを鍛え、自分の時間を支払って、本を選ぶ自由を守ることだ。自らの趣味嗜好を認識し、そこから一歩出てみようと試みることだ。その挑戦がなければ、私はいつか、いつも似たような本ばかりを読むことになるだろう。それはきっと心地いいに違いないが、でも少しさみしいではないか、本はこんなにあふれているのに。

だからこそ私は、今日も好きに本を選ぶのである。

共通項
言うまでもないことですが、妻が小さくなることです。どちらもいきなり小さくなってしまうのではなく、徐々に小さくなっていく物語でした。しかしその結末は正反対です。

文脈

全ての本は文脈に沿って書かれている。私がそれを強く意識したのは、学生時代に『六の宮の姫君』(北村薫、創元推理文庫)を読んだ時のことだった。同時代の作家たちが逃れがたい世相から影響を受け、互いに刺激し合い、過去から受け取ったものを未来へ受け渡していく、その途上にこの一冊の本があるのだと感じた。文脈の広がりを意識する時、一冊の本は既に一冊ではなく、無数の本へと繋がっていく。この文脈を追いたい、と強く思った。

まずは文庫本の巻末解説を頼りに、読書の幅を広げていった。『六の宮の姫君』は菊池寛と芥川龍之介の友情に関するミステリだったから、それまでつまみ読みだった芥川を片端から読んでいった。本と自己とが一対一で完結していたシンプルで幸福な時代は終わりを告げ、本の読み方というものが問われる段階に入ったことに、その頃の私は気づいていなかった。

本には読み方があるのだ。足の速い人と遅い人がいるように、本の読み方にも筋の良い悪いがある。本を通じて人と関わろうとするならば、どんな読み方をしようが個性だと開き直ることは出来ない(足が遅いことは罪でも悪でもないが、短距離走の選手になろうというのなら少しでも速くなるよう自らを訓練しなければならない。同じことである。なお私の足は遅い）。

事ここに至って、本を選ぶ、読むというのも単純なことではなくなってくる。何をどう読むべきか。何と何が繋がっているのか？

わからないときは、先人に頼ることだ。頼るとは判断の放棄ではなく、敬意を払うことである。私も多くの人に、多くの本を教わった。伝説的名著『**夜明けの睡魔**』*（**瀬戸川猛資**）をはじめ、読書ガイドにも多くを負った。文学賞や新人賞の選評を読むのも面白い。当代きっての読み手たちはどのように本を読んでいるのか、名人の技を盗み見るような感じがある。

そうして本を読んでいくうち、無数の相対評価の果てに、自分はどのような本をもってよしとするのかが見えてくる。単に「好きな本」「お気に入りの本」を超えて、自分の読書にとっての原点とは何であるかが定まっていくのだ。

私の場合、国内ミステリなら泡坂妻夫、海外ミステリならば『**世界推理短編傑作集**』（全五巻、江戸川乱歩編、創元推理文庫）が原点だ。私は私の、生涯の宝を見出したのである。


『夜明けの睡魔』

この本には本当に多くを教わりました。スタンリイ・エリンについての文章と、**ルース・レンデル**についての文章を読み合わせると、まさに我が意を得たりと思います。瀬戸川猛資氏はエリンについて「現代の狂気」を描く作家ではなく「現代の正気」を描いた作家であると喝破し、レンデルの（当時の）受け止められ方について、「狂気だなんて……今さら恥ずかしいことをいってくれるな」と切り捨てるのです。

物語酔いが醒めるまで

長い小説を書き上げると物語酔いして、少しお話から遠ざかりたくなる。書店で青木正児『華国風味』*を見つけた。著者は中国学の大学者だが、私にとっては先(ま)ず興奮の書『酒の肴(さかな)・抱樽酒話』の書き手だ。喜んで読み始めると、学者らしい細心さに満ちた歯ごたえのある本で、思っていた軽い読み物とは違う。よし来いと挑みかかり、中国の北方では粘りけのない米が良しとされたが、では彼らは、箸ではつまめない飯を何を使って口に運んだのか等々、微細にして興味深い問題とその検討をおいしく味わう。

　自分たちにとっての常識が、実は意外に希少価値のあるものだと教わることがある。ノエル・ペリン『鉄砲を捨てた日本人』を読んで、江戸時代を通じて兵器がほぼまったく発達しなかった事実が、外から見れば面白いのだということを知った。江戸時代の役人は連発できる回転式拳銃も知っていたけれど、まったく興味を示さなかったという。これほど軍事技術に重きが置かれない時代は珍しいという記述を読んで、なるほどそういう考え方があるかと腕組みした。

　そろそろ小説が恋しくなって『松谷警部と三ノ輪の鏡』を手に取る。著者の

*『華国風味』
青木正児　岩波文庫。中国大陸で多彩な発達をとげた各種粉食の歴史、江南の地でついに賞味するを得た紹興酒の絶品の話、喫茶法の変遷、筍を焼いて食う話など、食いしんぼうと上戸にはこたえられないエッセイ十二篇。（編）

平石貴樹も学者で、二〇一三年の退官以降、立て続けにミステリを書いている。**『だれもがポオを愛していた』**以降ずっと好きなので、小躍りしたくなるぐらい嬉しい。シリーズ三作目の今回も実に練られていて、ミステリを読む喜びがたっぷり満ちていた。謎ときに忠実な文体ながら、読み終えるとしんみりした感慨が胸に残るのが癖になる。

物語酔いも醒めてきたので「奇妙な味」のものでも大丈夫だろうと、**『街角の書店』***（**中村融**編）を読み始める。アンソロジーで、序盤の**ハーヴィー・ジェイコブズ「おもちゃ」**がしみじみいい。これはなかなか楽しませてくれそうな本だと嬉しくなって、最近はどこに行くにも持って歩いている。こうして小説が鞄に常駐するようになると、自分でも書きたくて矢も盾もたまらなくなるまで、もうそれほど時間はかからないのだ。

『街角の書店』
これは本当に素晴らしいアンソロジーでした。文中で挙げた「おもちゃ」のほかには、**「大瀑布」**（ハリー・ハリスン）がよかった。たしか**『短篇小説日和』**（西崎憲編訳　ちくま文庫）と刊行時期が近く、しばし奇妙な味にどっぷりと浸かるしあわせな読書をしたものでした。

美三題

「美しい古典」について書いてほしい、というご依頼を受けて書いたものです。柄にもないと思いつつ……。

『修禅寺物語』岡本綺堂

美は美について問い続けることを自ずから内包する。ゆえに、『修禅寺物語』は美しい。面作師(おもてつくりし)の夜叉王は、どうしても源頼家の面を作ることが出来ない。どう作っても生気が宿らないのだ。かれは死んだ面を召し上げられたことに苦しみ、これまで作った面を破壊して面作りの道から退こうとする。この小説を最後まで読めば、自ずから芥川**「地獄変」**が連想されるだろう。ところで夜叉王は本当に名人なのだろうか。「地獄変」の良秀が描いた絵は素晴らしかったのだろうか。**手塚治虫**が**『七色いんこ』**で本作を翻案した中で、名誉ある依頼を受けた画家が欲にかられ、仕事に媚びが生じた瞬間に美神が去ったと描いたのは本当に慧眼(けいがん)だ。本作でもっとも美に近いのは夜叉王の娘、楓ではなかったか。楓は言う、「いかなる名人上手でも細工の出来不出来は時の運*」と。

時の運
この件に関しては、191ページでもう少し書いています。

『新釈雨月物語　新釈春雨物語』石川淳

雨月は古来その美を讃えられ、ことに**「白峯」**の冒頭は名文中の名文といわれてきた。ところで私は雨月を、原文よりも、石川淳の翻訳――あるいは翻案*でよく読んだ。原文は自然の描写の絶佳なることで知られるが、石川版はそれに加えて、ひとが交わすことばのやりとりに曰く言い難い魅力がある。「君かくまで魔界の悪縁につながれて、みほとけの浄土には億万里をへだてたまううえは、なにをふたたび申そうか」（「白峯」）。「かれ果報めでたく世を去ったとならば、道に先達の師ともいおう。また生きてあるならば、わがためにひとりの弟子じゃ」（「青頭巾」）。語調から漢字とかなの使い分けに至るまで、完璧。雨月を現代のことばにするという大事業に際し、原文の美しさを決してそこなうまいと作家がことばを磨きに磨いたさまが目の当たりにある。これが美だ。

『百物語』 杉浦日向子

ひとが何かを尊敬し愛しているさまは美しいものだ。杉浦日向子は漫画家にして江戸文化の研究家であり、その作品を読めば、江戸のひとが現代に迷い込んで漫画の技法を学んだやに思われる。コマに描かれた道具ひとつ、フキダシに記された言いまわしひとつに、文化に対する深い理解と敬愛が滲み出ている。『百物語』は夜の闇がいまよりも深く致命的だった江戸の怪談であり、読み味は総じてべっとりとして不気味だ――が、怪の中にあって美はいっそう輝く。荒れ家を煌々（こうこう）と照らす満月が美しい、疫鬼（えきき）が去った跡を打つ雨が美しい、化かされてさ迷う竹林に竹の葉が降るのが美しい。これは古典であり、何百年と読み継がれるべきだ。

翻案
『新釈雨月物語　新釈春雨物語』は、場面の取捨選択や加筆、語られる順番の並び替えが行われています。もっとも大胆に並び替えられているのは「夢応の鯉魚」でしょう。石川淳のバージョンに親しんでから原典を見ると、あれ、そうだったかなと思うほど違います。

百といくつかの禁書

大学生向けに書いた文書ということもあって、文中ではいわゆる名著を挙げていますが、『百禁書』の中では『スローターハウス５』（カート・ヴォネガット）や『華氏４５１度』（レイ・ブラッドベリ）、『動物農場』（ジョージ・オーウェル）なども取り上げられています。いま同種の本が刊行されたら、きっと〈ハリー・ポッター〉シリーズも取り上げられるでしょう。

情報社会にあっては知的作業の果実を得ることは難しいことではありません。何百冊を読破し何百時間を費やした思索の果てを、検索ワード一つで得ることはふつうです。この状況では、誰かによって——集合知によってと言うべきでしょうか——良いとされた本を読むことが成功する知的作業で、悪いとされた本を読むことは情報へのアクセスが不充分だった結果発生してしまった愚かしい失敗だ……と受け止められるのも無理のないことですが、その考え方がいつの間にか尖（とが）ってしまい、悪評のある本を読むやつは馬鹿だとまで考えるようになると、やや危険です。そこから、悪い本は存在すること自体が社会的な害悪であり損失なのだという結論までは、あと一歩といったところでしょう。

自分（たち）は何がありうべからざる悪い本なのかを決められると信じた人々の営為をまとめた本が、この『百禁書』*です。『千夜一夜物語』は、猥褻（わいせつ）であるという理由で、一九三〇年までアメリカへの輸入が禁じられていました。『若きウェルテルの悩み』は、自殺を勧めていると解釈され、ドイツの市議会で禁書とされました。『ハックルベリー・フィンの冒険』は、表向きには、言葉遣いが汚いことが槍玉に挙げられ、抗議と禁書指定が繰り返されてきました。どのような人々が、なぜ、どれぐらいの規模で本を禁じてきたのか知ることは、読書とは畢竟（ひっきょう）個人的な行為であると信じる私にとって、その社会的な側面を突きつけられる、薄ら寒いような経験でした。

さてそれにしても、この本に出てくる人々は本を禁じるに当たって、ほとんどの場合で自らの見識——偏見と言っても構わない場合も多いですが——をその理由として挙げており、他人の見識を理由とはしていません。翻（ひるがえ）って、情報があふれ全ての本について誰かの意見を参考にしうる今日を顧みたとき、成功が約束された読書を望むことはある程度やむを得ないとしても、失敗を恐れるあまり他人の見識に基づいて自らの内に禁書リストを作ってしまってはいないか、せめて心したいものです。

つまらない本をつかんでしまうことも、それはそれで結構面白いことだったりするのですから。

『百禁書』

ニコラス・J・キャロライズなど著　藤井留美、野坂史枝訳　青山出版社。検閲を受け禁書となった世界文学百作品とその理由を政治、宗教、性描写、社会問題の四つに分類し、作品ごとに内容の簡単な要約、検閲の経緯を紹介する。（編）

割り切れないんですよ

ミステリを読む楽しみについて三千六百字で書きませんかとご依頼されました。なるほどご依頼内容と制限字数はわかりました。それで愛はどれぐらい漏れても大丈夫でしょうか。取りあえず三つほどポイントを挙げようと思います。あ、私のミステリ観は全くの我流なのでどうぞこれが普通の読み方だとは全くお考えになりませんよう。

まずは、知と理の文芸であるというところがたまらない魅力です。皆様も先刻ご承知のことと思いますが、この世はあまり理が勝つようには出来ていません。脳髄を絞って組み上げた精緻なことばは、時には情に流され、時には縁に丸め込まれ、あるいは単に声の大きさに掻き消されてしまう。腕力や財力の前に沈黙を強いられることもあるでしょう。それでも理屈を押し通そうとすれば「面倒なやつ」と眉をひそめられることは必至です。

しかしミステリは違う。ミステリは何よりも知と理の世界なのです。たとえ状況がどれほど切迫していても、解決が行われるならば皆がそれを聞く。この意味で最も典型的なのは『シャム双子の謎』(エラリー・クイーン)でしょう。

こ、これは古い文章ですね。ずいぶん張り切って書いていて、腕まくりしている姿が目に見えるようです。どうぞお手柔らかに、優しく見守ってやってください……。

愛はどれぐらい
ぎゃー何を言ってるんだお前は! いいか、いまのお前はそれでいいかもしれないが、それを書いてから十一年後にお前はこの文章を含む読書エッセイを出すことになって、その時にこういう旧悪が発掘されてひどい目に遭うのだ、もっと抑制の利いた文章を書きたまえよっ。

誰もがつっこんだはずです、「いやいや、いまそんな場合じゃないでしょ」と。しかしたとえ燃えさかる山火事が足元まで迫っていても、提示された謎の解明は果たされなければならないのです。ミステリでは火なんか怖くない。すべてが明らかになるまで業火はその場に留まり銃火は逸れて、噴火もちょっとだけ待ってくれます。たとえすべてを把握した名探偵がそれを語る前に死んでしまったとしても、どうぞご心配なく。あれが最後の名探偵とは思えない。謎が残っている限り、第二第三の名探偵が現れるだろう。

かくして犯人が明かされるや「屁理屈捏ねやがって」というあの強烈無比なる思考停止に黙殺されることなく、たとえ作中に於いて裁かれないとしても読者の心中に於いて、事件は解決するのです。私にとってミステリを愛するというのは、必ずしもトリックやロジックを愛することと同値ではありません。本質的には、それは知と理が優越する空間*を愛するということなのだろうと思うのです。

次に、コレクタブルであるというところがたまらない魅力です。ミステリは先人が拓いた道を後進が延ばし、先人が植えた木に後進が枝を継いで発展してきました。いやどんなものでもその構図は同じなんでしょうが、ミステリの場合は謎と解決がほぼ不可欠の要素として盛り込まれているので、設問のタイプと解決のタイプを分析することによってサブジャンルを設けやすいようです。「これは『フーダニット』で『消去法』だな」とか「こっちは『誘拐もの』で『叙述トリック』だな」とか「なんと、『暗号もの』で『多重解決』だと」とい

知と理が優越する空間
このユートピア性をどこまで許容するかが、ずっと、ミステリを書く上での問題です。

った具合です。

自由は素晴らしい、しかし茫漠たる広野で好きなように表現をすることは困難を極めます。それはたとえば夕食のメニューのようなものです。「今日は何が食べたい？」とだけ言われても答えに窮する、しかし「ニンジンとジャガイモとキャベツと牛肉があってご飯が炊けているけれど今日は何が食べたい？」と言われれば、ほら、順列組み合わせでいろいろとメニューが浮かんできます*よね。

ミステリの新材料は払底した、というようなことは、それこそ半世紀も前から言われていました。だいたいその通りでしょう。*ですがまず、一生懸けて読み尽くせないほどの順列組み合わせがあるならばそれは事実上の無限だということ、次に同じ材料を使っても料理人の腕次第でまるで違う味が楽しめるのだということを書いておきます。

その上で、ミステリにはサブジャンルが豊富であるが故に「逆説ならもちろん〈ブラウン神父〉シリーズ（G・K・チェスタトン）と〈亜愛一郎〉シリーズ（泡坂妻夫）は外せない。それぞれのベストだと**「イズレイル・ガウの誉れ」**と**「藁の猫」**か」「クローズドサークルのマイベストはやっぱり『時計館の殺人』……あれ、もしかして『迷路館の殺人』（どちらも綾辻行人）の方が好きかな？」「倒叙の順位を付けるなら、はて一位は何だろう。『試行錯誤』（アントニイ・バークリー）は倒叙に入れていいんでしょうか」といったコレクションを存分に楽しめるところがいいですね。

いろいろとメニューが
カレーしか思い浮かびませんが……。

だいたいその通りでしょう
果たしてそうかな……？
いやまあ、ミステリにはいくつかの「型」があり、それはミステリの楽しさであるというのは同意します。一方で、それは狭さにもつながる。しかし優れた作家は、型通りに書くのではなく、型を生かして誰も見たことのないような素晴らしい小説を書くのです。君もそれは知っているはずではないですか。

さらに、強力な作者との一騎打ちであるというところがたまらない魅力です。私は物語論を一席ぶてるほどの読書家ではありませんが、「作者の意向」が前に出すぎることの是非は議論があるでしょう。物語に耽溺しているときに作者の代理人が顔を出してお説教をされたのではたまらない、と思うこともままあります。とはいえ、「作者は出てくるな！」と言ってしまうと私小説をまるごと拒絶してしまうことになるので、それもちょっと考え物。

しかしミステリの場合は話が早い。ミステリはもともと作者と読者のフェアな知的ゲームですから、作者の介在は織り込み済みです。「手がかりはもう全部出ていますよ」とご親切に作者が挑戦状*を差し出してくれるミステリもありますが、それで嬉しくなってしまう読者はいても、いいところで邪魔するなと怒り出す読者はそうはいないでしょう。

どこかにある物語の木に生った実ではなく、出題者の名前つきで（レーベルによっては顔写真までついて）届けられた知的パズル。よし、誰それの挑戦なら相手にとって不足はないと本を開くも、その内心では「今回もきっと私を打ち負かしてくださいよ」と願っている。そうです、ミステリを読む場合、作者の挑戦を打ち破ってやると意気込みながらも、結局はそれを果たせず「やっぱり誰それ先生にはかなわないなあ！」と敗北感を味わう時が喜びであるとも言えるでしょう。なんともマゾヒスティックですね。

さて、こうしてミステリの楽しみを三点ほど挙げてきましたが、実はそれで終わりではない。むしろ本領はここからです。

挑戦状
『人形はなぜ殺される』（高木彬光）の「読者への挑戦状」は印象的でした。問題点を整理し、情報の補完までしてくれるという親切さです。

以上挙げた三点は、確かに私がミステリに感じている魅力の説明になります。ですがそうなると、それが好きなのだと胸を張りつつも、少しの寂しさと後ろめたさを感じないではありません。この寂しさの説明として好適の文章が手元にあるので、ちょっと引用してみます。

〝本質的な疑問というのは、例の「割切れる」ということである。人生のすべては割切れるものではないが、探偵小説に於ては、その外面的な謎のみならず、内面的な謎までも割切ってしまう。これが割切れないでそは永遠の謎なりなどいう言葉で終ると、どうも読者はお尻がムズムズして落着きが悪いような気がするし、それかといってまた一方、正宗白鳥のいわゆる探偵小説の膚浅さはこの「割切れる」という点にあることは事実である。〟（「探偵小説の「結末」に就て」山田風太郎『わが推理小説零年』所収）

恥ずかしながら浅学の徒ゆえ正宗白鳥の批判は読んでいないのですが、まったく、これは難しいところです。なるほど確かに、ミステリは理に適っている。理に適うように作られた人造物なのですから当然です。その明快さを私は愛している。しかし最初にも書いたように、それは所詮この世の話ではないのです。普通に生きていれば、わからないことはわからないし、割り切れないひとは割り切れない。それなのに知と理のユートピアをひたすらに追い求めるならば、やはり「推理小説」の「小説」がだんだんと重荷になってくることは避けられないのでしょう。ではミステリの行く末は、小説を一切捨て去った一文の出題と一文の解答に極まるのでしょうか。

私はそうは思いません。
すべてが整然たる知と理の世界に「魔」を投げ込んで、ミステリとしてのフェアプレイを保ったまま一種異様な読後感を与えた『火刑法廷』*（J・D・カー）が書かれたのは既に七十年前です*。最近になって、「魔」ではなく「聖」を投げ込んで他をもって代え難い味わいに仕立てた「**凍れるルーシー**」（**梓崎優**『**叫びと祈り**』所収）というミステリを読みました。なんでもこの特集では桜庭一樹と道尾秀介が対談*しているそうですが、「ミステリはすべてが知と理で割り切れ、それゆえに浅い」という批判に対しては、彼らの既作からいくつか持って来れば充分反論可能ではないでしょうか。それにそもそも、誰かがそんなことを私に言ったら、私はそれこそ山田風太郎の「**新かぐや姫**」あたりを差し出す気がします。
すべてを割り切ってしまうことは、間違いなくミステリの魅力であり、弱点です。しかしミステリは、割り切ってなお余りがひとかけら残る、物語の魅力をも内包する懐の広さがある。私はそう信じています。お約束のコード、定型的な分類、フェアプレイ。それらに則ってなおもこれまで見たことがないような豊かさを感じさせてくれる作品に出会うとき、私は改めて、「ああ、ミステリって読んでいて楽しいなあ」と思うのです。

『火刑法廷』
ジョン・ディクスン・カー　加賀山卓朗訳　ハヤカワ・ミステリ文庫。広大な敷地を所有するデスパード家の当主が急死。その夜、当主の寝室で目撃されたのは古風な衣装をまとった婦人の姿だった。その婦人は壁を通り抜けて消えてしまう……。カーの代表作。（編）

既に七十年前
原書は一九三七年刊行です。

対談
「小説　野性時代」二〇一〇年五月号特集「もっと楽しく読むためのミステリ小説再入門」内、「特別対談　ミステリが好きな理由」のことです。

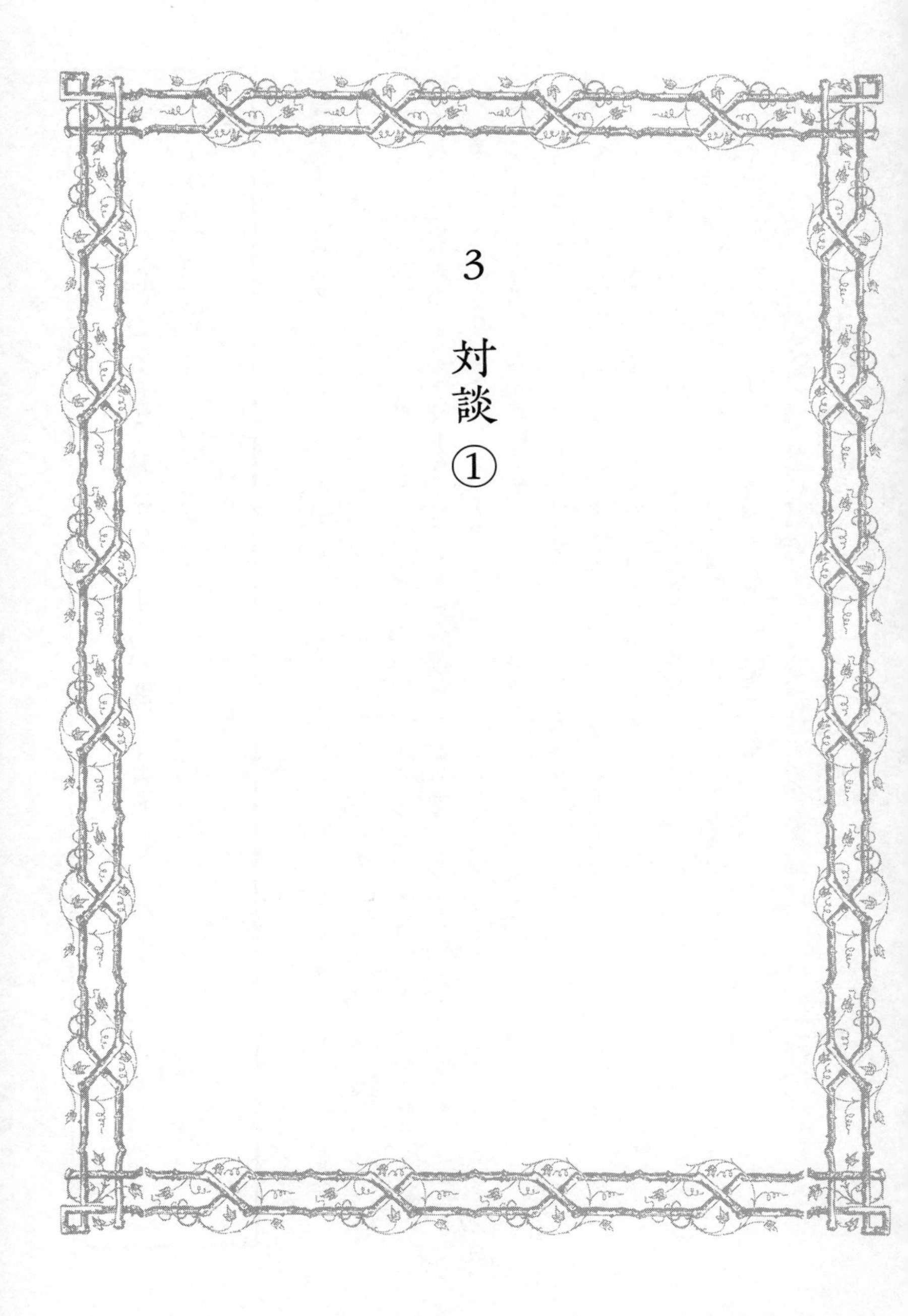

3

対談①

心に刺さるミステリー10冊＋2
×柚月裕子

対談の最中は、註釈欄は黙ることにいたします。対談はお相手あってのものなので、註釈と称して一方的に文章を足すわけにはいきません。

米澤　編集部からおススメ作品を5つ選ぶよう依頼されて、いやあー悩みました（笑）。ミステリーといっても今はかなり細分化されていますから、オールジャンルとなると幅が広すぎて、どう選んだらいいか……。

柚月　私も、自分の思うミステリーと読者のみなさんが考えるミステリーがかみ合うか悩みました（笑）。

米澤　特にこの世界は化け物みたいに読みまくっている人がたくさんいらっしゃいますから（笑）。そこで、私はミステリーという大きなジャンルのなかから、古典的なミステリー、本格ミステリー、歴史ミステリー、ユーモア・ミステリーなどジャンル別に選んでみました。

柚月　対談前に編集部から届いた米澤さんの選書を拝見して、作家としての大先輩に向かって僭越（せんえつ）ですけれども、「米澤さんらしいなあ」とものすごく納得したんです。トリックや謎解きを楽しむ作品というよりも、人間を描ききった作品をより多く選ばれていらして。米澤さんの作品を拝読していますと、仕掛けや謎を描くミステリー作家であると同時に人間の関係性や多様な価値観を通して人間の心を描こうとされているのがよくわかります。そんな米澤文学に通底するものがあると、選ばれた作品を見て感じました。私のほうはミステリーをあまり読んだことのない方でも楽しめ、読後、〝ミステリーをもっと読んでみようかな〟と思っていただけるような作品を意識して選んでみました。

米澤　柚月さんの選書を拝見して、実は意外だったんです。一〜二冊は重なるかな、と思っていたものですから。しかし、なるほど、だから連城やディーヴァーをあげられたんですね。

柚月　ええ。今回、まずご紹介したいのは**小池真理子『冬の伽藍』***。小池さんは大好きな作家。幅広い作風で知られますがミステリー作品も多く書かれていらっしゃいます。それも単なる謎解きではなく、人間ドラマがたっぷりと描き込まれている濃厚な作品ばかり。なかでも『冬の伽藍』は軽井沢を舞台にした心理サスペンスでありながら、男女の機微に迫った素晴らしい小説です。小池さんにはもっとミステリー色の強い作品がたくさんありますのでこれが純粋にミステリーといえるかという意見もあると思うのですが、私は人間を描いたという点で、まず、この作品を推したいと思います。

米澤　私のほうは……。今回のテーマをいただいたとき、すぐに**横溝正史**の作品は一つ紹介したいと思いました。そこでいちばん好きな**『夜歩く』**を。現在発売されているのは新しい装丁ですが、私が持っているのはこの杉

『冬の伽藍』
小池真理子　講談社文庫。事故で夫を失った薬剤師の悠子と妻に自殺された医師の義彦が軽井沢の診療所で出会い恋に落ちる。だが義彦の義父が悠子に迫り……。エロス匂い立つ長篇恋愛小説。（編）

本一文さんのイラストが使われた怖い装丁のほう（笑）。横溝正史ブームのきっかけになった角川文庫版横溝作品の装丁はすべて彼のイラストでした。『夜歩く』は事件や舞台と仕掛けが遊離しておらず、作りすぎた感じがないのにミステリー作品としても夢の世界としても読めるのが好き。私は〝ミステリーを通じて何かを描く〟という作品が好きなのですが、横溝は事件や因習を通して人間の欲や憎悪、嫉妬など心も深く描きます。ミステリーを全く読んだことがないという方でも、古谷一行さんが主演されたテレビドラマシリーズなど映像を通して横溝正史作品についてはなじみがあるのではないでしょうか。

柚月　『夜歩く』を選ばれたのは意外な気がした半面、ミステリーと言いながら人が背負っている思いや、あがき苦しみながら生きている人間が生々しく描かれている点が米澤文学に通じますね。その意味で言うと、連城三紀彦『戻り川心中』*も仕掛けを通して男女の心のひだを描いた作品。花にまつわる五つのミステリー短篇を収録した作品集ですが、表題作が特に好き。歌に残された男の野望とその男にはまる女の思いが美しい文章で印象的なシーンとともに描かれます。さまざまな男女の関係性や、自分の思い込みの怖さなどに気づかされた作品でもあります。しっかりしたロジックのなかに人間を深く描く横溝、連城文学と米澤文学はどこかで同じ匂いがするとずっと思っていたのですが、今回、読み返してみて、それがなんだかわかりました。日常からちょっとそれた、どこか不

『戻り川心中』
連城三紀彦　光文社文庫。二度の心中未遂事件で二人の女を死に追いやり、それを歌に遺して自害した歌人。男の野望と女の哀れを流麗な筆致で描く。（編）

思議な感じが作品にある点なんです。その不思議な感じがまた、たまらなく好きなのですけれど。

米澤　そうですね、そこが柚月さんの小説と私の小説の異なる点だと思います。柚月さんの作品は重心が低い。奇をてらおうと思えばいくらでもそう書けるところを、あえてそうはしないで書く芯の強さを感じます。それが私とは違う点です。私は、江戸川乱歩の「うつし世は夢、よるの夢こそまこと」ではありませんが、空想の世界というか、どこか浮き世離れしているようなものが好きでして（笑）。ただ、どれだけカリカチュアや誇張のある作品でも根底にある「心情の種」が本物で、人間の思いがしっかりとすくい上げられていれば読み手に届くと思っています。その点、北森鴻『狐罠（きつねわな）』もミステリー的な仕掛けと、職人たちの技、だまし合いや駆け引きなど人間の心が合わさっていて面白い。

柚月　現実離れしているといえば、子どものころは怪談話が大好きでした。『牡丹灯籠』や『番町皿屋敷』などを寝る前に読んでもらっていたんですけど、怖いからギャンギャン泣きまくりで（笑）。でも、このときに聞いたことを頭の中で想像する楽しさを覚えて、文字からイメージするという読書の楽しみの土台になったように思います。

米澤　私は頭の中で映像を作るということはあまりしませんでした。それよりも物語の続きを考えるのが好きだった。救いなく終わった作品の続きを考えたり（笑）。

柚月　ええっ！　それは意外です！　米澤文学の大きな魅力は、架空の町が生き生きと描写され視覚化されている点です。小説は虚構だからこそ、冒頭で〝こんな町もありうる〟と思えなければ、読み進めるのは難しい。米澤文学は物語の世界観が見事に完結しています。

米澤　うれしいご指摘、ありがとうございます。おっしゃるとおりで、虚構だからといって〝江戸の町に電信柱がある〟みたいなことを書かないよう気をつけています（笑）。

柚月　技術や知識だけではどうにもならないような、住んでいる人でなければ出てこないような一文をどうひねり出すか。そこが作家として問われるところだと最近つくづく思います。

米澤　ミステリーらしい町なら、ロンドンもいいですね。柚月さんはシャーロック・ホームズ好きとしても有名ですが、ホームズのどんなところがお好きなんですか？　作品で言うと……。

柚月　うーん、どれも好きですけれど、「瀕死の探偵」かしらん。私は、ホームズの謎解きよりもホームズとワトソンの関係性が好きなんです。ホームズって、実はすごく偏った人間なんですよね。コカインはやるわ、退屈が苦手だわ、冷たいわ、と人としてかなりダメダメで。でも、その他人にはとことん冷たいホームズがワトソンにだけは本音を見せる。そこがとても人間的だなあと、子ども心に強く引かれました。

米澤　そういえば、ホームズ作品はワトソンが語り手ですが、数少ないホームズが語り手になっている短篇が**「白面の兵士」**。いつもワトソンが書くモノをけなしていたホームズが、いざ自分で書いてみたらうまくいかない、と愚痴る（笑）。確かに、そういう人間らしさが魅力的です。

柚月 ホームズと同じように語られるルパンシリーズには、のめり込めなかったんです。ルパンは悪党ですけれど、ジェントルマンで完璧すぎるんです。人としてダメなホームズのほうから、いろいろ教えられたように思います。

米澤 確かに全体を読むと、ホームズがワトソンを撃った相手に対し〝ワトソン君が死んでいたらお前を殺していた〟とすごんだり、危険だとわかっている実験に付き合わせて中毒したワトソンにおろおろと詫びたりしてますね（笑）。

柚月 そうそう（笑）。二人の距離感がなんともいえずにいいんです。ホームズにハマった結果、講談社版、新潮社版、早川書房版と訳者を代えて全部読みました。訳文の違いもまたおもしろかった。その次は原文に行くのがふつうなのでしょうが英語版は読めなくて、その情熱が書くほうに進んでいった感じですね。

米澤 いやー徹底してますね（笑）。翻訳モノでいうと、私がおススメしたいのは**ロバート・ファン・ヒューリック『沙蘭の迷路』***。序文を**松本清張**が、解説を江戸川乱歩が書いているというミステリーの古典です。著者は駐日オランダ大使だった人です。中国の地方都市に赴任した、判事を

『沙蘭の迷路』
ロバート・ファン・ヒューリック
ハヤカワ・ポケット・ミステリ。新たな任地・蘭坊へ赴任するディー判事。到着寸前に追いはぎの襲撃を受けたのは、多難な前途を予告していたのか。はたせるかな、蘭坊の政庁は腐敗し、地元豪族が町を支配していた。さっそく治安回復に乗りだす判事だが、事件はそれだけではない。引退した老将軍が密室で変死、とりたてた巡査長の娘は失踪するなど、次々に難事件が襲いくる。（編）

兼ねた知事が難事件を解決していくのですが、歴史とミステリーを重ねあわせた傑作です。ミステリーは謎があって、それを解いていく過程が華やかなのでそちらばかりが注目されますが、それだけではない。大事なのは「心情の種」が本物であること、そして「立問」だと思います。問題を絞ることができれば、この世の捉えにくいものも書けるようになる。立問があるから思考の焦点が絞られ、そこに向かって謎が解かれていく。それが、ミステリーがクイズではなく小説になる理由だと考えています。

柚月 おっしゃるとおり、ミステリーは〝凶器は何か、誰が犯人か〟ばかりではありませんよね。人間の心が一番謎だと思います。

米澤 でも次に紹介したい**ピエール・シニアック『ウサギ料理は殺しの味』**＊は全然人間を描いていない、ふざけたミステリーというかユーモア・ミステリーです（笑）。人間の行動をベルトコンベヤーのようにラインにはめ込んでいて、最後まで読むと信じられないような結末が待っています。「ミステリーはこんなこともできるのか」と強く実感した作品でした。いっぽうで、平石貴樹**『松谷警部と目黒の雨』**は冒頭に殺人が起こり、警部がその謎を解いていくスタンダードな本格ミステリーです。ミステリーのおもしろさの一つに論理の世界のおもしろさがあり、論理の組み立て方で筋の通し方も変わってくるという〝乾いたミステリーのおもしろさ〟もあると思います。論理構成を楽しむ読み方ができるのは、ミス

『ウサギ料理は殺しの味』
ピエール・シニアック　藤田宜永訳
創元推理文庫。木曜日にレストランでウサギ料理が出されると、決まって若い娘が殺される。いったいこの町で何が起こっているのか？　とてつもないブラックユーモアに圧倒されること間違いなしの仏ミステリーの傑作。（編）

テリーの真骨頂ですね。

柚月　同感です。先ほど、現実離れした作品がお好きだとおっしゃいましたが、**今邑彩『よもつひらさか』**は現実から半歩ずれた世界を描いたミステリー。最初に読んだのは二十代のころでした。半歩それて歩くだけで人間はこんなにも不安を感じるものかと思った作品です。装丁のイラストの世界観も好きです。

米澤　ズレというのは〝価値観のズレ〟のことですか？

柚月　いいえ、価値観というよりも、作品のなかの次元や空間そのものがずれている。それが不安に導かれる原因なんです。その不安感を堪能したくて、ページをめくる手が止まらない、という感じですね。そして、先ほどから繰り返している〝人の思いをとことん描いた作品〟として、ぜひ読者のみなさんに読んでいただきたいのが横山秀夫**『半落ち』**[*]です。『**64（ロクヨン）**』のほうがページ数があり事件も大がかりなので目がいきやすいかと思いますが、私は『半落ち』をおススメしたいんです。たった二日間だけアリバイのない男の話と、筋はいたってシンプル。でも、その二日間に男の人生のすべてが凝縮されています。移動中の新幹線のなかで読み始め、嗚咽（おえつ）をこらえるのが大変でした。それから翻訳ものとしておススメしたいのは、**ジェフリー・ディーヴァー『クリスマス・プレゼント』**ですね。これは、先ほど米澤さんがご紹介くださった『松谷警部と目黒の雨』同様、純粋にミステリーの機能美、つまりトリックを楽し

『半落ち』
横山秀夫　講談社文庫。現職警察官が妻を殺害したと自首。動機も経過も素直に明かすが、自首までの二日間の行動についてだけは語ろうとしない。彼が胸に秘める思いとは——。（編）

む短篇集です。最後の一行で全てがわかる、胸のすく作品ばかりです。

米澤 ディーヴァーは間違いない！　いい作品ばかりですよね。

柚月 ええ。ディーヴァーは海外ミステリーのなかでも入りやすい作品の筆頭だと思います。翻訳ものが苦手な方でもスッと入っていけるよさが作品そのものにあり、かつ、翻訳もすばらしいんです。

米澤 結局、ミステリー作品は〝人の思いが交わった瞬間に謎が解ける〟と、小説としての深みがグッと出てきます。たいていの場合、犯人がなぜその事件を起こさなければならなかったかに焦点が当てられますが、私は〝なぜ解く側はその謎を解かなければならなかったか〟も同じくらい大事だと考えているんです。謎を解く側にも理由があるはずですから。つまり、人の思いや情念を受けて、誰が何をどうしたのか。そう立問することで、論理と情念があふれた小説になり、読む喜びを堪能できるミステリーになるのだと思います。

柚月 ミステリーに共通しているのは手品の種明かしみたいなものだと思うんです。大がかりな舞台装置でやるイリュージョンも、数人の客の前で行うテーブルマジックも、どちらも種が隠されている。それをあれこれ考えるのが楽しいわけで、ミステリーも同様です。一冊読んでつまらなかったとしても、ぜひほかの一冊を手にしてほしいんです。そこからミステリーの世界が広がっていくと思います。

米澤 ミステリーは割り算みたいなものですね。とらえがたい世の中をきれいに割り切れたら爽快感や痛快感を味わえますが、実際はそうはいきません。この割り切れない「あまり」にこそ人間の情や思いがあります。問いを立てながら、そこをすくい上げていくところにミステリー小説のおもしろさ、醍醐味（だいごみ）があるんです。

柚月　そう!!　何事も「あまり」が大事なんですよね！

（取材・構成：品川裕香）

笑えるミステリー10選 ×麻耶雄嵩

米澤　本日は、どうぞよろしくお願いします。

麻耶　こちらこそよろしくお願いします。今回はユーモア・ミステリーを紹介するということですが、そもそもユーモア・ミステリーをどう定義されていますか?

米澤　厳密な定義はなく、ユーモアのあるミステリーというぐらいに考えています。笑いにも種類があって、登場人物にとぼけた味わいがあるのもそうだし、笑ってしまうようなトリックだったというのもそうだし、起こっている出来事そのものがばかばかしいシチュエーションというのもあるでしょうし、真相が解明されたら動機がおもしろかったというのもある。おかしみのあるミステリーならどんな作品でもいいと思います。

麻耶　僕も同じです。作者がどこかで笑わせようとたくらんでいたらユーモア・ミステリーと呼んでいいかと。シリアスなミステリーは推理しながら話を追うので、読者もずっと考えていて緊張感がある。それが醍醐味ですが、ユーモア・ミステリーだと読み手のほうにも少し余裕ができて

米澤　「そんなんあり?」とニンマリしたり驚愕したりする。

麻耶　それがいいところです。

米澤　ええ。まず紹介したいのは、横溝正史の**『びっくり箱殺人事件』***。横溝作品では戦前は由利麟太郎、戦後は金田一耕助が名探偵として活躍しますが、この作品は深山幽谷（みやまゆうこく）という俳優が探偵役を務めます。そのせいか全体的にドタバタしていて、ユーモアというより喜劇です（笑）。横溝正史はトリックを使った作品がほとんどですが、この作品はロジックで犯人を追いつめていく。ざっくり言うと、トリックというのは犯人が目くらましのために仕掛けるもの。よく密室トリックとかいうでしょう? あれは犯人が密室を作って犯行をごまかそうとするわけです。そして探偵役がトリックを暴くことで犯人にたどり着き事件が解決します。一方、ロジックというのは、謎を解く側が、手がかりを基に推理を展開することですね。簡単に言えば、傷口から見て犯人は左利きだ、このなかで左利きの人間は一人しかいない、だからその人が犯人だ、という感じです。

麻耶　そして本書は綺麗なロジックで犯人を絞り込んでいくという、横溝の長篇作品にはほとんど見られないタイプ。

米澤　トリックは大見えを切れるので長篇向きですよね。

麻耶　臆測ですが長篇を書く際に横溝正史のなかには「ミステリーのメインはトリックだ!」という理念があったんじゃないかと。ロジック主体でい

*『びっくり箱殺人事件』
横溝正史　角川文庫。箱から飛び出した男の胸には短剣が突き刺さっていた。軽演劇『パンドーラの匣』で起こった恐怖の殺人事件! 名推理で犯人を追いつめる等々力警部の活躍は? 本格推理小説の異色傑作。（編）

くためにドタバタミステリーにしたのか、ドタバタミステリーだからロジック主体にしたのか、鶏が先か卵が先かはわかりませんが、鬼子のような本書からは創作上のポリシーが読み取れる気がします。

米澤 探偵役の深山は女性でしたっけ?

麻耶 いえ、深山幽谷は、おっさんです(笑)。蘆原小群や半紙晩鐘なんて名前の人物が出てきたり、最初からふざけてます。だいたい、ページ数の割にやたらと人が死ぬ(笑)。

米澤 横溝先生の作品は感情が沸きたつようなものはあまりないので、珍しい作風ですよね。私はまず、**アントニー・マン『フランクを始末するには』**[*]を紹介します。妙に愉快な短篇集です。たとえば警察は事件現場に赤ちゃんを連れていかなければならないと決まっていて、無垢な赤ちゃんの直感が事件を解決していく作品があります。ハイハイしながら何かの手がかりを獲得するなど、実に楽しい(笑)。

麻耶 三毛猫ホームズは全部わかって解決してるけど、赤ちゃんは違うんですね(笑)。僕は次に、フランスの代表的なユーモア・ミステリー、ピエール・シニアック『ウサギ料理は殺しの味』を。この人はシリアスなミステリーでやれば怒られるようなことを平気でやっています。

米澤 これは名著ですね。

麻耶 ええ。レストランでウサギ料理のメニューが出る日だけ、なぜか女性が殺される話なんですが、とにかく登場人物がみな働かない。毎晩、女を

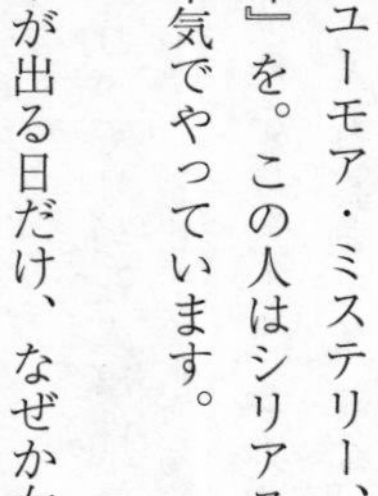

『フランクを始末するには』
アントニー・マン　玉木亨訳　創元推理文庫。刑事が赤ん坊と事件を捜査する「**マイロとおれ**」、大スター・フランクの殺しを依頼される表題作など十二篇を収録した奇抜で愉快な短篇集。(編)

米澤　口説いたり風俗に行ってばかりいる（笑）。

麻耶　何にもガマンしないんですよね（笑）。ところがそれらがみなある巨大システムに収斂されていくんですよね。まねできないストーリーです。

米澤　風が吹けば桶屋が儲かるということわざがありますが、この作品では風が吹けば桶屋が「必ず」儲かる。詳細をここで説明できないのが残念ですが、「こんな手も許されるのか」とミステリーの枠を広げてくれましたよね。

麻耶　そうそう。個々の接着剤となるのが、理性ではなく劣情で、読む側も「エロで回っている世界なら、しょうがないか」となる（笑）。

米澤　次の**幡大介『猫間地獄のわらべ歌』***は時代小説家が書いたミステリー。蔵の中で藩士が切腹して死んだ。でも、お家の都合でなんとか他殺に見せかけたい。「これは、密室殺人とでも、呼ぶべきであろうか」「密室……などという言葉は、この時代には、なかったのではないかと推察いたしまするが」と登場人物たちが話したりして。

麻耶　時代劇に「密室」ですか？（笑）

米澤　ええ（笑）。謎解きのカギとなるわらべ歌を、謎を解くためには毎回一番から歌わないと気が済まないとか。「ここは四番からで十分だろ！」と突っ込みながら、つい笑います。

麻耶　おもしろそうですねえ。読んでみたくなりました。ユーモア・ミステリ

『猫間地獄のわらべ歌』
幡大介　講談社文庫。江戸の猫間藩下屋敷のお書物蔵で藩士が切腹。不祥事が発覚して失脚するのを恐れた側室が他殺をでっちあげろと命じ……大胆不敵なミステリ時代小説。（編）

ーといえばパロディものも避けられない。**ロバート・L・フィッシュ『シュロック・ホームズの冒険』***を。このホームズは、推理は的外れで、火のないところで大事件だと騒いでしまうなど、かなり無能っぽいです。そのくせなぜか最後は大団円になってしまうので、作中でホームズの名声は保たれたままなんです（笑）。本書はホームズの原典絡みのマニアックなネタがちりばめられていますが、ホームズの名前くらいしか知らない人でも十分に楽しめるのがすごい。個人的には、**ドイル**の原典にこの短篇が一つ二つ紛れ込んでいたほうが、逆に人間っぽくておもしろいかもと思ってしまいます。

米澤　次は、この中で唯一、声を上げて笑った作品を。アントニイ・バークリー**『最上階の殺人』**です。主人公のロジャー・シェリンガムは、傲岸で無礼なうえ推理は半分ぐらいしか当たらないという探偵。風刺やパロディが利いていて、イギリス的なイヤらしさが満開で、とにかくおもしろい。おもしろさを具体的に言うとネタバレになるので言えないのがツラい（笑）。

麻耶　そうなんですよ、ミステリーのおもしろさは具体的に言えば言うほどネタバレになる。そこが、この対談の難しいところです（笑）。

米澤　私がずっと気になっているのは麻耶先生がお持ちのコミックスなんですが。

麻耶　**宮崎ゆき『聖バレンタインデー殺人事件』**です。三十年以上前に「別冊

『シュロック・ホームズの冒険』ロバート・L・フィッシュ　深町眞理子訳　ハヤカワ・ミステリ文庫。『シャーロック・ホームズ』のパロディ。原典を意識した事件を、的外れな推理を繰り返す探偵シュロックと友人のワトニイ博士が解決していく。（編）

マーガレット」に掲載されたユーモア・ミステリーで、亜雅沙(あがさ)という名の女子高生が探偵役です。博士じゃないですよ（笑）。**カミ**の『**ルーフォック・オルメスの冒険**』を、もう少し地に足をつけた感じです。ほのぼのした学園モノなのに、つまらない原因で簡単に人が死ぬ。

米澤　こんな古いコミックスもカバーされているなんて！

麻耶　大学時代のミステリ研で、先輩に教えられました。そうやって未知の作品を知ることが多かったですね。

米澤　次は**ジョー・R・ランズデール**『**ババ・ホ・テップ**』を。これはアメリカ南部出身の作家が書いた、下品だけどイヤらしくない短篇集です。「**ゴジラの十二段階矯正プログラム**」という攻撃的なゴジラを矯正させるという作品や、実は死んでいなかったエルヴィス・プレスリーが老人ホームで悪のミイラ男と対決する作品。ミステリーではないものもありますがとにかく設定の時点でつい笑ってしまう。

麻耶　プレスリーの……映画になりましたっけ？

米澤　ええ。ミイラ男が恐怖の存在で、しかも襲うのは老人ホームという段階でなんだろうこれ、です（笑）。

麻耶　最後は**西澤保彦**『**腕貫探偵**(うでぬき)』*。オーソドックスなユーモア・ミステリーも数多い作者ですが、本書は大学や裏路地、はては警察署の中にまで、困っているところに突如「市民サーヴィス課臨時出張所」が現れ、そこに腕貫をした謎の職員がいて、どんな相談もズバッと解決してくれると

『**腕貫探偵**』
西澤保彦　実業之日本社文庫。大学に、病院に、警察に……突如現れる「市民サーヴィス課臨時出張所」。腕貫を着用した奇妙な男に、悩める市民たちが相談を持ちかける。ユーモアたっぷり連作短篇ミステリー。（編）

いうもの。対応は役人というより占い師（笑）。事件そのものはかなりシリアス調なんですが、謎めいたキャラクターがフワっとした緩みを生んで、肩の力を抜いて楽しめるんです。シリアスとユーモアの両方に通じる作者の奥義書のような短篇集です。

米澤 ミステリーでは、探偵のキャラクター設定と事件があまり関係ないことがよくありますが、この作品はキャラ設定が事件に生きていますよね。

麻耶 これは麻耶先生の『**貴族探偵**』*に通じるのでは。

米澤 いやいや、僕のキャラクターは、お茶を飲んでるだけですから（笑）。

麻耶 いえ、素晴らしいです。さて、これが最後の一冊ですね。『**超動く家にて**』*。あれこれツッコみながら、誰かと話したくなる一冊。彼のユーモラスな側面がよく出ていて読み応えもあります。本人自身、「深刻に、ぼくはくだらない話を書く必要に迫られていた」と書いています（笑）。

米澤 深刻にね（笑）。ミステリーを書くときは、犯人当てのための膨大なデータを提出していくわけですが、データを羅列するだけだと話に潤いがなくなります。

麻耶 かといって人間ドラマを描き始めると、犯人当てにとっては邪魔になる。

米澤 そう。その中間にあるのがユーモア・ミステリーなのかもしれません。

麻耶 また、笑いが入ると人はリラックスして寛容になるので、書き手も実験的な無茶や、尖ったチャレンジもできます。読者の方にはそういう点も楽しんでほしいですね。

『貴族探偵』
麻耶雄嵩　集英社文庫。自称「貴族」、趣味「探偵」の謎の青年が、生真面目な執事、可愛いメイドなどの召使いとコネを駆使して、難事件を華麗に解決！　知的スリルに満ちた異端の本格ミステリー。（編）

米澤　よく「悲劇と喜劇、悲惨と笑いは近い」といいます。落語でも、厳粛であるべき葬儀のシーンが多いですよね。ですから、事件を扱うミステリーと笑いも、相性がいいのかもしれません。

麻耶　ユーモアを入れることで、やぼったくならず、スマートになるといいますか。

米澤　ええ。起きていることは悲惨ですが人間の言動には悲しみだけでは収まらないものがある。そのズレがおかしみになるのかもしれません。

（取材・構成：品川裕香）

『**超動く家にて**』
宮内悠介　創元SF文庫。謎の競技を巡る「**トランジスタ技術の圧縮**」、〈ヴァン・ダインの二十則〉が支配する世界で殺人を企てる男の話「**法則**」など、着想の時点からとても不思議な十六篇を自選。（編）

4

愛書棚

よろこびの書

『煙の殺意』は鮮烈な読書体験だった。八篇の短篇はあるいは軽妙、あるいは枯淡、どれも溜め息が出るほど面白く一気呵成に読んでしまった。ことに「椛山訪雪図」の、美しさがミステリの鍵になる構造にたまらなく魅せられた。いまでもあの短篇は私の夢だ。「狐の面」での、空の色を絵の具で作る場面も、一朝一夕には描き得ない人間の深みが軽やかに表されていて陶然とする。

『乱れからくり』も、凄い。度肝を抜くオープニングから、怪しげな館、大金持ちの一族、そして連続殺人へと展開した話は、謎の洞窟や秘められた財宝にまで及んでいく。この小説が好きでたまらないのは、そうしたドラマティックな展開ゆえでもあるけれど、それにも増してこれが「知」の横溢(おういつ)する小説だからだ。玩具という一つのキーワードから時間と空間がいきいきと色づけられていく様子に、ふるえるような知的興奮を覚えたものだった。私は好きな小説について話す時、よく「ぜいたくな小説」という言い方をする。その時に頭に浮かんでいるのは『乱れからくり』と久生十蘭『魔都』だ。

まさに『乱れからくり』がそうであるように、泡坂妻夫の小説は深い知見に

『生者と死者』
泡坂妻夫　新潮文庫。謎の超能力者と怪しい奇術師、次々にトリックを見破るヨギガンジーが入り乱れる長篇ミステリー。史上初、前代未聞驚愕の仕掛け本。（編）

支えられている。しかも、それがペダンティズムのくさみを帯びないところが大好きだ。その奥ゆかしさは別の方面でも発揮される。一日二行の伝説的なエピソードが残る**「掘出された童話」**、信じられないような労作『生者と死者』*、回文尽くしの『喜劇悲奇劇』など大仕掛けを施した小説を書きながら、手柄顔をするでもなくさらりと出来たものを差し出してくる。とんでもない苦労を、なに、遊び心ですよと片づけてしまいそうな恰好の良さが泡坂にはある。そして遊ぶにしても、おちゃらけたり手を抜いたりはしない。『しあわせの書』など、あの仕掛けだけで十二分に大見得を切れるだろうに、小説をハウダニットの傑作にもしてしまうのだ。

そうした知識の扱い方や遊び心に唸る一方で、その文章技法の凄みに気づいたのは、少し時間が経ってからのことだった。『妖女のねむり』、これもまた恐ろしく企みに満ちていると同時に、美を扱う小説として深く胸を打つ傑作だ。ところが何度目かの再読で、ようやく私はこの小説を形作る文章の特徴に気づいた。ふつう小説は、誰かの内心を説明する。会話や情景描写の後に、それ故に彼はどう思ったのかを補足して話を進める。しかし『妖女のねむり』には、そうした説明がほとんどない。彼がしたこと、彼が言ったことのみを描き、その結果の感情の揺れ動きは最小限に留められている。それでいて物語はしっとりと色づいているのだ。そんな文章への感嘆から**『蔭桔梗』***や**『ゆきなだれ』**の枯れた味わいも楽しむようになったのだが、恬淡とした話が続く中に**「竜田川」**のような謎の妙味がある小説を見つけると、やはり、つい嬉しくなってし

『蔭桔梗』
泡坂妻夫　新潮文庫。紋章上絵師の章次のもとに、かつて心を寄せあっていた女性から、二十年前と同じ蔭桔梗の紋入れの依頼があった……。微妙な愛のすれ違いを描き直木賞受賞作となった表題作「蔭桔梗」。下町の職人世界と大人の男女の機微をしっとりと描いた珠玉の短篇集。（編）

まう。これはミステリの驚きから泡坂妻夫を読み始めたがゆえの性なのだろう、と思っている。

After Talk

紙幅に限りがあり、存分に書き得なかった憾みが残ります。『写楽百面相』や『死者の輪舞』『毒薬の輪舞』のシリーズについても書きたかったところですし、『奇術探偵　曾我佳城全集』*をずっと読んでいた時のしあわせな記憶についても書きたかった。泡坂妻夫は風変わりなものもわりと書いていまして、そういうものについて書いてもよかったかとは思います。たとえば『からくり東海道』という小説があって、これは尾張藩下屋敷に作られた、人工の「小田原宿」がキーになるお話です。

尾張藩の下屋敷で原寸大の小田原宿が再現されていたというのは史実でして、ほかには犬飼六岐『蛻』でも扱われています。『からくり東海道』は、変な話でしたね……人工の町でのミステリで始まったお話は、いつしか宝探しの伝奇小説へと姿を変えていくのです。小説の最後を締めくくる幻想的な景色は、ずっと忘れられません。

『奇術探偵　曾我佳城全集』上下
泡坂妻夫　創元推理文庫。若くして引退した、美貌の奇術師・曾我佳城。普段は物静かな彼女は、不可思議な事件に遭遇した途端、奇術の種明かしをするかのごとく、鮮やかに謎を解く名探偵となる。（編）

私淑　泡坂先生追悼文

何も知らないというのは怖いもので、ミステリのことがわかったような気になっていた時期があった。クイズやパズル、あるいはちょっと気の利いた小咄をごてごて文章で飾り立て、なんとなく小説に見えるように仕立てたものが、畢竟(ひっきょう)ミステリというものなのだろうと思っていた。

思い上がりの目を覚ましてくれたのは、まさに、泡坂先生の作品だった。初めて読んだものは短篇集だったが、そのときの衝撃はいまも忘れない。最初は「短篇集にいいものなんか、一篇や二篇入っていれば御の字だろう」と思っていた。最初の一篇を読み、次の一篇を読むうち、寝転がっていた姿勢を改めた。机に向かい、静かに読み進めていった。これはただ事ではないと感じていた。あるいは、この一冊が自分にとって転回点になると気づいていたのかもしれない。

先生の作品に叱咤(しった)されたといえば、それは違うような気がする。先生の小説には、読み手を居心地悪くさせるようなところがまったくないからだ。ただ楽しませてくれ、驚かせてくれる。けれど一方で、先生は小説を疎(おろそ)かにしない。

いい加減なことをしない。ミステリとしての仕掛けも最高でありながら、それだけで良しとする生ぬるさなど、どこにもなかった。遊び心に満ちていながらもピンと背すじが伸びたような作品群に接して、私は自分が恥ずかしくなったのだと思う。

それから私は泡坂先生のファンになった。泡坂作品を読めば読むほど、先生のことを知れば知るほど、その深さに惹かれていった。小説や随筆を読み、人から話を聞くこともあった。いわく、会うと技を見せてくれる気さくな手品師である。いわく、伝統を精密に受け継ぐ見識の深い職人である。そして言うまでもなく、情味豊かな最高のミステリを書く作家である。さらに泡坂作品は、ミステリの枠を超えても面白いのだ。

こんな凄い人に私淑したといえば、人には笑われるかもしれない。何をおこがましい、と。しかし私にとって泡坂先生は、蒙を啓(ひら)いてくれた師であった。泡坂作品と出会えなかったなら、私はミステリのみならず、この世の中の豊かさまでも見過ごしてしまっていたかもしれない。

その後、私は幸いにも作家としてデビューすることが出来た。デビュー元から発行されたアンソロジー*に泡坂先生の名前を見つけたときには、大いに驚いた。収録作「雪の絵画教室」を一読してさらに感動した。望月警部と斧技官、すなわち「煙の殺意」の主人公コンビが出ていたからだ。担当編集者は「泡坂先生は原稿を手書きなさるんですよ」と教えてくれた。

そのとき気づいた。このまま仕事を続けていくことが出来たら、いつか、泡

＊アンソロジー
『密室レシピ』（折原一、霞流一、柴田よしき、泡坂妻夫）です。

坂先生にお会いすることが出来るのではないか。

もちろんそのときには、ただお会いするだけではいけない。胸を張れる作品を携え、先生に憧れてこういうものが出来ましたと、尊敬の念とお礼をお伝えできるようでなければ。それはミーハーなファン根性だったかもしれないが、私にとっては夢であり、作家としての目標の一つにもなった。いくつかの作品は、いつか先生に見て頂ければと思いながら書きもした。

実際、一度だけ機会があった。昨年、島崎博氏の本格ミステリ大賞特別賞受賞をお祝いする席に、泡坂先生がいらっしゃるらしいと聞いたのだ。私は悩んだ。先生にお会いしたいのは山々だが、その集まりにはほとんど知り合いがいなかった。それに正直に言えば、まだ自信がなかった。もう少し自分の仕事を頑張ってからご挨拶に伺おうと遠慮してしまった。

痛恨である。

告別式の日。献花の際、初めて泡坂先生にお会いした。先生は、いくつかの写真で拝見した笑顔ではなく、凛としたお顔つきだった。ずっとお会いしたく思っておりましたと心の中でお伝えし、花を捧げてきた。

先生はもういらっしゃらないけれど、その作品は世に残っている。そしてこれからも、ずっと読み継がれていくだろう。いつか私よりも若い人が、「最近泡坂作品を読みました。凄い人ですね」と話してくれるに違いない。

だから、さみしくはないと思っている。

混沌の果て

以前ひょんなことから*、山風（ヤマフウ）で何が好きか、全作リストを見ながらベスト10を挙げる機会があった。数多（あまた）の長篇が頭に浮かんだが、リストを見てまずマル印を打ったのは、短篇「新かぐや姫」だった。

戦後、焼け野原から再生しようとする東京の片隅に現れた「腫物のような」建物。ダンスホール、バー、パチンコ屋、そして何より娼館を兼ねた「東京阿呆宮」が舞台になる。いましも娼館に身を沈めんとする少女の処女を阿呆宮の主人が奪う、ほとんど露悪的な場面で小説の幕が開く。

辻真先が山田風太郎について書いた文章に、「子供心にも*、あのギラギラと油膜がひろがり、腐臭に爛（ただ）れた街のたたずまいを活写できたのは、山田風太郎と黒澤明だけと覚えている」というくだりがある。むろん私は戦後日本の歓楽街を直接知っているわけではないが、「油膜」という言葉には強烈な説得力を感じる。阿呆宮の汚濁を描く筆は、まさにぎらついていて、おぞましい。

そのどん底から物語は、何と高みへと駆け上っていくことか。卑俗は行き着くところまで行き着いて、却って聖性へと転じていく。だがそれだけであれば、

ひょんなこと
新宿で開かれた、山田風太郎の読書会に行った時のことです。

子供心にも……
『山田風太郎ミステリー傑作選3 夜よりほかに聴くものもなし』（光文社文庫）解説より。

山風作品にはしばしば見られる逆転である。「新かぐや姫」はそこからが凄い。物語の最終盤、舞台は暗黒の娼館から、清らかな箱根の別荘へ。繰り返される逆転により聖と俗はもはや渾然一体となり、分かち得なくなる。生と死さえも入り混じり、死ぬはずのなかった者が次行ではもう助からない。断罪は赦しに、探偵は犯人に変わる。自己犠牲とエゴイズムが交互に現れ、無神論者が神を信じる。もはや何一つ、確かな価値と言えるものはない。価値の消失は即ち虚無である。「新かぐや姫」はその最後に、混沌と混乱に至るやに見える……。

山風の小説は奇想に満ち、大胆で波乱に満ちている。しかし彼の小説を読み終えたときに感じる無常の風は、発想の奇抜さや筋立ての大胆さからは説明のつかないものだ。山田風太郎の凄みとは何か。山風を特徴づけるものは何なのか？

私は、人間に注ぐ眼差しの特異さこそ、それだと思う。この作家はいったい人間を何だと思っていたのだろう。山田風太郎を読んだときだけだ、こんなことを思うのは。頭の中だけで考えると、「ははあ、さては山田風太郎は全ての価値を相対的に考えていたのだろう」と言いたくなる。しかしもちろん、そうではない。何かがあるのだ。全ての価値が倒錯し正しいと信じられるものが何一つなくなっても、虚無に陥ることをぎりぎりで防ぐ価値が、何か。

「新かぐや姫」は、価値の倒錯がまさに極限まで行き着いた短篇だ。その小説の最後で、あらゆる価値が無効化されたただ中に山風が何を放り込んだか。

私はそこに、山田風太郎を読むヒントを見ている。

端倪すべからざる運命の落とし穴

山田風太郎が自作を振り返って書いた文章に、こういうものがある。

戦前とちがって、戦後の月刊誌は読切り形式を好む。*（中略）だからはじめから長篇としての題名をつけず、毎回「忍法くノ一化粧」ほか一連の題名をつけて発表した。

そこでその題名に触発されて、篇中の忍者がその怪技をふるうとき「忍法くノ一化粧！」等々とさけぶこととなる。これは一つの流行語となり、現在でもチョイチョイ新聞雑誌などに使用されているようだ。（『風眼帖（ふうがんちょう）』）

ということは、現在もよく見る「必殺技を使う前にその技の名前を叫ぶ」という演出は山田風太郎の発明なのかとも考えられ、この人はいったいどれだけ世に先んじていたのかとほとんどあきれるような気分にさせられる。この希代のストーリーテラーの先進性は、この一例だけでもわかろうというものだ。

だが、それとても私が山田風太郎の小説を愛する最大の理由ではない。

読切り形式を好む

あ、その名残りで「オール讀物」（文藝春秋）は読み切りがメインなんでしょうか。

編集部註：米澤さんのご指摘通りです。これについて少々補足しますと、話は昭和十一年に遡ります。当時「オール讀物」は、赤字が嵩み廃刊の危機に瀕していましたが、編集長・永井龍男が「全部読切」を打ち出しV字回復を成し遂げました。それ以来、「オール讀物」は読み切りを大事にして今に至っています。

氏の小説には、どこか風が吹くような感じがあるのだ。それを、あわれをもよおす秋風や凍てつく北風に喩えると少し違う。もっと、虚無の風とでもいうべき欠落した感じがする。それはたとえばこういうことだ。

ある映画*を見たときのこと。暗がりの中に幻想的かつどこか物悲しげなオープニング曲が流れ、それが途切れて車に乗った少女が映った瞬間、「あ、死ぬな」と思った。ほんの僅かな幸せを求めて必死に生きて、その欠片を手にするかしないかのうちに彼女は死ぬのだろう。映像が始まってものの数秒でそう思い、そして実際そうなった。

その感覚に私は覚えがあった。山田風太郎の小説に近いと思ったのだ。人物が登場するや否や「あ、死ぬな」「あ、幸せになれないな」とわかることがよくある。具体的に作例を挙げると未読者の興を殺ぎかねないので慎重にならざるを得ないが、たとえば**『明治十手架』**を挙げれば、ああこの人のことかと思い当たって頂けるだろう。それは、ある作家を愛読した結果パターンが読めたというのとは違う。

氏の筆には、そうした、幸せになれない者たちのオーラが染みついているような気がするのだ。

江戸川乱歩が、山田風太郎に「君はニヒリストか*」と問いかけたことがあるという。これも本人のエッセイに拠るので或いは創作かもしれないが、いかにも投げかけられそうな言葉だ。風太郎自身はそれに対し、いったんは「そうではありません」と答えている。しかし別の批評でもニヒリズムという言葉を持

ある映画
題名を補うのがこの註釈欄の務め……とは思ったのですが、それを書くと映画の結末を明かすことになりますね。気になる方に向けて、調べるヒントだけ書いておきます。ギレルモ・デル・トロ監督の映画です。

ニヒリスト
〈かつて乱歩先生が、若いころの私に、「君はニヒリストか」ときかれたことがある。私は「そうではありません」と答えた。しかしその後大井廣介氏が、「風太郎の野放図さは、革命反革命の彼岸ともいうべきニヒリズムを芯にしているとは私の偏見か」という意味の批評をされたのに対し、自分のやって来たことをふり返って、このごろは、まさにその通りと肯定せざるを得ない気持になっている。〉(『風眼帖』)

ち出され、「このごろは、まさにその通りと肯定せざるを得ない気持になっている」。

それが小説のどこに直接的な形で表れているかと考えるとき、私には一つ思い当たるフレーズがある。いわく、「端倪すべからざる運命は、どこに落とし穴の口を開けているかわからない」。

落とし穴に落ちるのは、しょせん幸せをつかみ得ない星の下に生まれついた薄幸の者ばかりではない。風太郎作品の中では、幸福もほんの些細な食い違いで容易く運命の罠へと落ちていく。根っからの悪人などほとんどいないのに、作中人物ことごとくが運命に呑まれていく**『誰にも出来る殺人』***が、そのいい例だろう。いったいこの人は幸福というものがこの世にあり得ると思っているのだろうか。そんなことを思うとき、底なしの淵をのぞいたような気がしてぞっとする。

だが、運命には避けがたい罠があるという諦念を抱くとき、不幸に対する見方には一つの傾向が生まれるはずだ。不幸な者にそうなるべき過失があったのではないとすれば、今日の自分も、明日には同じ罠に落ちているかもしれない。そう考えるとき、水に落ちた犬を叩く気にはならないのではないか。それは明日の自分を叩くことに他ならないからだ。身を落とした人々を描く風太郎の筆には、しばしば奇妙な優しさが宿っている。それはたとえば**『帰去来殺人事件』**における名探偵・荊木歓喜の罪への視線に反映しているだろうし、**『明治断頭台』**の悪徳邏卒たちにもその視線は注がれている。禍福はあざなえる縄の

『誰にも出来る殺人／棺の中の悦楽』
山田風太郎　角川文庫。「人間荘」に越してきた私が押入れの奥から見つけた一冊のノート。そこには歴代の住人たちの哀しくも恐ろしい人生の記録が記されていた——。（編）

ごとし。そして善と悪もまた背中合わせである。その両者を隔てるのは心がけや育ちなどではなく、詰まるところは運命だ……。山田風太郎にはニヒリスト的傾向があったかもしれない。しかしそれは、この世の全てを斜めから見て笑殺する大所高所からの冷笑的態度とは決定的に異なっている。

山田風太郎が運命を見つめる眼差しは、決して押しつけがましくなく、しかしその小説のそこかしこに横溢している。つらつら考えるに、その乾いた風にこそ、私が山風小説を愛する理由があるように思う。

連城三紀彦、解説三篇

講談社文庫『連城三紀彦　レジェンド』で、綾辻行人先生、伊坂幸太郎先生、小野不由美先生と共に収録作を選び、その短篇の冒頭に短い解説を付しました。その時の文章です。「花衣の客」は『連城三紀彦　レジェンド』に、「他人たち」「白蘭」は『連城三紀彦　レジェンド2』に収録されています。『2』の巻末では、綾辻先生、伊坂先生と鼎談で、編集会議（？）のもようが書き起こされています。

「花衣の客」

連城三紀彦は、ひとが想い合うということをどう受け止めていたのでしょう。身を焦がすような狂おしい思慕のほとんどは成就することなく、仮に添い遂げたとしても行く先に幸せが待っているとは思えない、そんな望みの薄い愛を連城はよく書きました。まるで、禁忌を犯すことなしにひとを恋うることは出来ないかのように。

最初期から見られたその傾向が、やがて一連の恋愛小説短篇、そのほとんどは不倫を描いた小説群へと繋がっていったのではないでしょうか。ミステリの手法を恋愛小説に忍ばせながら、しかしひとが想い合うことに対する深い興味と、内面から湧き上がる強い動機がなければ、裏切り合う男女の小説をあれほど連綿と書き続けることは出来ないでしょう。

「花衣の客」は、ミステリ風味が強いと言われる初期と、恋愛小説風味が強いと言われるそれ以降の双方の味が楽しめる一篇です。また、「能師の妻」や「私の叔父さん」などに見られる、連城が描く異形の愛という流れの一部にも位置づけられるのではないでしょうか。いかにも推理小説らしい中盤の仕掛けがその後の人間理解の逆転に呑み込まれていくさまを、楽しんで頂ければと思います。

「他人たち」

連城三紀彦を読んでいると、人と人が繋がるとはどういうことなのか、自問したくなります。望んで結んだ縁にしろ、望まないのに結ばれてしまった縁にしろ、すべての繋がりがやがて色褪(いろあ)せ、憎しみに変わるならばまだいい方で、緩やかに冷えた果てに関係性の化石だけしか残らないのならば、生きるとはなんと索漠としたことかと思わされるのです。

中期以降の多くの作例で、人が裏切りあい、無視しあうことが所与の条件のように描かれている中で、この「他人たち」は繋がりが壊れていく過程をあたかも犯行過程のようにつぶさに描き、そして壊れてしまったその先をも描き出した、傑作です。アンファン・テリブルものの一種ですが、凡手ならば「全て壊れてしまいました」と話を閉じそうなところ、空中分解してもなお繋がり続ける「他人たち」の姿に、連城自身の人間を見る目がものさみしく現れています。

「白蘭」*

ミステリ作家としての連城三紀彦には、繊細な文章で豪腕を振りまわすとい

「白蘭」
前文でも挙げた小説で、書き方こそ違いますが内容もほぼ同じです。まことに恐縮ではありますが、前文では何一つ制約なく選びたかったですし、上の文章は私なりの最善を尽くしたものなので、別の切り口を選ぶこともできませんでした。

った印象があります。生死を、因果を、愛憎を、主客を、あらゆるものを想像も出来ない角度から逆転させる手腕は他の追随を許しません。特に初期の作品は逆転のスケールも大きく、その「技」は魔法的ですらあります。

やがて連城の作風は、事件があって捜査があって解決をするというミステリ的な手順からは離れ、人の愛を主軸とするものへと緩やかに移っていき、報われない「愛」が連綿と書き続けられました。

「技」と「愛」は、時に一方が勝(まさ)り、時に他方が勝りつつ、相反することなく共に円熟していきます。

そして本作「白蘭」は、「技」と「愛」の融合の極致です。見えていた構図がミステリ的に逆転するのは、人が人を愛していたから。小説家は鑿(のみ)の跡を残さず、残るのは混沌の時代に咲こうとした恋だけです。連城小説の一つの到達点と言えるでしょう。

景色を惜しむ　連城先生追悼文

連城先生の小説は、私にとって道しるべであり、仰ぎ見る星です。およそ推理小説には、読者を欺(あざむ)く何らかの仕掛けがなくてはなりません。連城先生の繰り出す仕掛けは、古今東西の推理小説に精通した読み巧者たちをも驚嘆させてきました。特に〈花葬〉シリーズと呼ばれる作品群は、ほとんど伝説と言っていいでしょう。私もまた、度肝を抜かれた一人です。

私が大学生だった頃、ちょうどハルキ文庫から〈連城三紀彦傑作推理コレクション〉が刊行されました。**『宵待草夜情』***『夜よ鼠たちのために』**『敗北への凱旋』**などなど……。どれも面白かった。そしてそれ以上に、衝撃的でした。一読、推理小説としての仕掛けに唸ったことはもちろんです。ですが実のところ、私はそれ以上に、小説に横溢する美意識にショックを受けたのです。

絢爛たる筆遣いで描かれた景色の、何と美しかったことか。私が連城作品を思うとき、まず胸に浮かぶのは景色です。焼け野原となった東京に夾竹桃(きょうちくとう)の花が降り注ぐ景色。石畳の色町で、再会した妹が無垢に微笑む景色。紫煙漂うカフェに、色硝子を通した光が満ちている景色……。連城先生の文章は、優れて

『宵待草夜情』
連城三紀彦　ハルキ文庫。はかない男女の哀歓を描き、驚きの結末を迎える表題作ほか全五篇。人の心の底知れぬ謎、深く秘められた情念から、予想をはるかに超える真実が立ち上がる。不朽の傑作ミステリー。(編)

映像的でした。演劇の、あるいは映画のセットを、文字で作り上げんとするかのようでした。そうして立ち上がってきた景色に、ぽつんと人の心を置いていく。そのとき描写は単なる説明を超え、人々のかなしみやよろこびを描く好適の舞台となるのです。

文章にも、物語にも、仕掛けにも妥協なし。連城三紀彦の小説は緊張感に満ちています。それだけに、立て続けには読めない。一冊読み、息継ぎのために水面に浮かび上がるように時間をおき、そして大きく息を吸い込んで次の一冊を手に取る。連城作品に耽溺したあの時期は、私の小説観を変えたと思っています。瞑目して当時の印象を振り返るだけで、小説で描かれた哀切が胸に甦ってきます。

推理小説は畸形の文芸です。論理ですべてを割り切る推理と、論理だけでは切り取れないものを描く小説の間には、断絶が生まれてしまう。しかし「推理のためには小説が多少味気ないものになるのもやむを得ない」という諦念に囚われそうになったとき、私は連城作品を手に取ります。まったき小説でありながら推理小説であることは、不可能ではない。推理小説であることは、何かを諦めなければならないことを意味しない。そのことを、連城作品によって再確認するのです。

小説は世に残ります。連城作品はこれからも読み継がれていくでしょう。ですがもう、連城先生の筆になる景色が新しく生まれることはありません。もう少し見たかったという思いは、どうしても残ります。

鳥をひねって鍋にしよう

鍋の季節は終わりましたが、最近はあえて夏に鍋という趣向もあるそうです。ただ旬を外しただけなのにどうも食欲をそそられず、試す気にはなりません。ところで好きな作家を偏愛していると、面白い連想も浮かびます。

泡坂妻夫の短篇「紳士の園」は、まことに奇妙な始まり方をします。皆が皆、紳士的に振る舞う公園の薄気味悪さが、泡坂一流の逆説を経て読者をとんでもないところまで連れていってしまう傑作短篇ですが、この小説はスワン鍋から始まります。

あやしげな主人公は、これもあやしげな友人にスワン鍋をつつかないかと誘われます。諏訪鍋とは信州の郷土料理かと問うと、「ほら、チャイコフスキイの有名なバレエがあるでしょう。〈白鳥の湖〉そのスワンです。ちょっと乙な味がいたします」。刑務所帰りで文無しの二人は、公園の白鳥を獲って鍋にしようというのです。彼らは実際、白鳥を罠にかけて仕留めてしまいます。合掌。食べ飽きたら味噌仕立てにして、味が変わるといくらでも食べられるというのが旨(うま)そうな話です。

この開幕、私は勝手に、久生十蘭に由来するのではと想像しています。十蘭に「西林図」という短篇があります。偏狭さゆえに孫娘と離れ離れになってしまった老人の、和解の物語。道理を尽くし、礼を尽くし、堅固な建前の裏に深い情愛が潜む好篇で、とても好きです。

この小説は、男が主人公を誘いにくるところから始まります。「となりの鹿島の邸の庭にいる鶴が、毎晩のように飛んできて、冬亭が飼っている鯉を、十何匹とか食ってしまったので、そのしかえしに、おびきだしてひねってしまうという話なのである」。そうして男は隣家に忍び込み、老人と接触し、彼と孫娘の確執に片をつける。つまり「西林図」において、鶴は隣家に入り込む口実に過ぎません。鯉を食べる鶴は、鍋にされずに済みます。

余談ですが、この「西林図」には連城三紀彦「戻り川心中」を思わせる要素*もあります。その路線でも相当のものが出来上がったでしょうに、十蘭はあっさり捨てネタにしてしまいます。すごいなあ……。

片や白鳥の鍋から逆説に次ぐ逆説、思いもかけぬ結末に至る。片や鶴の鍋を口実に、誇り高いやりとりと、その裏側の深い愛を描く。似た始まりから、よくもここまで違った展開になるものと感心します。

ところで「西林図」もさらに遡ることができます*。十蘭自身の手になる掌篇で、「水草」という題です。白鳥、鶴と来て、今回の鍋ターゲットはアヒル。ようやくまともな食材になりました。「田阪のあひるが水門をぬけてきて畑を荒してしようがないから、おびきだしてひねってしまうというはなしなのであ

「戻り川心中」を思わせる
「西林図」と「戻り川心中」に共通する要素（ミステリ的な真相に直結するので言葉を濁します）の源流は、能因法師の伝承だと思われます。

さらに遡る
正確に言えば、「西林図」を遡ると、「鶴鍋」というストレートな題名の十蘭の短篇に行きつきます。この「鶴鍋」を遡ると、「水草」に行きつきます。「鶴鍋」と「西林図」はほぼ同じ小説なのですが、「鶴鍋」では、登場人物の一人の名前がフランス語のもじりであることが語られています。十蘭は改稿に当たってこのくだりを取り、題名を少しユーモラスな「鶴鍋」から、枯れた風雅さのある「西林図」に変えました。小説をどうコントロールしたかったのかが垣間見える、興味深い変遷です。

る』。さっきの鶴と違って、このアヒルは助かりません。合掌。

そうして殺されたアヒルは、しかし、ただでは死にません。「西林図」と冒頭を同じくしながら、「水草」はミステリの趣が濃い。死んだアヒルは沈黙の証人となって、ひとつの隠された犯罪を証し立てるのです。短いながらゾッとする余韻が残る一篇です。

もう一つ余談ですが、私はこの「水草」という掌篇を、三一書房の『久生十蘭全集』に挟まっていた投げ込み小冊子で読みました。つまり、おまけ扱いだったのです。面白いものを読むことが出来て幸運と喜んでいましたが、二〇〇七年で十蘭は没後五十年になりまして著作権が消滅し、「水草」はインターネット上にアップロードされました。いいことなのですが、手元のコピーがちょっとむなしいです。

それはさておき。「水草」ではミステリの焦点だったアヒルは、「西林図」では家宅侵入の口実の鶴に姿を変えました。鶴は白鳥に変じ、「紳士の園」では異常さを強調する小道具になっている。では来るべき第三の作者は、いったいどんな鳥を鍋にするのでしょう。……鍋はともかく、その冒頭はどんな物語につながっていくのでしょう?

小説は止揚（しよう）によって高まり、ミステリは継承によって磨かれます。次なる鍋を、私は心から楽しみにしています。フラミンゴ鍋とかなら、インパクトは充分ですよね。

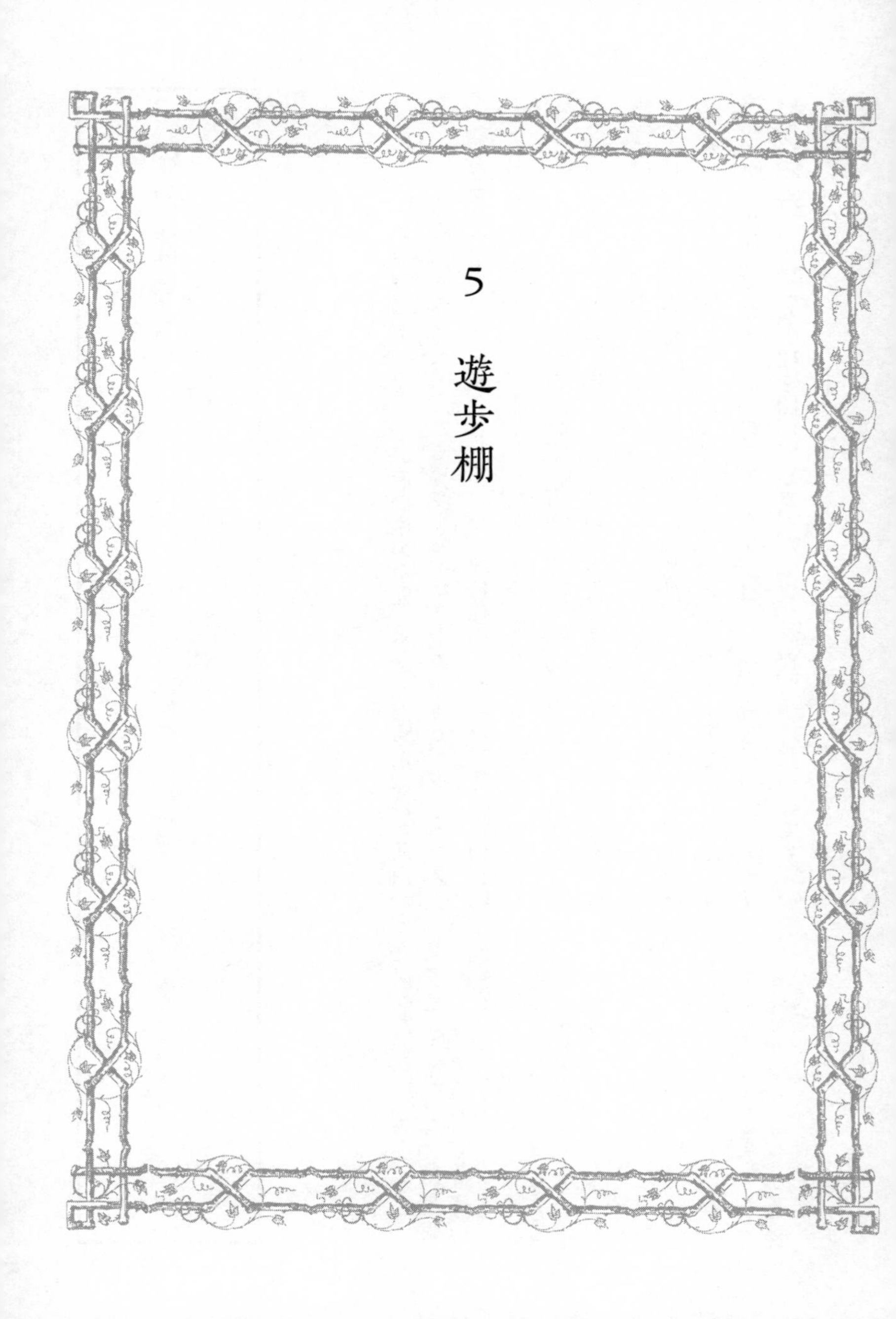

5

遊歩棚

雨読

某日　雨

角川文庫のジェラルド・カーシュ『壜の中の手記』*を読んだら驚くほど面白かったので晶文社の『廃墟の歌声』も買ったら、折り込み広告でヘレン・マクロイ『歌うダイアモンド』が紹介されていた。収録作の一つ「東洋趣味（シノワズリ）」の粗筋が見るからに私の好物なので探してみたが、残念なことにもう版がないらしい。いくつかの書店グループの在庫検索で市場に残っていないか調べてみたが、もともと数が少なかったのか出てこない。いつか古本屋の店先ででも出会えればいいのだけれどと思いつつ月日が経った。

　ある日、新宿に出た時、いつもは東口ばかり徘徊するのにちょっと用事があって西口にまわった。そういえばこちらにも大きな書店が出来たんだったと立ち寄って、場所柄*デザイン関係の本や写真集が目立つ棚を流し見つつミステリの棚に行って、ぽかんと口を開けてしまった。自分の珍しさに気づいてもいないように、『歌うダイアモンド』が棚に挿してある。たまにはいいこともある。

『壜の中の手記』
ジェラルド・カーシュ　西崎憲他訳
角川文庫。アンブローズ・ビアスの失踪という文学史上最大の謎を題材に不気味なファンタジーを創造し、エドガー賞を受賞した表題作をはじめ、異色作家の奇想とねじれたユーモアが充ち満ちた傑作集。（編）

場所柄
ブックファースト新宿店のことです。モード学園コクーンタワーの地下という場所柄、デザイン関係の本が充実しています。

その『歌うダイアモンド』の折り込み広告に、今度はデイヴィッド・イーリイ『ヨットクラブ』が紹介されていた。表題作の「ヨットクラブ」が、これもまた「東洋趣味」とは違う傾向の趣味に合いそうである。で、これもまた版が切れているらしい。編集者さん*と打ち合わせの電話をしている時、その話を出した。

「『ヨットクラブ』なら確か河出文庫で読めると思いましたよ。本の題名は変わって、そう、『タイムアウト』でした。MWA賞*を取ってる短篇ですから探すのは難しくないはずです」

これはありがたいと思いメモしつつ、尋ねる。

「MWAの短篇賞って、まとめて読めたら面白そうなんですけどね」

するとたちどころに、

「読めますよ。早川から出てます」

と教えてくれた。編集者というのは恐ろしい職業である。

某日　雨

チャーリー、人生が愉しいのはうわべだけだ。これからその裏側の世界に行くのだよ。(「東洋趣味」)

「東洋趣味*」は予想以上に好物だった。

編集者さん
東京創元社の編集者さんです。

MWA賞
ご存じの方も多いかとは思いますが、ミステリー・ライターズ・オブ・アメリカ（MWA）という団体が出している賞で、この別名がエドガー賞です。エドガーとは言うまでもなくエドガー・アラン・ポーのことですが、日本だったらポー賞の方が通りがよさそうです。

「東洋趣味」
巻末後記でも挙げているミステリです。出会った時の記録が残っていましたか……。何でも書いておくものですね。

私は「西洋人が何となくこんな感じだろうと思いながら書いた東洋の話」が好きだ。なんちゃって日本を読むのが好きだ。だがなぜそうなのかという理由を辿って行くと、別に書き手が西洋人である必要はなく、書かれているものが東洋である必要もないとわかってくる。

久生十蘭の『魔都』は、東京が舞台だ。しかし作中で描かれる東京は、私がいるこの東京ではない。日比谷公園の噴水の鶴が鳴き、銀座のクラブでグラスを傾けていた某国皇帝が失踪し、極大のダイアモンドを巡って得体の知れない勢力が入り乱れる妖しき東京。これが好きだ。

以前、**「倫敦の話」***という短篇を読んだ（調べてみたら著者はロード・ダンセイニで訳者は**西條八十**だった。いまのいままで著者も訳者も知らなかった。知らずにそんなものを読んでいたとは贅沢な話だ）。そこではロンドンが語られる。語り手は大麻に酔った男であり、聞き手はあらゆる贅沢を極めたスルタンである。そこで語られるのはロンドンという名を持ちながら、黒檀で家を建て白砂を道に敷き、財宝を満載した船がテムズ川を行き来する理想郷である。これも好きだ。

一方、ポーの**「鐘楼の悪魔」**となると少し違ってくる。舞台になるのは、時計が全てを支配する町ナンジカシラ。そこに悪魔が忍び込み、完全な秩序で満たされていたナンジカシラにいたずらをしかける。無類に面白い話で大好きだが、架空の町がいかに不思議であろうとも、「東洋趣味」が好きな理由からは違ってくる。

*「倫敦の話」『書物の王国1　架空の町』で読みました。

　要するに、この世に嘘のベールをかけたものが好きだということらしい。対象が都市だとなおのこと大喜びする。その嘘は、書き手の綿密な計算の上に作られたものかもしれない。一方、書き手が対象の都市をよく知らないから、何となくぼんやりとした霧がそのまま上手い具合に都市を飾ることもあるだろう。どっちが上等かと言われればもちろん前者の方……なのだろうが、私としてはどっちでもいい。知識と計算に拠ってであろうが、無知と偶然*に拠ってであろうが、都市が魅力的なベールに包まれればそれで嬉しい。まあ、エキゾチシズム好みと言ってしまえば一言で済むのだけれど、それじゃあちょっと味気ない。

「東洋趣味」。舞台は清の最末期の北京であり、物語はロシア使館から始まる。日本使館の舞踏会に招かれ、開場の刻限までをロシア使館で過ごしていた主人公たちは、ロシア公使に一幅の絵を見せられる。ある者は感心し、ある者は東洋美術など取るにたらんと軽蔑する中、居合わせた日本公使だけは顔色を失う。読者には理由がわかる。彼だけは、その絵に書かれた賛を読むことが出来た。そこに記された漢文を読めたがゆえに日本公使は怯え、口を閉じたのだ。そしてその晩、若く美しいロシア公使夫人が、北京の夜に溶けてしまったように姿を消す。

　退廃趣味が色濃く支配する短篇であり、描き出された北京は栄華の中にありながら腐敗した廃墟のようだ。その街並みを垣間見ただけでも、当初の期待は充分に満たされた。だが、最初に「予想以上に好物だった」と書いたのは、もう一つ好みを打ち抜く要素があったからだ。

無知と偶然
読み手としてはそれで構わないわけなのですが、書く側の立場としてはそれで済ませるわけにはいきません。行ったこともない都市について不勉強ゆえにいい加減な描写をして、それを「魅力的なベール」と言い張るのは、敬意に欠ける態度と言われても仕方がないでしょう。一方で、作家はすべてを知り尽くしたホームタウンについてしか書くべきではないという態度を取るとすれば、一つには想像力を軽んじ、一つにはホームタウンであれば知り尽くしているという独善に通じて、また極端です。リソースの中で最善を尽くして学び、その上で堂々と想像力を働かせる。出来ることは、それぐらいではないでしょうか。

私は「一枚の絵を巡る物語」も大の好物なのだ。いつか一枚の絵をテーマにアンソロジーが出ないだろうかと夢想することもある。その際「東洋趣味」は最有力候補だろう。

某日　雨

永井荷風の本だったとおぼえていますが、「××までぬがして」と書いてあるんで、ぬがされるのは和服の女、こりゃあ、腰巻だときめこんでいたら、戦後に「足袋までぬがして」だとわかって、啞然としたことがありますよ。（**「鬼を泣かした女」**）

国書刊行会の叢書〈探偵クラブ〉に欲しいもの*があって街に出た。目当てのものはなかったけれど、扶桑社の〈昭和ミステリ秘宝〉がずらっと並んでいたので、あれこれ物色して都筑道夫**『東京夢幻図絵』**を買ってきた。

都筑道夫の文章は私にとって謎*の一つで、好物になる場合と、ちょっと読み進めるのに苦労する場合がある。だいたい一人の作家の文章に馴染んだら、あっちは読めてこっちは読めないということはあまりない。いまのところ都筑道夫だけが特別なのだ。どうしてなんだろうと思う。

今回の『東京夢幻図絵』は語り口調の一人称で、形式からして読みやすい。ところが単に読みやすいというだけでなく、私はこの文章がたまらなく好きに

欲しいもの
うーん、何でしたか……。〈探偵クラブ〉は結局、揃えきれなかったんですよね。いま見てみたところ、品切重版未定なのは山田風太郎**『虚像淫楽』**と**大阪圭吉『とむらい機関車』**なので、そのどちらかでしょうか。だったら、頑張って揃えようとしなかった理由も察しがつきます（ほかでも読めますから……）。

謎
こういう機会ですから、思い切って書いてしまいましょう。好物なのは〈物部太郎〉シリーズや、なめくじ長屋捕物さわぎで、少し苦労したのが**『誘拐作戦』**、〈キリオン・スレイ〉シリーズです。どちらでもないものも、数多くあります。

なってしまった。甲羅を経た老人が若い記者か何かの取材に応え、戦前の東京を語るという小説である。その語り口に何とも言えない時代がついていて、昔を懐かしみながらまだまだ枯れきってもいない、一筋縄ではいかない爺さんたちが文中から立ち上がってくる。

で、そんな味のある文章で書かれるのが、どれもこれも艶話だというのだから都筑道夫という人は……。むろん見事なミステリであり「道化の餌食」などは陰惨極まる派手な趣向になっているのだが、あっちでは悪所に通い、こっちでは隣家で初めての手ほどきを受けている。さすがに〈泡姫シルビア〉シリーズを書いた人だと言うべきか。

そんな一冊の最終章は、「東京五月大空襲」と題されている。一見して、なるほど、これは享楽をさんざん描いた上で最後に戦火というかたちでしめやかに一つの時代の終わりを締めくくるのか、と思った。ところが都筑道夫はそれほど簡単ではなかった。

焼夷弾が降り注ぐ中でも、語り手はやっぱり、事に及ぶのだ……。

どうにも、筋金入りである。

某日　雨

「いえ、もし私が大尉殿のご忠告を忘れて、泣きを見ることになったとしても、そのときは耳元でささやいてください。それで笑って死ねます。おい、だから言っただろう、と言ってくだされればいいんです」（「レサカにて戦死」）

子供の頃、学校帰りに書店に寄っては文庫発売予定表*を見るのが好きだった。

そこに書かれた著者は知らない名前ばかりで、もし欲しいものがあっても全て買えるわけではなかった。その月の予定表が貼り出されるのだから貼り替えられるのは一ヶ月に一度だとわかっているのに、ほとんど毎日眺めていた。

いまでは、以前お仕事を頂いたご縁で、取次会社さん（本の問屋さん）から文庫とコミックの発売予定表が送られてくる。そこで欲しい本が見つかれば、さすがに文庫一冊を買う金に詰まることはない。おとなもわるくない。

ある月、予定表を見ていたら光文社古典新訳文庫の欄に、アンブローズ・ビアスの名前を見つけた。ビアスといえば『**悪魔の辞典**』だが、小説についても興味深い評を見かけたことがある。それで岩波文庫版を読んでみようと思ったのだが、あいにくその時は版が残っていなかった。以来気がつけば古本屋で探していたのだが、新刊で出るならありがたい。発売日まで楽しみに待っていた。

それにしても、このあいだ「**壜の中の手記**」（『壜の中の手記』所収）でビアスの話を読んだばかりだというのに、実に奇遇である。

所用で池袋に出て、さっそく書店に向かった。ビアスを買うついでに古典新訳文庫の棚を見ていると、**H・G・ウェルズ**の短篇集も出ていて、しかもユーモア小説を集めてあるという。正直なところウェルズがユーモアというイメージが全くなかったので、つい手が伸びてしまった。読めなくなっていたビアス

文庫発売予定表
それぞれの取次会社が別々に予定表を配りますから、違う取次と取引している書店に行くと違う発売予定表が見られるわけで、それが楽しくて本屋を巡ったりしていました。むろん、書かれている内容は同じなんですが……。

と意外なアプローチのウェルズ。それぞれなかなか小癪な……じゃなかった、素敵な企画である。

ビアス短篇集の題名は『**アウルクリーク橋の出来事／豹の眼**』で、特に前者がビアスの小説の代表作と目されているらしい。しかし私のお目当ては巻末に収録された「**月明かりの道**」である。これは芥川龍之介「**藪の中**」の原形になったと言われている。「藪の中」といえば、言わずと知れたリドルストーリー＊の代表的一篇。そういえばこのあいだ読んだ『東京夢幻図絵』にもリドルストーリー仕立てになった話がいくつか入っていて面白かった。立て続けに読むものじゃないけれど、たまに上出来なものに出会うと嬉しくなる。

さて、噂の「月明かりの道」はどんなリドルなのかと楽しみに読み進めると……。

結論から言うと、「月明かりの道」はリドルストーリーではなかった。小説は息子の視点、父親の視点、そして霊媒師によって呼び出された妻の霊の視点、と三つの視点から語られる。確かにその意味では「藪の中」の元になったのだと思う。しかし「月明かりの道」で語られるのは悲しいすれ違い――死んでからでさえ続く誤解――であり、すばらしい小説だが、リドルストーリーではなかった。これは読まなければわからないことだった。

なお、一冊の中では「レサカにて戦死」が良かった。ある勇敢な、常軌を逸したほどに勇敢な士官が、なぜそれほど恐れを感じずにいられたのか。ミステリ的な興味で読んでいくと、最後に明かされる理由のむごさに変な笑いが込み

リドルストーリー
優れたリドルストーリーは、そこにもここにもあるというものではありません。そもそも、書こうと試みられること自体が少ない。結末がないだけの中途半端な失敗作と傑出したリドルストーリーとの差の小ささが、作家をしり込みさせるのでしょうか。たしかに、労多くして実りは少なく、それでいて多くの読者が喜ぶというわけでもない、何とも厄介な形式ではあります。
『**謎の物語**』（紀田順一郎編）はそんなリドルストーリーから傑作を選りすぐった、実に趣味的な、たまらない一冊でした。

上げた。

某日　雨

マダム・ユッペールに会うまで、わたしはイケバナなんてなんのことか聞いたこともなかった。（「空色の楽園」）

先日、「ミステリ的な興味で読んでいくと」と書いた。

これは本来ミステリを企図していない小説にミステリの定規を当てることである。まあ、その、なんですな。どこにでも自分の定規を持っていくのは、あんまりいいことではないですよ。

実際、「レサカにて戦死」をミステリだと言うのは無理がある。なぜなら、真相が明かされる前に、推理するに足る手がかり*が配置されていないからだ。ただ、いい小説に別の角度からもスポットライトを当てているのだ、と言えば正当化できる……かな？

他にも、たとえば。

アントニオ・タブッキに「空色の楽園」という短篇がある（『逆さまゲーム』所収）。とにかく自分を教養人に見せようとする女性が、幸運な偶然が重なって、上流階級の婦人に秘書として雇われる。私は彼女の教養が付け焼き刃だということを知っているので、いつその化けの皮が剝がれるのかと緊張を強

手がかり
たしかに私は、「推理が可能であること（少なくともそう装うこと）」をミステリの十分条件だと考えています。ところが実際には、その考えは多数派ではないと言わざるを得ません。そもそも、でなければ「奇妙な味」や「冒険小説」がミステリに含まれていることの説明がつきません。「レサカにて戦死」をミステリの範疇に含めることは、その実、さほど強弁とは言えないでしょう。

いられる。

危うい場面は多い。イケバナのことを知らなかったのは大きなミスだった。それでも彼女は何とか切り抜け、いくつかの偶然にも助けられ、マダム・ユッペールの信用を勝ち取っていく。

そして、彼女に最大の試練が訪れる。大事なお客を招いての晩餐に、彼女も同席することになったのだ。これを上手く乗り切れば、彼女はいよいよ教養人としての箔をつけることができるだろう。私は、もうほとんど祈るような気持ちで彼女の綱渡りを見つめている……。誰のものであれ、見栄から出た哀れな嘘には同情を覚えずにはいられない。

もちろん結末までは書かない。ただ「ああ、まさかそんなところに罠が！」と思ったことだけ書いておく。

この小説は、もう誰がどう見てもミステリではない。けれど全体を貫くサスペンスと、意外なところに仕込まれた伏線が最後に牙を剝く組み立てに感心した時、ついどこからかミステリの定規が出てきたのに気づくのだ。

そういえば、このあいだビアスと一緒に買ってきたウェルズの短篇集*に、久々に声を出して笑ったけれどよく考えるとなかなかに笑えない話が入っていた。「劇評家悲話」という題で、主人公は新聞社で劇評を任されているが、彼は演劇を嫌っている。なぜなら、演劇は身振りも喋り方もわざとらしく大袈裟で、それが馬鹿馬鹿しく思えて仕方がないから。でも彼は会社の命令で、やむを得ず演劇の評論を書いている。

ウェルズの短篇集
あ、題名が出ていないですね。『**盗まれた細菌／初めての飛行機**』です。これは面白い短篇集でした。「**小さな母、メルダーベルクに登る**」なんて声を上げて笑ってしまいましたし、「**紫の茸**」や「**パイクラフトに関する真実**」に至ってはギャグですよ。私がこの本の中で一番好きなのは「**林檎**」です。笑いがあり、ペーソスがあります。

ところがそんな彼の心身に、恐ろしい現象が表れる。

……恐ろしすぎて、とてもここには書けない！

ただこれは、ミステリの読み過ぎで何でもミステリに*見えてしまうような哀れな人間には、ちょっと身につまされてチクリとする短篇ではなかろうか。「劇評家悲話」を少しアレンジすれば、そのままあっさり「ミステリ読者悲話」になるだろう。

皆さま、何でもかんでもミステリとして解釈してしまう可哀想なひとを見かけたら、どうか彼を憎まないであげてください。彼は、望んでそうなったのではないのかもしれないから。彼自身も、ミステリから逃れられないことを心底悲しんでいるかもしれないのです。

い、いや、私のことじゃないですよ。

某日　雨

「ヨットクラブ」を求めて、**『エドガー賞全集』**を買ってきた。最初の短篇を開いて、いきなりにこりとしてしまう。**ドナルド・E・ウェストレイク**の**「悪党どもが多すぎる」**。泥棒（「大泥棒」じゃないし、「怪盗」はもっと違う。やっぱりただの「泥棒」だろう）の、ドートマンダー*さんじゃないですか。奇遇ですね、こんなところでお会いするとは思いませんでした。

意外な出会いを存分に堪能し、ああ面白かった、と溜め息一つついて本を伏

何でもミステリに
実際、『漂砂のうたう』（木内昇）を読んだときは、小説の素晴らしさに呑まれつつ「ここでこうミステリになるか」と思ったものでしたし、「平成3年5月2日、後天性免疫不全症候群にて急逝された明寺伸彦博士、並びに、」（石黒達昌）はミステリとしても読めると確信しています。

せる。私は読書家ではない。読書家の名に値するひとを何人も知っているので、自分が読書家には当たらないことを知っている。それでも、なんともお気楽なペースでではあるけれど、読むことを楽しんでいる。それでもいいんじゃないかと思えるようになるまで、ずいぶん時間がかかった。

さて肝心の「ヨットクラブ」は、と目次をめくって、ようやく気づく。収録されていない。おかしいなと思って検索をかけると、「ヨットクラブ」が入っているのは**ビル・プロンジーニ**編の**『エドガー賞全集　上』**だそうだ。私が買ってきたのは**ローレンス・ブロック**他の『エドガー賞全集〔1990～2007〕』。

なんてこった。困ったことだ。これでは、また明日も本屋に行かないといけないではないか。

晴れてくれるといいのだけれど。

ドートマンダー
シリーズで好きなのは、当たり前じゃないかと言われそうですが、やはり**『天から降ってきた泥棒』**です。警察に追われビルの屋上を逃げまわるドートマンダーは、手が滑って建物の中に落ちてしまう。そこは女子修道院だった。その修道院には、特別な技術を持った人間――たとえば泥棒――の助けが必要な、とある理由があったのだ、という愉快な小説です。

地獄と作家と京都旅

　小説家は地獄に堕ちるという話を最初に見たのは、『雨月物語』序文*でのことだ。詳しく調べると、平安末期の書物に出典らしき逸話が載っていた。

〝ちかくは、紫式部が虚言をもつて源氏物語をつくりたる罪によりて、地獄におちて苦患しのびがたきよし、人の夢にみえたりけり（『宝物集』巻第五）〟

　前後を要約すると、架空の恋愛を書いて人々をうっとりさせるのは嘘つきの罪に当たり、紫式部はその罪で地獄に堕ちたということらしい。小説を嘘と言われてはやりきれないが、いや嘘じゃないよと反論することも難しい。『今鏡』では「そうは言っても、読者が人間の罪深さを知って、仏の教えに帰依するきっかけになるかも知れないじゃないですか。地獄堕ちってほどの罪じゃないですよ、せいぜい輪廻のときにマイナス評価になるぐらいで（大意）*」と弁護されてはいたけれど、それもちょっと無理があるような気がする。

　仮に色恋を書くのが罪ならば、詐術奸計（さじゅつかんけい）、果ては殺人なんぞが出てくるミステリを書くことはさぞ罪深かろう。地獄を信じているかと訊かれれば笑い飛ばしもしようけれど、なんとなく、そう本当になんとなく、自分の部屋に蜘蛛が

『雨月物語』
（原文）紫媛著源語。而一旦堕悪趣者。蓋為業所偪耳。

『今鏡』
（原文）綺語とも、雑穢語などはいふとも、さまでふかきつみには、あらずやあらん。（中略）人の心をつけんことは、功徳とこそなるべけれ。なさけをかけ、艶ならんによりては、輪廻のごふとはなるとも、ならくにしづむほどにとやは侍らん。

現れた時は必ず逃がすようにしていた。――「蜘蛛の糸」[*]によれば、蜘蛛を逃がすと地獄脱出のチャンスがもらえるらしいので。

とはいえ、しょせんは節足動物の蜘蛛ごときに恩返しを期待するのも頼りない話である。そこで先日、京都に行こうという話が持ち上がった折り、ふと思いついた。

京都ならきっと、閻魔法王を祀った由緒正しい祭場もあるだろう。ちょいといまのうちにコネを作って、いざという時の査定に色をつけてもらうのはどうだろうか。魚心あれば水心、故事には酒肉の賄賂で寿命を買う話[*]もある。お賽銭をドンと奮発すれば閻魔様も悪い気はしなかろうとほくそ笑み、慣れぬ早起きをして新幹線に飛び乗った。

それにしても夏の京都というのは実にすばらしい場所である。ただ町を歩くだけで、どなた様にも漏れなく屋外サウナのサービスがついてくる。全身の代謝を高め発汗を促進し、健康増進疑いなし。ただし水風呂はセルフサービスなのが難である。

目当ての閻魔法王は、上京区千本に立つ引接寺(いんじょうじ)におわすという。大雑把に言えば西陣に位置し、地図を開くと京都駅からは少し距離があるようだ。歩くのは平気だが、焙(あぶ)られたり蒸されたりするのには慣れていない。公共交通機関を乗り継いで千本に入ると、これが思いがけずよい風情の街であった。帽子屋・小物屋・文具屋・眼鏡屋・金物屋が軒を連ねるレトロな商店街の一角に目指す

「蜘蛛の糸」
極楽から垂らされる糸が地獄からの救いとなる――という物語は、どうも、日本においてはさほど古いものではなさそうです。少なくとも、たとえば時代小説で「ああ、ありがてえ、これこそ地獄に仏、蜘蛛の糸だ」と言わせるのには注意を必要とするでしょう。

酒肉の賄賂で寿命を買う
『捜神記』。ただし、作中で賄賂を受け取るのは、人の生死を司るとされた南斗星・北斗星です。

引接寺があり、寺の別名である「千本ゑんま堂」のブリキ看板を掲げている。
むかし、よく近所の寺に行った。聖徳太子を祀っていたと思うが、宗派は憶えていない。境内は子供の遊び場であり、本堂には季節の野菜や果物の奉納が絶えなかった。そうした思い出があるから、たぶん私は寺や社を巡ることが好きになったのだろう。しかし長じて後は大社名刹の見物が主になってしまい、人々に現に親しまれている「お寺さん」を見る機会はなくなった。しかし引接寺で私は、供物台にスイカやトマトが載っているのを見た。ずいぶん懐かしい気がした。

ご住職は尼だった。葬儀が入ったようでお忙しそうではあったが、にこやかに気さくに、私を本堂に上げてくれた。何でも過日不審火で屋根が焼け、修繕費が嵩んだらしい。本尊の閻魔も昔は無料で見せていたが、いまは五百円の拝観料がかかる。ご住職いわく、閻魔さんにも稼いでもらわねばとのこと。その人当たりのよさに釣り込まれ、これは閻魔法王もあんがい気安いかと思われた。

が。

「では、ご開帳します」

厨子の扉の奥に鎮座していた閻魔法王像は、なかなかどうして、そんな生ぬるいものではなかった。

堂々たる体軀に、何と言っても顔が大きい。冠も含めれば胴の長さより顔の方が大きいのではないかと思える。その顔を忿怒形にしかめ、苛烈な眼差しでぎっと眼下を見据えている姿を見て、私はたちまち、

「あ、これはコネが通じる相手じゃないな」

と悟ったのである。それでもいちおう賽銭を捧げ「ゆくゆくはひとつよろしく」と願を掛けてきたが、なんだか逆に贈賄の罪を責められそうだ。

おみくじがあったので引いてみたところ、結果は凶。ううむ、見透かされている。

ほうほうの体(てい)で引接寺を後にしたわけだが、しかしまだ心当たりがなくなったわけではない。小野篁(おののたかむら)という人がいる。

昼間は宮中に仕え、夜は冥府で閻魔法王に仕えたと言われる人物だ。彼には、地獄に堕ちた同僚を弁護して生き返らせたという有名な言い伝えがある。個人的な縁で亡者を弁護したあたり、がちがちの教条主義者ではなさそうだ。彼には「子子子子子子子子子子子子」*を「ねこのここねこ　ししのここじし」と読んだという逸話もある。学識はもちろん、ユーモアもあるに違いない。ユーモアがある人物は話がわかる。ような気がする。

というわけで、今度はこちらにコネを作りに行く。

小野篁は有名人で、ゆかりの地も多い。他でもない引接寺も開基は篁と伝えられている。しかし篁ゆかりといえば、何と言っても六道珍皇寺(ろくどうちんのうじ)にとどめを刺す。篁はこの珍皇寺にある井戸を通り、冥府に行っていたと伝えられている。

六道珍皇寺があるのは鴨川の先である。往時は都市の境目でもあっただろう。

篁の昼の職場である平安京大内裏は、現在の二条城の北にあったと言われる。

子子子子子子子子子子子子　『宇治拾遺物語』

夜の職場への入り口である六道珍皇寺の位置は変わっていないはずで、歩いて一時間ぐらいの距離だろうか。当時郊外であった珍皇寺付近に、牛車（ぎっしゃ）が通れる道が走っていたかは疑わしい。篁が冥府に向かう際にはきっと馬に乗っていたのではないかと思う。それとも徒歩だろうか。

篁の井戸は、いまも残っている。普段は戸の隙間から覗くことが出来るだけだが、今回はご住職の厚意で近づくことを許された。こぢんまりとした庭の最奥に、編んだ竹で蓋をされた井戸が見える。小野篁は泉下の人である。井戸から冥府へと願を掛けるのが手っ取り早いかと思った。

日はいっそう強く照りつけていた。木立が飛び石へと投げかける影は色濃く、葉の一枚一枚もくっきりと見分けられるほど。藪蚊が出るらしく、蚊取り線香の匂いが漂っていた。

だが、井戸まであと数歩というところで、どうにも足が前に出なくなった。写真の都合*もあるので「もう少し近寄って下さい」と言われたが、気が進まない。ただ遠巻きに眺めることしかできない。その立ちすくむ様を、オカルト好きであれば「あの世に通じるという井戸に負のオーラを感じて先に進めなかった」とでも表したかもしれない。だが私が立ち止まったのは、おそらくそういう理由からではなかった。

自分で小説を書くようになってからも、私にはどこか、物語はいずことも知れない彼方で生まれ落ちるという感覚がある。『高野聖』は飛騨での話ではなく、『伊豆の踊子』は伊豆での話ではない。この世ならぬどこかでの話だとい

写真の都合
この文章は「CREA」誌からの依頼で書いたもので、編集者やカメラマンの方々と行動していました。

う気がするのである。

そんな私にとって、「小野篁が冥府に行くのに通った井戸」というのは、この世にあるべきものではなかった。この世にないはずのものが目の前にある。私をためらわせたのはこの矛盾であった。

別の言い方をするならば、古い物語への敬意であり畏怖ゆえだったとも言えるだろう。

さらに平たく言えば、テレビの向こうにしかいないと思っていた名優を目の前にして凍りつくファンのようなものだったかも知れない。

平たく言い過ぎか。


古い物語の重みに呑まれて足が竦(すく)んでしまったので、小野篁への願掛けもそこそこに引き上げた。閻魔法王にも小野篁にも願掛け出来なかったとなると、やはり私が地獄で頼るべきは蜘蛛しかないのだろうか。

ただ、あるかどうかも定かでない死後の地獄への対策を練るよりも、その日の私には急ぎ対処すべき現世の地獄があった。——真夏の太陽が、だんだん洒落にならなくなってきたのである。水分補給は怠らなかったつもりだが、このままでは茹(ゆ)で上がってしまう。たまらず音を上げた。

「ちょ、ちょっとすみません。涼しいところに行きましょう」

心当たりがあった。六角通の「栖園(せいえん)」に、先年、晩夏の京都を訪れてやはり茹で上がりそうになった時、地獄に仏とまろびこんだ覚えがある。今回もそこに駆け込んだ。

　紅殻格子がいかにも町家らしい。玄関の庇はこけら葺きと、細かいところが凝っている。店頭で持ち帰りのカステラなどが売られているが、店の奥には茶と菓子をいただける場所がある。椅子の席もあるが、今回はお座敷に通して頂いた。庭に面した戸を開け放てば、意外なほど爽やかな風が吹いていく。

「素敵なツボニワですね」

　お店の方にそう話しかけ言葉を交わすうち、「ツボニワのツボは一坪二坪の坪ではなく、桐壺帝の壺という字を書きます」と教わった。漢字の例の挙げ方がまた雅である。私なら骨壺の壺だとでも言いそうである。

　メニューを見ればかき氷やわらび餅も涼しげだが、ここは寒天に旬の味を合わせた「琥珀流し」が名物で、今回は葡萄の風味で用意して頂いた。透き通る寒天に赤紫の葡萄を合わせてある美しさを見ると、気障なことを言うつもりはなくてもガーネットを連想してしまう。

　キンキンに冷やすようなことはしていない。しかしひと匙ふた匙とすくい味わううちに、知らずと汗が引いていく。

　お店の方が、寒天を「たく」という言い方をなさったのが面白い。

「たくというのは、炊飯の炊という字を書くんですか」

　と尋ねたところ少し困ったような顔をされた。飯を炊くような、湯をグラグラと沸かすイメージではないらしい。

「京都ではよく『たく』と言いますから……」

そういえば道すがら、料理屋がお品書きを出しているのをよく見かけた。「蛸のたいたん」、「京揚げのたいたん」などと「たいたん」が並んでいたのを憶えている。寒天をたくというのは、これと同じ言葉なのであろう。そのまま歩いて新京極まで出ると、映画館で『タイタンの戦い』が公開中だった。これとは違うであろう*。

ああ、涼しくなった。

ところで小説家堕地獄説と言っても、ただ書くだけで罪になるのではない。それを読む人がいて初めて、小説は罪な虚言になるのである。振り返れば過去十年、よくもまあ小説家を続けてこられたものだ。書いたものを読んで貰えているからこそ、いまこうして地獄だなんだと言っていられる。

実は一時期仕事が途絶え、作家業を続けられるか危ぶんだこともあった。そんなとき近所の稲荷*が営業に御利益があると知って、軽い気持ちでお参りに行った。

すると一週間もしないうちに別の出版社からお声がけを頂いた。……実話である。

もちろん全てが御利益だとは思っていない。読者が話題にしてくれた。編集者が目を配ってくれた。私もいちおう力を尽くした。だから新しい仕事に繋がった。そう理解すべきである。

だがその一方、あまりにタイミングがよすぎて「お稲荷さま、頑張りすぎ

これとは違うであろう
お前な……真面目にだな……。

近所の稲荷
岐阜県海津市の千代保稲荷です。「おちょぼさん」の名で親しまれ、こんにちも門前町が栄える面白い場所です。それぞれの土地には、そこに生きる人々に愛される文化的中心地があるもの。そうした場所を拝見することが好きです。

……」と思ったことも確かなのだ。願いが叶わなければ案の定と笑って忘れるが、叶ってしまうと偶然だとは思っても粗略にしづらい。そこで、年初には近所の稲荷社に参るようにしている。

近所の稲荷に参っているのに、伏見稲荷には挨拶なしというのも都合が悪い。とはいえ、京都の話を書くのに伏見稲荷に行くだけでは定番で面白くない。ならば。

「幸い暑さも峠を越えた。甘い物を食べて元気も出た。てっぺんへ行こう」

実際のところ伏見稲荷とは、社殿のみを指す言葉ではない。社殿は山の麓にあるが、その裏手の山、すなわち稲荷山全体が「伏見稲荷」なのである。その道のりは登山というほど険しくなく、遊歩道というには少し長い。古くから庶民に愛されたお稲荷さんに親しみを込めて、恰好のハイキングコースであると申し上げたい。

靴はスニーカーなどの歩きやすいものを選ぶべきである。水分補給は万端整えて行くに越したことはないが、途中に自動販売機や売店は結構ある。さすがに参拝客も多いと見えて、公衆トイレもそれなりに用意されている。

千本鳥居の中を登り続ければ、四つ辻ぐらいまでは比較的楽に登れるだろう。京都市を一望できる展望ポイントもある。時間帯によっては、ランニングする中学生の団体とすれ違うかも知れない。定番ポイントだけに修学旅行生もよく見かける。

だが四つ辻から先は人の姿が減ってくる。膝に手をつくほどの急坂はないが、階段は多い。そして、よく管理されているとはいえ山林に分け入っていくのだという意識は必要だ。私は今回スズメバチを見たし、蚊の対策はしておいた方がいい。

そんなピクニックガイドはさておき。

やがて山中には祠(ほこら)が増え始める。伏見稲荷ではお塚と呼ぶようだ。真新しい鳥居が数多く奉納されたものもあれば、忘れられ朽ちかけたものもある。やがて辿り着く山頂には、数知れぬお塚が積み重なるように据えられている。その密度には鬼気迫るものがある。私が稲荷山を登るのはこれが初めてではないだが来るたびに、この山頂の景色には空恐ろしさを覚える。

伏見稲荷の代名詞たる千本鳥居も、そして山頂付近に据えられたお塚も、実はそのほとんどが明治時代以降に持ち込まれたものだという。

鳥居はともかくお塚について、伏見稲荷側は当初これを排除する方針だった。しかし新政府の方針で伏見稲荷の社有地が削減される中、管理は行き届かず、撤去はなかなか進まなかった。運び出しては持ち込まれるいたちごっこの果てに出来上がったのが、現在のお塚の山であるらしい。

江戸幕府が倒れ時代が文明開化へと突き進む中、人々は稲荷山にお塚を運び上げた。お塚は重い。伏見稲荷側の目を盗み、山頂まで運び上げるのは容易なことではなかったはずだ。そうまでして、なぜ人々は自分たちの稲荷を祀ろうとしたのだろう。現世利益の神である稲荷を。

稲荷山の山頂には、情念が凝っている。

その日は汗みどろの体を休め、明けて翌日。京都を発つ前に、もう一ヶ所行っておきたい場所があった。嵐山の祇王寺である。

ここは好きな場所だ。寺という名はついているが、実際のところは小さな庵といった風情。庭も小振りで、嵐山の竹林を借景にしてもこぢんまりとして見える。そこがかえって、目の届く範囲に全てが整っている安心を与えてくれる。秋の紅葉の時期は人でごった返し*、とても落ち着いてはいられない。だが暑中に涼を求めて小庵に落ちつくのもいいものである。美しい庭を眺めて深い溜め息をつけば、前日の疲れが抜けていくのを感じた。

だが私が祇王寺を好きだというのは、その美しさのためばかりではない。

ここは『平家物語』*ゆかりの場所なのだ。平清盛の寵愛を受け、後に捨てられた白拍子の祇王が世を逃れ、ここで念仏三昧に暮らしたという。元は往生院という名前だったが、祇王にちなんでいまの名で呼ばれている。

ところで祇王が捨てられたのは、清盛が新しい白拍子に心を移したからだ。その名を仏御前という。仏御前は他ならぬ祇王の取りなしにより清盛に会うことが出来た。そして清盛の寵は仏御前に移り、祇王は住処をも追われて往生院に逼塞（ひっそく）することになる。

しかし仏御前はやがて世の無常を観じるようになり、清盛の元を去って往生院を訪れた。祇王は仏御前を温かく迎え入れ、二人は共に住んだと伝えられる……。人の心のうつろいやすさ、栄耀栄華の儚さを語り尽くして余りある物語

ごった返し
この文章を書いた頃は、嵐山といえども、三百六十五日観光ラッシュという感じではありませんでした。

『平家物語』上下
佐藤謙三校注　角川ソフィア文庫。平清盛を中心とする平家一門の興亡に焦点を当て、源平の勇壮な合戦譚の中に盛者必衰の理を語る軍記物語。音楽性豊かな名文は、琵琶法師の語りのテキストとされ、後の謡曲や文学、芸能に大きな影響を与えた。(編)

である。

だが、私はどうしても、余計なことを考えてしまう。

仏御前が清盛の元を去り、祇王と共に住むようになったのは治承元（一一七七）年のこと。そして祇王は治承二（一一七八）年に亡くなっている。翌年だ。ちなみに仏御前は同じ治承二年に都を離れ、故郷に帰っている。

整理してみよう。

祇王は仏御前にパトロンを奪われ、往生院への引っ越しを余儀なくされた。

その後、往生院に仏御前が現れ、二人は同居を始めた。

一年後に祇王は死亡し、仏御前は往生院を出て帰郷した。

……侘びた庭の片隅で、私はミステリを組み立てる。現代の感覚で考えれば、仏御前の行為はストーカーじみている。パトロンを奪うのはいい。出家を思い立つのもいい。だがどうして出家先として、よりにもよって往生院を選んだのか。祇王にとって仏御前は、この世で最も見たくない顔だっただろうに。

ここで仏御前を祇王に執着する異常人物に設定し、祇王の死にも仏御前が関わっているというストーリーを展開するのは簡単だ。だがそれでは捻りがない。仏御前はあくまでも純真であったとした場合、どんなミステリが書けるだろうか……。そんなことばかり考えている。

祇王も仏御前も実在の人物である。彼女たちは戦乱の世の中で必死に生き、死んでいった。その生涯を玩弄（がんろう）することなど許されるのだろうか？

だが、いい小説が書けると確信したならば、私は彼女たちを書くだろう。それが私の生業なのだ。よいものになるとわかっていて書かないならば、むしろそれは背信に近いという気さえする。彼女たちに最大級の敬意を払いつつ、しかし必要とあれば悪役にもなってもらうだろう。

祇王寺の庭では、白い猫が幸せそうに腹を見せて寝転んでいた。こいつをマスコットにするのはどうだろう?

罪深いことだ。やはり故事にあるように、小説家は地獄に堕ちるだろうか。閻魔法王や小野篁にいちおうの願掛けはしたけれど、頼りにするには程遠い。新幹線の中で読み返そうと思い、京都駅の書店で『雨月物語』を買い直す。問題の序文にはこうあった。

〝……紫媛は源語を著し、而して一旦悪趣に堕つる、蓋し業のために偪らるゝのみ……〟

やはり記憶に間違いはなく、式部は小説を書いたために地獄に堕ちたと書いてある。だがそこばかりを憶えていて、その先はすっかり忘れていた。序文にはまだ続きがあった。

〝自ら以て杜撰と為す。則ち之を摘読する者、固より当に信と謂はざるべきなり。〟云々。つまり、

「いい加減なところもあるし、誰もこれを読んで本当のことだとは思わない。報いなんてあるわけない(大意)」

なんと。

要するにこういうことである。『源氏物語』ほどの作品であったからこそ、紫式部堕地獄説が唱えられた。三島由紀夫が愛し文章を絶賛した『雨月物語』ですらバチは当たらないそうである。なら、よかった。なんだ。私はまずもって大丈夫じゃないか。ほっと胸を撫で下ろし、シートに深く身を沈める。

次に気がついた時、新幹線は既に東京駅へと入っていくところだった。さあ、次の小説を書こう。

二〇一二年二月

「CREA」誌に隔月で掲載して頂いた読書月記です。慣れない仕事で、毎回泡を食っていたのを思い出します……。

○月×日

日付が変わる頃から降り出した雪は、夜が明けると速やかに溶けた。なんだか物足りないと無責任に思っていたら、北向きの駐輪場では溶け残り、磨かれたような氷に変わっている。本屋に行くのにバイクを出したのだけれど、どうにも滑って危なっかしい。一日様子を見て、溶ける気配がなかったら自分でなんとかしようと心に決める。

本屋について、何の当てもなく無数の、とても読みきれない本の谷間をふらふらと歩いていると、いきなり声をかけられたように見知ったフレーズが視界を掠めた。いま何を見たんだろうと後ずさると、よかった、たちまち見つかった。

『おやすみなさい、ホームズさん』。ボヘミア王の元恋人であり、それゆえシャーロック・ホームズに狙われることになった女性、アイリーン・アドラーの名台詞だ。可愛らしい装幀だけれど、するとこの女性がアイリーン。

アイリーンが主役のホームズパスティシュ。うん、胸が躍る。今日欲しかったものはこれだったことにして、レジに向かう。

○月×日

氷は溶けるどころか、住人の靴底に磨かれてますます滑るようになってしまった。仕方がないので金鎚を持って外に出る。駐輪場にしゃがみ込み、釘抜きを使って氷を砕く作戦だ。力を込めて振り下ろせば、鏡のようだった氷が勢いよくひび割れる。これなら行けそうだ。金鎚を振るいながら昨夜の読書を思い出す。

『おやすみなさい、ホームズさん』を読み始めてすぐ、私はそれがホームズパスティシュであることを忘れた。アイリーン・アドラーは貧しい舞台女優であり、けれど群を抜いて美しい声と容姿に恵まれ、そして胸にはオペラ歌手への野望を燃やしている。それは力強くも清々しいサクセスストーリーだった。シャーロック・ホームズさえも出し抜く機転と、チャールズ・ティファニー*までもパトロンにする飽くなき上昇志向*。確かに彼女はボンクラ王……失礼、ボヘミア王とは「つり合いがとれないようです（ホームズ談）」。つられて私まで、「ちくしょう、俺だって、いつまでも氷割り野郎でいると思うなよ！」と上昇志向ごっこをしていると、飛び散った氷の破片がぴしりと目を打った。

○月×日

雨に降りこめられた退屈な日。笑うべきか呆れるべきか結局わからないまま、

チャールズ・ティファニー
まさかのティファニー。やっぱり、こういう同時代の人物が意外な形で出てくるのは、楽しいものです。山田風太郎の得意技でした。

上昇志向
当時私は東京二十三区の西端で、1DKを借りて暮らしていました。その年の冬は寒く、集合住宅の玄関先（窓は南向きで、玄関が北向きでした）が凍結して危ないのに誰も手を打つ様子がないので、じゃあ仕方がない、私がやるか、と金槌を持って除氷作業を始めたのです。一人で氷を割りながら、こんな場所は一日も早く出ていってやると思っていたでしょうか。あんまり、そんな記憶はありません（むしろ楽しんでいたのではないでしょうか）。結局その部屋には、七年住むことになりました。

一冊読んでしまった。

小説は小説なので「作者が言いたかったこと」なんて別になくても構わない。構わないのだが、『**ショートカットの女たち**』*を通じて作者が言いたかったことは実に明白である。

——ショートカットは最高だ。

うん、**パトリス・ルコント**監督、あなたは初めて書いた小説で、どうしてもこれを言いたかったんですよね。そうですとも、ショートカットは素晴らしいでしょうとも。しかし何もそればかりを書かなくとも……。

いえ何でもありません。ご存分のお仕事、慶賀の至りです、監督。

○月×日
将棋の小説が出たらしいと人に聞いて、*さっそく買いに行く。駒の動かし方がわかる程度で、生きた人間と指したことなど片手で数えるほどしかないのに、何で将棋に食いついたのか紹介した方が不思議がっていた。しかしこれは不思議に思う方が不思議なのだ。私はミステリをよく読むけれど、人を殺したことは片手で数えるほどしかない。

程なく見つけた題名は『**サラの柔らかな香車**』。小説と聞いて買って来たのに神話だった。と思ったら、やっぱり小説だった。

奇跡の少女サラの物語であれば、それは神話だ。神様は何か突拍子もないことをするかもしれないし、万人の頂に立つかもしれないし、将棋が強いかもし

『ショートカットの女たち』
パトリス・ルコント　桑原隆行訳
春風社。文房具店「ヴィーナス万年筆」に勤務するトマは、いいやつでショートカットが大好き。二十七歳の誕生日に、「三十歳までには生涯の伴侶たる女性に出会う」と心に決めたのだが……。フランス映画界の巨匠が描く婚活小説。（編）

人に聞いて
P．166の「ふるい友人」と同一人物です。

れない。何しろ神様なのだから。ところがそうはならない。もしこの小説に神様が設定されているならそれは将棋であり、サラはその巫女の一人に過ぎない。空間的な広がりも時間的な広がりも、サラ自身も、全ては一局の将棋に集約されていく。

なんて美しい構造だろう！

After Talk

将棋しかり、囲碁しかり、テーブルゲームを扱った小説にはふしぎな魅力があります。ディクスン・カーは**「軽率だった夜盗」**（**『妖魔の森の家』**に収録）でポーカーによる性格判断を取り入れ、高木彬光は**『刺青殺人事件』**で神津恭介に碁を打たせることで容疑者の心理をあぶり出しています。アガサ・クリスティーが**『アクロイド殺害事件』**で登場人物たちにプレイさせたのは、麻雀でした。

テーブルゲームを扱った小説で好きなものを挙げるならば、やはり宮内悠介**『盤上の夜』**＊。ゲームと哲学と宗教と政治を同時に語る、異様なる傑作です。コンピュータがすべてのテーブルゲームを焼き払う避けがたい未来を見据えつつ、なお人間の営みとしてのゲームを描く、その精神力に驚愕したものです。

『盤上の夜』
宮内悠介　創元SF文庫。彼女は四肢を失い、囲碁盤を感覚器とするようになった——。若き女流棋士の栄光をつづった表題作をはじめ、同じジャーナリストを語り手にして紡がれる、盤上遊戯、卓上遊戯をめぐる六つの奇蹟。日本SF大賞受賞作。（編）

二〇一二年四月

○月×日

書店は待ち合わせに向かない。

どちらかが遅れると、待ちぼうけを食った方は必ず一冊か二冊を買い込む羽目になる。買うなら帰り道でもよさそうなものを我慢が利かず、これから人に会うというのに荷物が増えて、鞄が重くなる。

シュテファン・ツヴァイクの**『チェスの話』***を買った。話には聞いていたものの手に取る機会がなかったが、待ち合わせの相手が遅れたおかげで我が家の本棚に入ることになった。

人間が営々と築いてきた文化のきらめきが色褪せていく、そんなもののあわれを感じる中短篇集で、さすがに素晴らしい。ことに**「書痴メンデル」**を読んだ後は、喪失感にしばし呆然としてしまった。そして**池内紀**の解説を読んで、おやと思った。

〝日本のドイツ文学者は総じておもしろさや笑いを好まない。難解、深刻でなくては文学でないかのようで（中略）こともなげにツヴァイクを「通俗」の一

***『チェスの話』**
シュテファン・ツヴァイク　辻瑆他訳　みすず書房。平和主義を信奉し、現代文明に絶望して自ら命を絶ったツヴァイク。そんな彼の表題作を含む四つの中短篇を収録。盲目の版画コレクターの悲惨な運命を描く「目に見えないコレクション」など、陰影に満ちた語り口の作品は読み応え満点。（編）

語で片づけて、それが児玉青年のような本好き、文学好きに、どれほどゆたかな知的鉱脈を意味していたか、思ってみようともしなかった。〟

ドイツ文学界のことは知らないけれど、面白すぎるものが軽んじられることについて書いた文章を、最近どこかで読んだ。そうだ、あれは確かと書棚を探す。これだ。**里見弴***『**恋ごころ**』（講談社文芸文庫）、解説は丸谷才一。

〝彼の作品がとかく軽んじられがちなことの理由は、その作中人物に魅力があるせいかもしれない。作中人物の個性はよく論じられるが、魅力はあまり言はれないし、写実を重んじるわが近代文学ではむしろ欠点のやうに思はれかねない。〟

それで里見弴の作中人物たちを思い出す。何といっても風来坊に魅力があった。元はお大尽だが、遊びに身を持ち崩していい具合にさびてきた男たち。久々にそんな男たちに会いたいなと思って書店に行くと、ちょうど今月復刊されたものがあった。

『**荊棘の冠**』*。買って帰る。

○月×日

『荊棘の冠』の主人公は、「**縁談窶**」や「**妻を買う経験**」に出てきた風来坊の系譜にあるとは思う。ただ、とても大きな違いとして、彼には娘がいた。彼女は音楽の天才であり、若くして人類の宝とまで称される。

この小説は最初、第一部のみが雑誌に載ったという（註：「第○部」という

里見弴
鎌倉に里見弴が建てた洋館を見に行ったことがあります。洋間のドアの上に奇妙な窓がついていまして、それが通風孔だと気づいた途端、じゃあつまりこの窓は欄間なのかと面白く思ったことを憶えています。すてきな家を建てたものの、学校が遠くなることを嫌がって家族が一緒に住んでくれず、里見弴は一人で住んでいたと聞きました。人生の、なんとままならないことか。

『荊棘の冠』
里見弴　講談社文芸文庫。小説家の小幡宗吉は、娘である五九子を深く愛しながらも、どこかで苦手にしている。なぜなら彼女は天才ピアニストだから。昭和九年に発表され、才能溢れる娘を持った主人公の苦悩と周囲との葛藤を描き、話題を呼んだ問題作。（編）

のはこの文章のために便宜的にそう呼んでいるだけで、作中でそう書かれているわけではない)。頑固者というかひねくれ者というか、一言では括れない癖のある主人公にとって、天才の娘は重い存在だ。彼はあるいは娘を愛していたかもしれない。しかし、娘に寄せられる賞賛や名声までをも愛することは出来なかった。

第一部だけで終わっていれば、「大変な娘さんを持ってしまったものだけど、大丈夫、時が全部解決するよ」と甘い想像が出来たかもしれない。しかし刊行に際し加えられた第二部・第三部は、そんな夢をこっぱみじんにする。

本を閉じて、物語の適切な終わりということについて考える。『荊棘の冠』を短篇として読んでいたら、実に味わい深い好篇だと思っただろうけれど……。胸に残るのは、言わずもがなとさえ思えた第三部の、主人公の最後の一言なのだ。

――「五九子。世界一にしてあげるよ」

○月×日

『無菌病棟より愛をこめて』*を読む。

加納朋子。お会いしたことはないが、恩人だ。北村薫、若竹七海、倉知淳、加納朋子……一九八〇年代末から九〇年代前半にかけ、立て続けに現れた彼ら「日常の謎」の作家たちがいなければ、私はいま何をしていたかわからない。

その加納先生が急性白血病に罹(かか)られた。それを知った時の、重い気持ちは忘

『無菌病棟より愛をこめて』
加納朋子　文春文庫。妻でもあり母でもあり人気ミステリー作家でもある著者は、ある日突然、急性白血病の告知を受けて、緊急入院となる。五年生存率は三割。そんな厳しい現実を受け止めながら、治療の日々を冷静に前向きに綴った闘病記。(編)

れられない。そして、この「新刊」を見た時の喜びもまた忘れられない。

ドナーとなった弟さんが移植手術の麻酔に朦朧（もうろう）となりながら、しきりに「1ℓとれた、1ℓとれた」と呟いていたという。姉に分ける骨髄液が充分に採れたということだ。……実の人間の、何と美しいことか。

一方で、治療の苦しさ、つらさと同等か、あるいはそれ以上に入院生活の「退屈さ」がひしひしと伝わる表現力。加納先生が帰ってきた。それが、ひたすらに嬉しい。

どうぞ、お大事に静養なさって下さい。

加納先生はその後ご快復なされ、健筆をふるっておられます。

After Talk

本文中でも少しその雰囲気は出ていますが、私は『荊棘の冠』をいい小説だとは思うものの、「とても」いい小説だとは思っていませんでした。天才の娘を持った平凡な（当時としては当たり前に専制的な）父親を描くだけで十全であったところ、不倫とか、実の娘ではないのではないかとかいう話が出てくるのは余計ではないかと思ったのです。いまでもその考えは変わりません。しかし……この小説の最後の場面は、幾度も幾度も思い出してしまうのです。神は細部に宿るのかもしれませんが、時の流れが小説の細部のほとんどを忘却へと押し流してなお、場面と、登場人物が叫んだ言葉だけは忘れられません。おそらく私は、「とても」いい小説を読んだのでしょう。

二〇一二年六月

○月×日

一仕事終えてふらふら本屋に迷い込み、棚を眺めて歩く。ふうん、ずいぶんおしゃれな本も出ていたんだ。気づかなかった。**ロイ・ヴィカーズ**か。ふうん、ロイ・ヴィカーズね。

ロ、ロ、ロイ・ヴィカーズ⁉

『**迷宮課事件簿**』で知られた……というべきか、充分には知られていない、というべきか。とにかく倒叙ミステリの名手ロイ・ヴィカーズの名前を、まさか新刊棚で見ようとは思わなかった。買う。

○月×日

ヴィカーズの新刊『**フィデリティ・ダヴの大仕事**』*の舞台は、ロンドンとその近郊だった。

ロンドンという街には、いろんなイメージがある。霧の都。幽霊の街。金融都市。太陽の沈まぬ帝国の都。二〇一二年五輪開催地……。

*『フィデリティ・ダヴの大仕事』ロイ・ヴィカーズ　平山雄一訳　国書刊行会。周囲が思わず見惚れる可憐な美女フィデリティ・ダヴ。しかし、実は彼女「ダヴ・ギャング」を操る大泥棒だった。ロンドンを舞台に淑女怪盗ダヴとスコットランドヤードの対決を描く、連作短篇全十二篇。（編）

そしてロンドンにはもうひとつ、ミステリの故郷という横顔もある。先人たちの指摘によれば、ミステリが書かれるためには警察機構の存在が必要だった。おそるべき例外であるポーを別にすれば、一八二九年ロンドンにスコットランドヤードが創設されて初めて、ミステリ発展の土台が築かれたと言える（なお、いったん発展してしまえば、ミステリの舞台は一八二九年以前にも遡（さかのぼ）りうる。あらゆる時代のあらゆる職業が探偵になってきた。その百花繚乱、いやむしろ狂乱のほどは、アントニー・マン『フランクを始末するには』*所収の**「エスター・ゴードン・フラムリンガム」**にユーモラスに描かれている。これは短篇集で、他には表題作もよかった）。

そんなロンドンの犯罪者リストに、美しき怪盗フィデリティ・ダヴが加わった（書かれたのは戦前だけれど）。彼女、なかなかやる。

怪盗ミステリでは、怪盗は変幻自在であることが多い。ある時は警官、またある時は謎の老人、しかしてその正体は……というやつである。だがダヴは変装しない。偽名も使わない。堂々と獲物の前に現れて、鈴を鳴らすような声でフィデリティ・ダヴと名乗るのだ。

ダヴは怪盗と詐欺師のどちらもこなす。大胆な物理トリックで獲物をせしめることもあるが、それだけならまあ、よくいる手合いだ。彼女が優れているのは、心理誘導や婉曲な脅迫によって、被害者（吝嗇（りんしょく）で冷血な大富豪！）がダヴを告訴できないようにする手際である。実際これは怪盗ものというより、コンゲームの範疇に入る作品かもしれない。

『フランクを始末するには』
前回に『チェスの話』、前々回に『サラの柔らかな香車』について書いているのですから、『フランクを始末するには』に触れるなら収録作の**「プレストンの戦法」**のことを書いてもよかったですね。ひょんなことからチェスの完全解を見つけてしまった男がもたらす混乱と絶望の物語です。

スコットランドヤードは、どれほどダヴが怪しくても、違法行為を見出せなければ引き下がる。間違っても、「別件で引っ張って絞れば吐くだろう」などとは考えない……。

これを、小説ならではの生温い捜査だと批判することもできる。しかし私は、反則がなければ恣意的なペナルティを科すことはないスポーツマンシップをそこに見る。それはミステリの底流をなすものであり、そしてなかなかに、ロンドンという街に似つかわしい気がする。

○月×日

ロンドン、怪盗……で思い出した。ずいぶん前に買って、買っただけで安心して棚に放り込んだ本があった。どこだったかなと捜すこと五分。よかった、それほど隠れてなかった。

野尻抱影『ろんどん怪盗伝』*。そのままだった。

しかし、この本の「怪盗」はフィクションではない。本書は小説だが、主人公のジャック・シェパードは十八世紀に実在した盗賊だ。空き巣や窃盗を繰り返し、たびたび投獄されるが、その度に不屈の闘志で脱獄を果たす。怪盗というより侠盗か。

シェパードには宿敵がいる。盗賊密告係という官憲にして、ロンドン中の泥棒のボス、ジョナサン・ワイルド。シェパードは自らの体力と知力を尽くして、圧倒的な権力を誇るワイルドに立ち向かう。

『ろんどん怪盗伝』
野尻抱影　みすず書房。庶民の人気者の泥棒にして牢破りの名人ジャック・シェパードと政府の手先の密告屋でもあり、大がかりな故買も仕切る悪党ジョナサン・ワイルド。実在した二人の対決を描く、思わず手に汗握る痛快時代活劇。（編）

冒険と復讐の物語！

解説によれば、ロンドンの都市化が進むにつれ、こういう大泥棒の物語は消えていったという。泥棒が消えたわけではないが、小粒になったのだ、と。確かに遵法意識が染みついた現代の都市は、大胆不敵な大冒険には似合わないのかもしれない。いま窃盗犯が刑務所から脱走を果たしたら、市民の反応は「まあ、怖い」に尽きるだろう……。

十八世紀のロンドンとは、どだい時代が違うのだ。だからこそ、違う時代の小説が面白い。

After Talk

名探偵は好きですが、怪盗はよくわかりません。「有形力で怪盗を制圧する手段を持っているけれど法に従ってその行使には慎重になる警察」と「警察側が違法な暴力には訴えてこないことを前提にする怪盗」の勝負に見えてしまうと、フェアには見えないのです。その上で怪盗側が警察を愚弄したりしますと、法に守られているからこそ無事でいられる立場で気楽なものだ、と思ってしまうことさえあります。その点、**ルブラン「赤い絹のスカーフ」**はさすがです。ルパンは、最後は暴力の応酬になることを折り込み済みでした。

私は、警察が出てくればひたすら逃げるしかない泥棒のドートマンダーが好きです。**『泥棒が1ダース』***は、時々読み返しています。

『泥棒が1ダース』
ドナルド・E・ウェストレイク 木村二郎訳 ハヤカワ・ミステリ文庫。天才的犯罪プランナーにして職業的窃盗の第一人者ジョン・ドートマンダー。不世出の大泥棒……のはずなのだ。だが、どういうわけかその計画が予定通りに運ぶことはまずない。泥棒稼業はつらいよ。世界一不幸な男、哀愁の中年泥棒ドートマンダー奮闘記。（編）

二〇一二年八月

○月×日

ふるい友人が訪ねてきた。

どこか案内してほしいと言うが、気は合っても趣味は合わないやつで、私が好きな場所はたいていかれの興味を惹かない。ただ、本が好きというのが共通しているので、ふと思いついて代官山の蔦屋書店に連れていった。

「面白いところを知ってるな」

と言ってもらえたので、どうだと胸を張りつつ、内心ではほっと胸を撫で下ろす。なにしろ、実は私も初めてだ。

本の趣味も合わないので、店内では分かれて行動することにした。人と来ている感じがしないが、このぐらいの距離感が落ち着ける。畢竟、読書は個人的なものなのだ。

小一時間、これから本屋ってどうなっていくんだろうなと埒(らち)もないことを考えながら（やっぱりセレクトショップ*的にならないと厳しいのかなあ。でもここはそれだけじゃなく、サロンにもなろうとしてるのかな等々）、あちらこち

セレクトショップ
このとき私は、書店はいずれ、
1 店主や店員の趣味が前面に出たセレクトショップ型
2 見本としての圧倒的な店頭在庫を備えるショールーム型
3 特定の顧客を囲い込み体験を販売するサロン型
のどれかを選ばざるを得ないのだろうと思っていました。実際にどうなるかはわかりません。

らとうろつく。そして、河出文庫の棚の前で友人と鉢合わせした。友人は一冊の本を指さして言った。

「これ面白いよね」

ジャック・リッチーの『**カーデュラ探偵社**』。リッチーは以前『**クライム・マシン**』が大いに話題になった。

「探偵社ものかあ。いま、積んでるのが多くて」

と気乗りのしない返事をすると、友人は笑った。

「知らないのか。『カーデュラ（Cardula）』だよ」

そして、とんとんと書影を指で叩く。挑戦的である。……が、幸いそれほど込み入った挑戦ではなかった。アナグラムである。

「ああ！　そうなのか」

これは変わり種を教えてもらった。にまにましながら買う。

読書は詰まるところ個人的なものだけれど、いつもそうでなくてはならないとは決まっていない。帰って読んで、面白かったありがとうと電話した。

○月×日
『**古いシルクハットから出た話**』[*]という本を見つけた。

チェコスロヴァキアで生まれ、ドイツの侵攻でイギリスに脱出したユダヤ人が、国に戻った後こんどはソ連の衛星国になったチェコの共産化に追われてイスラエルに亡命し、そこで大使になってベトナムやアイスランドに行ったとき

『**古いシルクハットから出た話**』

著者の経歴と訳出までの経緯が面白すぎて、内容に触れる紙幅がありませんでしたね。外交官の一人称で語られる、国際色と地域色豊かな短篇集です。東側国家でぎりぎりの自己主張をする話や、異郷で母国の悪評を背負わなくてはならない話など、読ませます。犬が出てくるすてき短篇を密かに集めているのですが、収録作の「**失踪した大使**」はそのリストに入りました。ただ、この小説は地域色が豊かであると同時に、それがやや誇張されているのではという思いもあります。

の話を小説に仕立て、それを東京の学者が気に入って訳そうとしたものの志半ばで病に倒れ、仕事を受け継いだ教え子たちが分担して訳を進めた本だという。ままならぬ作家の人生も、一冊の本を出すために傾けられた情熱も、一気に読んだ思い出も、ぜんぶひっくるめて本棚へ。そろそろ棚も一杯だ。

○月×日

『泡坂妻夫引退公演』*を手に、少し怖いような気がしていた。泡坂妻夫の「新刊」を読むのは久しぶりだ。私は泡坂が大好きだと思っているけれど、もし自分の趣味が変わっていて、以前ほど面白いと思えなかったらどうしよう。ものすごく寂しいじゃないか。そうは思うけれどとにかく最初の話を読もうと、恐る恐るページを繰る。

杞憂だった。夏が過ぎて涼しくなり、気に入っていた秋冬物をクローゼットから出し、袖を通す。久しぶりのはずなのに、スッと体に馴染む(そして体型が変わってなかったことにほっとする)、あの感じに近い。

洒脱な会話も飾りすぎない文章も、投網をえいやっと引き寄せるような伏線回収も、「ああ、泡坂妻夫を読んでいる」という満足感に浸らせてくれる。

短篇のひとつ「撥鏤(ばちる)」で物語の舞台になるのが、老舗デパート華雅舎だった。「撥鏤」自体は艶のある物語に和服と紋の文化が深みを与える小品だが、華雅舎といえば傑作ミステリ「煙の殺意」の舞台でもある。そこでは値段の高さだけで人々の虚栄心を煽(あお)る、何ともバブリーなデパートに書かれていた。

『泡坂妻夫引退公演』
泡坂妻夫　新保博久編　東京創元社。日本を代表する推理小説の名手、泡坂妻夫の生前単行本に収録されなかった短篇小説と戯曲を集めている。亜智一郎やヨギガンジーなどのお馴染みのキャラクターに紋章上絵師ものや奇術専門店シリーズなど多彩な作品に出会える。(編)

単に同じ名前を出したファンサービスというより、何か悪戯と皮肉が入り交じっているようで、にやっとしてしまう。つい作者に「あれ気づきましたよ。どうしてなんですか」と訊きたくなってしまうが、引退したマジシャンの楽屋に押しかける術（すべ）はなく、想像を逞しくするより他はない。

After Talk

「カーデュラ（Cardula）」は、「ドラキュラ（Dracula）」のアナグラムです。つまりこの小説の主人公は、探偵にして吸血鬼なのです。捜査をするのは夜だけで、現場には「直線距離で」移動し、酒を勧められると「私は飲みませんので。少なくとも酒は」と答えたりします。人の歩き方を見ただけで血液型を見抜く特技があります――探偵をする上で、とても役に立つというわけではありませんが！　彼は吸血鬼としての能力で空を飛び、怪力を振るい、そしてふつうに推理して事件を解決していくのです。

こういう、現在の社会の背後で実は超自然の存在がひっそり社会生活を営んでいるというのは、洋の東西問わず愛される定番ですね……と書こうとして、少なくともそういう小説を、自分の書棚からはほとんど見つけられないことに気がつきました。超自然の存在が公然であるものは**『女王陛下の魔術師』***（ベン・アーロノヴィッチ）や**『さよなら駐車妖精』**（ジャスティーン・ラーバレスティア）などいくらでもあるのですが、非公然のものはわずかに**『さらば、愛しき鉤爪』**（エリック・ガルシア）を見出しただけでした。

『女王陛下の魔術師』
ベン・アーロノヴィッチ　金子司訳
ハヤカワ文庫。新米巡査ピーターの配属先が決まった。意気揚々と上司のもとへと向かうが、主任警部から衝撃の事実を明かされる。自分は英国唯一の魔法使いであり、これから二人で特殊な犯罪――悪霊、吸血鬼、妖精がらみの事件を捜査するのだと!?　かくて魔術師見習い兼新米警官の驚くべき冒険がはじまる。（編）

二〇一二年十月

○月×日

本が場所を要求することがある。

むかし、ある小説を読んでいたとき、「これは外で読みたい」と思った。それは強い衝動で、とてもあらがえなかった。季節は確か二月か、ひょっとしたら三月。泣きたくなるほど寒かったけれど、他にどうしようもないので、私はその本を外で読んだ。記憶はたからもののように胸に残っている。

このあいだ、西崎憲の『飛行士と東京の雨の森』*を買った。出版社に行く用事があったので、電車の中で読むのにちょうどいいと思った。

そうしてページを少し繰って、「あ、ここじゃない」と思った。この本はこんな、ごうごうと騒音が満ちた電車内で読むものではない。もっと静かな、騒がしい街の中にあってもなお静かな場所で読みたい。そうして私は一度、本を閉じた。

この短篇集の全てが静かだったわけではない。けれど冒頭の「理想的な月の写真」、そして表題作の「飛行士と東京の雨の森」には、何かしらノイズを拒

『飛行士と東京の雨の森』
西崎憲　筑摩書房。古書店で手に入れた一冊の薄い本。著者の名前が旧友に似ていたので、気になっていたのだが、やがてその本にまつわる意外な真実を知ることになり……。表題作をはじめ、東京を舞台にした市井の人々の、ひそやかな物語を綴った七つの短篇集。（編）

絶するものがあった。私はそれを、自室の机に向かって読んだ。雨が降っていればいいのに、と思いながら。

後日、雲一つなく晴れた空を見て、「子供が描いた絵のような空だなあ」と呟いた。それはとても自分の言葉だとは思えなかったので、驚き慌て、どこで見た言葉だろうと最近読んだ本を片端からめくった。ところが、どうにも見つからない。

その言葉は、まさかこれじゃないだろうと思って残していた『飛行士と東京の雨の森』にあった。キーワードでも何でもない、平然とした描写に含まれていた。

それで改めて、私はこの本が好きなのだ、と、よくわかった。

○月×日

『ようこそ、自殺用品専門店へ』*。

物騒な題名だが、とても綺麗な装幀だ。物欲をそそる。

しかもこの本、私の記憶に間違いがなければ、確か去年のクリスマスに書店の平台に並べてあったのだ。贈り物としての本を選ぶ時期、いかに魅力的な顔をしているとはいえ、この本を平台に並べた狙いや如何に。そんなことを考えると面白く、つい手が伸びたのだったと思う。

背表紙もいい色をしているので、一度本棚に挿して、それきり飾りになっていた。簞笥の肥やしという言葉があるけれど、そうは呼びたくない。書棚の花

*『ようこそ、自殺用品専門店へ』
ジャン・トゥーレ　浜辺貴絵訳　武田ランダムハウスジャパン。十代続く老舗の「自殺用品専門店」。店を営むテュヴァッシュ一家は、父のミシマをはじめ家族みながネガティブ思考、生きる意欲もなく淡々と生活していた。しかし、無邪気で超ポジティブ思考の末っ子アランが生まれたことで、一家の生活の歯車が狂っていく。（編）

とでも呼んでみたいが、どうも語呂が宜しくない。ともあれ、飾りだ花だと見とれているばかりでは、「わたくしは見るものではございません」と本が夢枕に立ちかねない。不意に気が向いて、さらりと読んだ。

どこにも強調されていないが、よく読むとこれは未来の話だった。けれど未来である意味は、それが現在でも過去でもないということの他にはないようだ。「この世が悲観に満ちているのは、ある特定の時代のせいではない。いつであってもそうなのだ。未来においても、そうだろう」とほのめかすための未来設定。なるほど、うまい。

内容は、大いに笑った。もはやそれしかないだろうというエンディングに向かって、着々と仕込みが進んでいく感じ。そして最後に、当然予想された、意外な破滅が訪れる。

○月×日

ある日、出版関係者の集まり*にのこのこ出かけたら、顔見知りの編集者さんが小走りに近づいてきて、満面に笑みを浮かべてこう言った。

「米澤さん！　面白い本、見つけましたよ！」

こういう話を振られることは、実はあまり多くない。嬉しさ半分警戒半分で訊いた。

「なんですか？」

「はい、デュレンマットの」

出版関係者の集まり
よく憶えていないのですが、時期的に考えておそらく、東京創元社の鮎川哲也賞ならびにミステリーズ！新人賞の授賞式でしょう。この年の鮎川賞の受賞は青崎有吾氏の『**体育館の殺人**』、ミステリーズ！新人賞の受賞は近田鳶迩氏の「**かんがえるひとになりかけ**」でした。文中に登場する「顔見知りの編集者さん」は、たしか文藝春秋の方だったと思います。

おっと、それか。皆まで言うな。持っていた鞄*を開け、その日ずっと持ち歩いていた『失脚／巫女の死』を取り出す。……そこからはもう、共犯者の笑みを交わすだけで事足りた。

もしこれからお読みになるとしたら、最初の「トンネル」は前菜程度にお考えになることをお薦めする。描写に面白いところがあるものの、よくある話だ。次の「失脚」からが本番ですよ、と書きながら、自分があの時の笑みを浮かべていることに気づく。

After Talk

デュレンマットの『失脚／巫女の死』は世間的にも好評を博し（そりゃあそうです傑作だもの）「このミステリーがすごい！」二〇一三年版海外編の第五位に入りました。二〇二一年までのところ、光文社古典新訳文庫がミステリランキングに入ったのはこれが唯一です。クリスティー『**オリエント急行殺人事件**』*や**ハメット**『**ガラスの鍵**』、それにポーの諸作品なども出てはいるのですが、さすがに新刊を評する場にはそぐわなかったようです。

話はそれますが、光文社古典新訳文庫の『オリエント急行殺人事件』に挟まっていたしおりには驚きました。現場見取り図になっていたんですよね。細長い列車の中で事件が起きるので、細長いしおりにうってつけだったわけです。あれは嬉しかった。こういう手があったかと思いました。

鞄
あれ？　鮎川賞授賞式なら、鞄はクロークに預けているはずです。なんで鞄を持っているのでしょう。これはミステリの予感がしてきましたよ……（単に鞄を預ける前か受け出した後に話をしただけだと思いますが）。

『オリエント急行殺人事件』
アガサ・クリスティー　安原和見訳
光文社古典新訳文庫。豪華列車「オリエント急行」が大雪で立ち往生した翌朝、客室で一人の富豪の刺殺体が発見される……。名探偵ポアロによる迫真の推理の幕開け！　二十世紀初頭の世界情勢を背景に展開するミステリーの古典にして不朽の人間ドラマ。（編）

二〇一二年十二月

○月×日

洋館趣味はミステリ作家の嗜み。いわば仕事の一環である。……などといいかげんなことをうそぶいて、ときどき洋館を探しては散歩がてらに巡っている。山本有三記念館あたり、行きやすいのに素敵です。

とはいえ根が出不精なので、ふだんは洋館巡りといってもせいぜい都内、遠くても鎌倉ぐらいまでしか行かない。ところが冬のある日、『ぼくらの近代建築デラックス！』*を読んでいた私は、本を閉じて表紙をぽんと叩き、その場で決めた。

京都に行こう。

関西に縁の深いお二人の対談だけあって、やはり関西圏の建物へのアプローチが一段と鋭い。また、作家が紹介することの魅力というか、物語のあるペーソスがところどころに感じられて、大いに刺激を受けた。特に、大阪市中央公会堂の由緒を語るシーンが印象に残っている。

京都に行こう。京都の古本屋で本をつまんで、この本に出ている喫茶店でコ

*『ぼくらの近代建築デラックス！』万城目学　門井慶喜　文春文庫。近代建築をこよなく愛する人気作家二人が、東京、横浜、大阪、神戸、京都などの都市に残る名建築を訪ね歩いたルポ対談集。博覧強記な門井の薀蓄に、万城目がツッコミを入れる、二人の丁々発止のやり合いに、読んでいると思わず笑みが！（編）

ーヒーを飲むんだ！

そう決めて、さっそく新幹線の切符を取った。

○月×日
京都の古本屋ではいい本が買えた。

目当ての喫茶店は、定休日だった。*

寒かった。

泣きそうになった。

○月×日
洋館だけが好きなのかと自問してみると、案外そうでもない。というか、本来は和風建築が好きなのだ。

和にせよ洋にせよ、人が住まなくなった家を保存することは容易ではない。転勤でうっかり空けてしまっただけの民家ですら、一年も風を通さなかったら、よくもここまでと思うほど荒廃する。誰も手入れをしない家は、どれほど見事な建築でも早晩ただの廃屋に成り果てる。家を生きたままで残していくためには、次の誰かがそこに入らなければならないのだ。

岩波書店の創業者、岩波茂雄の熱海別宅を**佐伯泰英**が買い、修繕したという話を聞いて『**惜櫟荘だより**（せきれきそう）』*を読んだ。

確かに、掲載された数葉の写真だけでも、これはすばらしい建物だと思う。

定休日だった
コーヒーを一杯飲むために東京から京都まで出かけて、それで定休日というのは、あまりに無惨ですよ。寒かったですし、天気も悪くて……ひどい小旅行でした……。臨時休業ならともかく定休日では事前に調べることも出来たわけですから、文句も言えません。

『惜櫟荘だより』

住む人がなく朽ちつつあった惜櫟荘は、ただ住むだけでも莫大な修繕費を必要とし、もはや解体しかないかと思われました。縁あってそれを購入した佐伯泰英氏が、いかに建物を修繕していくかを記したエッセイです。古建築を安全に住める家に直すにはどういったことが必要なのかが克明にわかる、貴重な記録でもあります。やっぱり問題なのは、耐震性でした。そうでしょうね……。日暮里にある朝倉彫塑館が数年のあいだ閉館していたのも、ひとえに耐震工事のためでした。

コンクリート普及後の、柱や壁を廃して自由に空間をデザインする感覚が、伝統的な木造建築で達成されているようで不思議な感動を覚える。

文中、惜櫟荘のいわれにふれた部分がある。初代の老いた櫟（くぬぎ）と、初代が枯れた時のためにあらかじめ植えられた若い櫟だ。

著者は最初、岩波茂雄が建てた頃への復旧を目指し、若い櫟を移すつもりだった。しかしいざ修復が完成した後で著者は、既に数十年隣り合ったこれらの木は、二本で「惜櫟荘の櫟」だと思い直す。

私は、古い建物に寄り添って植えられた植物が、時とともに成長していくイメージが好きだ。時間のスケールが違う存在を目の当たりにすると、なんだかいつも、ほっとする。

○月×日

小説にとって「感情移入」は、ミステリにおける「サプライズ」のようなものだと考えている。……あればあったですばらしく、時にはそれが最も重要だとさえ言われたりもするが、実はそれが本質ではない。サプライズを目的としないミステリは充分に成り立ち、傑作もある。小説全般における感情移入もまたしかり。いや、感情移入を重んじすぎれば、小説はかえって安くなっていくのではないか。小説は主人公の心に寄り添うことだけが至上ではない……。

日頃、おおざっぱに言えばこんなことを思っているのだけど、**『サンタクロースは雪のなか』**を最新刊とするフレーヴィア・ド・ルースのシリーズだけは、どうも駄目だ。このこまっしゃくれた十一歳の科学好き（まあ！　フレーヴィアったら、正直におっしゃいよ。ただの科学好きじゃなく、科学の天才だって思ってるくせに！）が、自分は愛されていないという確信に反して、ほのめかされる程度の愛情に接する時、どうにも胸が詰まる。

たぶん、私はこう思っているのだ。フレーヴィア、君はひどく間違っている。みんなは君を愛していないのではない。

ただ、何も知らないこどもの頃とは、受け取る愛情のあらわれかたが違ってきただけなのだよ、と。

After Talk

洋風建築が好きなんですかと訊かれた場合、洋館が好きなんですと言い直します。東京駅や旧開智学校に興味がないわけではないのですが（なんであれ人間の技術の結晶に興味を持たないことなどできるでしょうか）、私が好きでよく巡るのは個人宅です。誰かがそこで暮らしていた場所が好きなのです。小さなこだわりとか、ちょっとした不便さとか、そういうものを見つけられると嬉しくなります。ですから本文中でも書きましたが、和邸も同じように好きです。

ミステリで屋敷といえば何といっても殺人の舞台ですが、その建築には何かいわれが欲しいところ。誰がどんな思いで建てて、どう生きた場所なのかがわかると、ミステリに陰影が加わります。家が魅力的なミステリといえば、**『七十五羽の鳥』***（都筑道夫）や**『黄昏の百合の骨』**（恩田陸）を思い出します。

『七十五羽の鳥』
都筑道夫　光文社文庫。旧家に起こった殺人事件は、千年も前に怨みを残して死んだ姫君の祟り!?　登場するのはまったくやる気のない探偵、物部太郎。作者は文中で（見出しも含めて）、ひとつも嘘をつきません。そして事件解決の手がかりは、すべて読者の前に明示されます。鬼才が精巧に練り上げ、フェアプレイの精神で読者へ挑戦する本格推理小説。（編）

本に呼ばれて修善寺詣

修善寺に行こう。そう思いついたのは、もうどれぐらい前のことだろう。何かで疲れていた時のことだったに違いない。なにせ元気なら、遠くに行きたいなどとは思わないたちである。それで心に浮かんだのが修善寺なのはなぜだったか。

思いつくことがあるとすれば、やはりまずは岡本綺堂の『修禅寺物語』。「修禅寺には、土の底まで源氏の血が沁みる」ということは、蒲殿*（範頼）や頼家*が何者か知らない子供の頃から知っていた。

だがつくづく考えるに、修善寺という土地に私が持つ印象は、源氏悲劇の地というだけではない。もっとこう、何かに心惹かれるのだ。温泉地・観光地の名前を挙げられれば「ああ。たぶん高度成長期かバブル経済の時に資本に焼き払われて、いまは水もろくに出ない*ホテルが軒を連ねているんでしょう」と斜めに見てしまうような出不精のくせに、修善寺には訪ねるべき理由があるような気がする。これはなんだろう。

……先ごろ、角川書店が横溝正史生誕百十周年記念と銘打ち、文庫の復刻版

蒲殿
源頼朝の異母弟（義経の異母兄）。頼朝に粛清される。

頼家
源頼朝と北条政子の息子。北条氏に暗殺される。

水もろくに出ない
Q　妙に具体的ですが経験でも？
A　はい。

を期間限定で出した。杉本一文*が装画を描いた、ほとんど伝説的な装幀の復活である。

私が自分用の正史を揃えはじめた頃にはもう杉本装画の文庫はなかったので、この企画は嬉しい。いくつか手に取った中の一つをぱらぱらめくって、「そういえばそうだった」と笑い出した。

なんのことはない。『女王蜂*』の舞台が伊豆修善寺なのだ。それであの土地に、妙な懐かしさと親近感を懐き、いつかは行こうと憧れていた。種を明かせば、私もけっこう単純だ。

今回はじめての修善寺行が実現することとなり、まずは本を選んだ*。

旅慣れた者ほど荷物は小さい、という。本は持って行くが、およその基準というものがある。端的に言って、かさばる本は不便だ。ここで数冊が候補から落ちた。

また、あまり賭けはしたくない。勝手知ったる土地に行くのなら現地の書店をあてにして、家から持って行く本でもチャレンジができる。しかし修善寺ははじめてで、交通の便がいいところに書店があるかどうかすらわからない。未読の本も持っては行くが、好きな本をお守り代わりに一冊二冊持って行きたい。

そして『修禅寺物語』を再読する機は今をおいてない……と思ったが、書棚を探しても現物がない。引っ越しの際に置いてきたか、それとももともと自分の本ではなかったか。この機に買おうと思ったが、折悪しくどの出版社でも版

杉本一文
実は幼少期には、あの絵がおそろしくて祟られそうで、横溝正史は手にできなかったものです。藤田新策装幀のスティーヴン・キングと、こわさの双璧でした。

『女王蜂』
横溝正史　角川文庫。絶世の美女、源頼朝の後裔と称する大道寺智子が伊豆沖の小島……月琴島から、東京の父のもとにひきとられた十八歳の誕生日以来、男達が次々と殺される！　開かずの間の秘密とは……？（編）

本を選んだ
ふだん、旅行の時には本をあまり持っていきません。キオスクなり駅構内の書店なりで、いつも読むタイプのものとは違う本を気まぐれに買うことが多いです。

が切れている模様。『修禅寺物語』が手に入らない状態がいつまでも続くとは思えないから、いずれどこかから出るのだろうけど、当座は買えない。こういう時のための図書館ではあるが、何が起きるかわからない旅先に、公共の本を持って行くのはためらわれる。残念ながら諦めるしかない。あとは、あれとそれと。ああ、そうだ、次の仕事に備えて読む本も詰め込んで……。

結局、鞄はひとつで済むはずのところが、本を持って行くためだけにふたつに増えた。

旅慣れた者ほど荷物は小さい。そして私は出不精である。ゆえに私の荷物は大きい。

完璧なロジックではないか。

朝早く自宅を出発。新幹線で一路西へ。

座席では『辺境の館』*（パスカル・キニャール）を読んでいた。スペイン人の美しき妻、優しい貴族の夫、粗野なフランス人の友人。この三人を並べればどうなるかだいたい想像がつくが、単に想像がつく通りならわざわざ翻訳しないだろう。案の定ほどなくフランス人が女に横恋慕し、貴族の男を殺す。ここまでは織り込み済みだが、このまま悲嘆にくれる女がたぶらかされるだけなら、いささか月並みというものだ。さあここからが物語だと身を乗り出したところ新幹線が三島に着いてしまう。速すぎる。新幹線って速いですね！　大慌てで荷物を担ぎ、帽子をかぶって飛び降りる。そして本を置き忘れた。*

『辺境の館』
パスカル・キニャール　青土社。十七世紀、リスボン屈指の美女ルイーザの壮絶な復讐譚。西欧版「阿部定物語」ともいえる奇想天外、奔放な物語の絶頂。（編）

置き忘れた
後日、遺失物センターのご尽力のおかげで回収することが出来ました。

なんてことだ。いきなりしょんぼりである。

しかし、落ち着いて考えてみれば悪いことばかりではない。私が乗ってきた新幹線は名古屋止まりで、忘れた本は名古屋で降ろされるはず。もしこれが博多行きだったら、福岡まで運ばれるところだった。危ないところだった。こだまでよかった。よかった。よかったと思わないとやりきれない。

名古屋の遺失物センターに手配をお願いしてから、ローカル線のホームへ向かう。切符を買って普通列車に乗り込み、

「五冊の本を持って旅行に出かけた　一冊を新幹線に忘れて　四冊になった」

などと口ずさむうち、電車は修善寺に向けて動き出す。


車であれ鉄道であれ、山あいを行くときはうんざりすることが多い。

「どこもかしこも同じ風景」などとは思わない。街はそれぞれ変わった顔を見せる。越前海岸を走ったときは、風雪厳しい日本海に面していながら瓦屋根の家が多いことに驚いた。富山まで行けば、強風を避けるための防風林が家々を囲む様が面白い。ひとの営みは変化に富んでいて見て飽きない。だが、山はいけない。日本中どこに行っても杉の山ばかりが目に入り、「ここでもか」と落胆するのだ。

こうも杉林が多いのは、林業の主力製品として集中的に栽培が進められたからとも聞いている。杉に情緒がないとは言わない。雪中の杉には水墨画のような味わいがある。しかし、どこに行ってもそればかりでは寂しくなる。ついで

に目がかゆくなる。

ところが修善寺の町に着いて驚いた。一見して植生が豊かなのだ。広葉樹と針葉樹がほどよく交じり合い、緑を競っている。こういう山は、季節によってそれぞれ違った表情を見せてくれる。来たばかりなのに、梅の季節もよかっただろう、などと思っている。

駅前からタクシーに乗って移動する。町中を流れる桂川の川原に、ちょっとした四阿(あずまや)が見えてきた。数人が集まっているのが遠目にわかる。なんだろうと思っていると、タクシーの運転手さんが教えてくれた。

「あそこに温泉があるんです。混浴ですよ」

なにを言っているのだ。

さらに近づくと、しかし運転手さんの言葉に嘘はないとわかった。川原の温泉は……足湯*だった。

ようこそ修善寺へ！

チェックインまで時間があったので、宿に荷物を置いてしばらく散歩を楽しむ。散歩のお供は、やはり『女王蜂』を選んだ。

横溝正史の舞台ということであれば、修善寺よりも岡山・瀬戸内海に行きたくなりそうなものだ。『獄門島』も『八つ墓村』も『悪魔の手毬唄』も、みんなそのあたりの話なのだから。それなのに、行きたいとまず思ったのは修善寺。なぜか。岡山のあたりはいちど旅したことがあるからかも知れないが、それだ

足湯
温泉地の足湯に関しては非常に大きなミステリを感じています。……道端や川原の足湯につかるのはいいのですが、あれ、どうやって濡れた足の水気を切ればいいんでしょう。下駄や草履ばきだったとしても濡れた足で歩きまわれば風邪を引きます。足湯にタオルが備えつけられているならいいのですが、そうでなければ、やはり宿からタオルを持参するんですかね……（しかし、だったら宿で湯につかるのではと思ってしまいます）。何か見落としているのか……？

けではない。きっと、小説の中身に関係がある。
『女王蜂』の主人公大道寺智子は、下田の沖に浮かぶ孤島「月琴島」に育った。彼女は十八歳になると、東京に住む養父の元に引き取られることになっている。その日がやってきて、彼女は海を渡り、まず修善寺に落ち着く。そこには養父と、三人の結婚相手候補、そして謎の男たちが待っていた……。

名探偵・金田一耕助が登場するミステリでありながら、『女王蜂』はロマンス小説でもあるのだ。横溝にはこうした仕立ての小説もいくつかあるが、たとえば**『三つ首塔』**は少々官能的すぎる。『女王蜂』の、佳人南方より来たるという華々しいイメージが、私に修善寺という土地を憶えさせたのだろう。

というわけで、散歩かたがた『女王蜂』らしいところはないか探してみる。

大道寺智子の逗留先は、ウェストミンスター風の大時計を備えたホテル、松籟荘*と記されている。「もとはなにがしの宮の別邸」であり、「桂川をまえに、嵐山をうしろに背負う」とあるのでだいたいの位置はわかる。ざっくり調べて、修善寺に松籟荘という宿はないとわかったが、これは予想通り。もし実在の宿をモデルにしたのなら、当然名前は変えただろうから。

近頃になく暖かい日で、散歩にはうってつけだった。本を片手に、桂川につかず離れず下流側に向けて歩いた。やがて嵐山を背負う場所に着くが、特に宮家の別荘らしい建物はない。やはり筆の上だけの建物かと思ったが、いちおう念のため、土地の人に聞いてみた。このあたりに宮家の別荘が移築されてきたという話は聞きませんか？

松籟荘
松籟とは松風のことです。また、松の葉擦れも松籟というようです。建物周辺の描写は左のとおりです。
〝金田一耕助はこのホテルがたいへん気に入った。桂川をまえに、嵐山をうしろに背負うた松籟荘は、ちかごろとみに俗っぽくなった、修禅寺の町から遠くはなれて、幽邃の気につつまれている。ちかくにギリシア正教の教会があるのも好もしく、おりおり鐘楼でうち鳴らす鐘の音が、ふるえるように聞こえてくる。〟（角川文庫『女王蜂』p.54）
この「ギリシア正教の教会」は実在します。よって、このあたりだろうなという当たりをつけるのは、難しいことではありませんでした。

すると思いもかけず、「ああ、それなら」という返事である。

三島に建っていた小松宮彰仁親王の別荘を修禅寺の境内に移築して、書院・方丈として使っていたと教えていただいた。何でも聞いてみるものである。踵を返し、桂川を上流へ。文庫本を手の中で弄び（もてあそび）ながら、修禅寺に向かう。

修禅寺は曹洞宗の古刹で、弘法大師が開山した伝承が残る。チェックインの時間が迫っているのでゆっくり見てまわるのは後にして、とりあえず方丈を見に行く。

……だが、やはり時の流れは厳しいもので、旧小松宮邸は既に取り壊されていた。古い建築を見るのは大好きなので、これは悔しい。

とはいえ実際に歩いてみて、よくわかった。修禅寺の境内では、『女王蜂』に描かれた地形からは少々場所が離れすぎている。また、時計塔を備えた洋風建築の松籟荘が、修禅寺の方丈というのも頷けない。旧小松宮邸がそのままホテル松籟荘の元であると考えるのは難しいだろう。

あまり期待もしていなかった散策で意外な発展があったので、気をよくしてもう少し「松籟荘」を調べてみる気になった。松籟という言葉そのものはよく使われるが、建物の名前となるとどこにでもあるわけではないはず……。そんな予想は、当たっていた。

宮家ではないが、宇垣一成陸軍大将の別荘が松籟荘といったらしい。建っていた場所は、静岡県伊豆長岡町（現在の伊豆の国市）。

おお、と身を乗り出す。なんと、隣町ではないか。

そこで私は想像する。横溝正史は旧小松宮邸が修禅寺に移築されていたという事実に刺激されて、小説の中で宮家の別荘を修善寺に建てた。そして、隣町に建つ宇垣大将の別荘の名前を、その建物に当てたのではないか——。

あながち、的外れでもない気がする。

散歩から戻ってチェックイン。宿は新井旅館、文豪ゆかり*の宿である。何とも、「ぶんごう」と言葉にするだけで口ごもってしまう。

桂川に面した天井の高い部屋に通していただき、とりあえず一息。食事を堪能すれば、後は温泉地らしい時間である。

大浴場も露天風呂もあるということだが、家族風呂が芥川ゆかりということで、興味をそそられた。なんでも家族風呂に入った芥川は、友人宛に風呂の図解を描いて送ったそうだ。図解だったら私にも出来るぜと意気込んで風呂に向かったが、「現在入浴中」の札が立ちふさがった。

仕方がないのでロビーに戻ってソファーに腰を下ろし、『**旅人は死なない**』(**リシャール・コラス**)を読みながら順番を待つことにする。

春の夜、ガラス戸から見える庭は真っ暗闇だが、鉄枠に支えられた照明の光は柔らかく読書に向いていた。

短篇を何篇か読み進めたところで、ふと顔をあげて気づく。ロビーの一角で土産物を売っている。どんなものがあるか見てみる気になった。絵はがき、銘菓、そして本。本?

文豪ゆかり
岡本綺堂はこの宿で『修禅寺物語』を書きましたし、芥川龍之介、**尾崎紅葉**、**泉鏡花**、**島崎藤村**ほか枚挙に暇がありません。

「あ」

と声が出た。旅館の土産物売り場に、あれだけ探しても見つからなかった、岡本綺堂『修禅寺物語』が置かれている！

　岡本綺堂は著作権が切れている。それで、地元の書店*が本を作ったらしい。戯曲版と小説版の併録に加え、修善寺にまつわる随筆も二篇収められていて、これはなかなか素敵な作りである。

　財布を取りに部屋に戻る時間ももどかしい。とにかくフロントに駆け込んで、

「あそこのお土産は部屋づけで買うことが出来ますか？」と尋ねる。できるそうなので、早速一冊買い求める。

　風呂が空くまでは手元の本を。そして風呂から上がったら、今夜は桂川の流れを聞きながら岡本綺堂を読もう。

　風呂の中では読まない*。風呂で本が読めるなどと言うのは都市伝説であり、実際に読んでいると主張する人間は、悪の秘密結社の構成員である。

　翌朝。朝食を済ませてそぞろ歩き。

　道ばたの看板に、修善寺の温泉も弘法大師が開いたものだと書かれていた。病んだ父親を川で洗う子を見た弘法大師が、水では冷たかろうと湯を湧かせたのだという。

　ちなみに修善寺温泉の源泉水温は六十度を超える。弘法大師いわく、「湯加減の調節はセルフサービスで」。

地元の書店
版元は長倉書店となっています。

風呂の中では読まない
当時私が住んでいた部屋の風呂の形状が、それに適していなかったのです。その後引っ越して、雑誌ぐらいなら読むようになりました。

まずは、昨日は駆け足で通り過ぎた修禅寺へ向かう。この寺は古風なだけに見えて、実は面白い建物だ。唐破風（からはふ）に鳳凰と龍、その両側には逆立ちした狛犬。柱にも龍が彫られ、軒丸瓦には「修」の字がずらりと並んでいる。よく見ると、だんだん派手にも思えてくる。

ところで昨夜、読み終えた『修禅寺物語』を閉じて気づいたのだけれど（そしてそのタイミングまで気づかなかったのは間が抜けているけれど）、「しゅぜんじ」には二通りの記法がある。「修善寺」と「修禅寺」*だ。町の名前には「善」の字を使い、寺の名前には「禅」を使っている。

土地の人に聞くと、もともとはどちらも「修禅寺」で、日常生活の利便性のためか、書き分けるようになったのだという。「廃仏毀釈のためでしょうか？」とつぶやくと、「きっとそれもあったと思います」と返ってきた。また発音上も、町の名前を「しゅぜんじ」、寺の名前を「しゅ『う』ぜんじ」として区別するやり方もあるそうだが、これがどれぐらい定着しているのかはわからない。

ところでここに一つ考えることがある。

最初から曹洞宗（禅宗のひとつ）の寺であれば修禅寺という寺号はまことにうってつけだが、この寺を開いたのは弘法大師空海だという。本人が開山したというのは伝承だとしても、平安時代に既に寺があったことは間違いない。当然、真言宗だったろう。

しかし、日本に禅宗が根づいたのは鎌倉時代である。禅宗がない時代に、寺

*「修善寺」と「修禅寺」
考えてみれば「○○寺」という地名は日本中にあって、そのうちの多くは地名のもとになった寺が存続しているでしょうから、何かの形で呼び分けないと不便なこともあるでしょう。ここから叙述トリックの一つぐらいは出て来そうです。

の名前に「禅」[*]の字を使うのは奇妙ではないか？

実際、修禅寺はかつて別の名前だった、という説もある。『今昔物語集』には「桂谷ノ山寺」とあり、桂谷山寺というのが元の寺号だという。「桂谷ノ山寺」と「桂谷山寺」の間には大きな差があるようにも思えるが、繰り返し伝わるうちに馴染んだのかも知れない。

その一方修禅寺は、「伊豆国禅院」として正史にも載っている、という。

「正史……？」

と鞄から『女王蜂』（横溝正史）を取り出す。たぶんこれではない。

案内の小冊子をいくつかめくれば、正史とは平安時代に成立した『延喜式』のことを指すとわかった。平安時代に既に「禅」の字をもって記載されていたとすれば、寺号は最初から修禅寺だったという説にも矛盾はない。

……実は、伝教大師最澄が学んだ中国の寺が修禅寺という。最澄は日本にあっては内供奉十禅師のひとりでもあった。また弘法大師が金剛峯寺を建立する際に奏上した文章には、「修禅の一院を建立せん」というくだりがある（『性霊集』第九）。いわゆる禅宗が出来上がる以前から、「禅」の字は使われていたのである。というわけで、平安時代に建立された寺に「禅」の字が入っていたとしても、それ自体は、異なことではない。

修禅寺は最初から修禅寺だったのか、それともかつては桂谷山寺が正しい寺号だったのか。由来探しはその常として、結局は議論百出の両論併記で終わってしまう。一旅行者としては、そんな話もあるのかと楽しむばかりである。


「禅」

辞書によれば「禅」という漢字はもともと壇を設けて天を祭ることを意味していたそうですが、仏教でいう禅は、インドの瞑想法ディヤーナ（dhyāna）に由来するそうです。

チェックアウトの前に、もう一度温泉に浸かる。

芥川が図解を描いたという家族風呂にも、堂々たる大浴場にも、壁際に小窓がしつらえてある。昨夜は小窓なのか黒塗りのガラスなのか判別できないほど真っ暗だったが、朝の光の中で、それが池中をのぞく窓だということが初めてわかる。芥川は友人に宛ててこの風呂を図解し、「水族館のよう」と記したという。すなわち芥川は、この窓が池をのぞくものだと知っていた……つまり彼は、日が出ているうちに風呂に入っていたということになります（名探偵っぽく）。

……『修禅寺物語』は、源頼家の悲劇を題材にしている。修禅寺に親子が住んでいた。面作師の夜叉王と、その娘の桂と楓。楓は働き者だが、桂は立身出世を切望し、高貴な相手に召し出されることを夢見ている。そして、鎌倉を追われた二代将軍頼家が修禅寺に幽閉されたことから、物語が始まる。

小説的な最高潮は「夜叉王が作る頼家の面に常に死相が出ていたのはなぜか」というところにある。その解が得られたシーンで炸裂する夜叉王と桂のエゴイズムは、むかし読んだ記憶以上に強烈だった。『修禅寺物語』の最後、死んでゆく娘を前に、夜叉王は紙と筆を要求する。若い女の断末魔を、手本として写生するために。

風呂の中から小窓を見ていると、堂々たる鯉が窓を横切っていく。水族館のように見えたということは、芥川も鯉か何かを見たのだろう。

……言うまでもなく、芥川の「地獄変」*と『修禅寺物語』には、相通じるものがある。牛車とともに燃える我が娘を筆写した良秀と、謀略に巻き込まれ死んでいく我が娘を写生する夜叉王は底流でつながっている。

彼らは表現の業に囚われている。三昧境（さんまいきょう）にある彼らは荘厳ですらあり、小説を読む者の胸をふるわせる。

しかし。

私はこの二つの小説で、似たことを思った。「地獄変」において、最後の着想を得た良秀は、とうとう大作を描き上げる。その絵を見て、ふだんは良秀を嫌う横川の僧都までもが「でかしおった」と叫んだ。……だが。

実はあの小説で、依頼主である堀川の大殿は、良秀の絵について何も言っていない。僧都の賛辞に苦笑しただけである。確かに大殿と良秀の間には感情的な桎梏（しっこく）があるが、「地獄変」が芸術を扱った小説である以上、大殿は絵がよいと思えばよいと言ったのではないか。良秀が死にゆく娘を見て描いた地獄絵を、大殿は少なくとも、言葉では褒めてはいない。そのことをどう読むか。

湯の中で、私は『修禅寺物語』を思い返す。

私の読み方が雑で、読み落としがあるのでなければ、あの小説には一ヶ所だけ、「職人のゆくべき途（みち）」という言葉が出てくる。そしてその一ヶ所は、夜叉王について書かれた部分ではない。

不本意な出来映えの面を頼家に召し上げられ、怒り狂った夜叉王はこれまでの自分の作品を破壊しようとする。その父にすがりつき、娘の楓は泣きながら

「地獄変」
天才絵師の良秀が、堀川の大殿から地獄変の屏風絵を描くように命じられる。良秀は絵を完成させるため、牛車とともに燃える娘を描き切った。発表当時から高い評価を得ていて、芥川龍之介の代表作の一つに数えられる。また、芸術と倫理の葛藤など、芸術至上主義との関連で論じられることも多い。（編）

言う。

いかなる名人上手でも細工の出来不出来は時の運で、一生のうち一度でもあっぱれ名作が出来たらば、それが即ち名人上手ではござりませぬか。つたない細工を世に出したをさほど無念に思われたら、これからいよいよ精を出して、世をも人をも驚かすほどの立派なおもてを作ってくだされ。

綺堂が「職人のゆくべき途」と書いたのは、実に、この部分であった。

一方でまた綺堂は、死にゆく娘の顔を写生する夜叉王を「神のよう」*とも書いている。

――神のようであることは、ゆくべき途ではない――。

そう受け止めては、穿ちすぎだろうか。私自身が心のどこかでそう思っているから、小説をねじ曲げて解してしまっているのだろうか？

帰りの電車まで、少し時間がある。

源氏関係の場所にはあまり行かないつもりだったが、思いがけず『修禅寺物語』が手に入ったので、頼家の墓に足を向けた。

修善寺の街について、横溝正史は「ちかごろとみに俗っぽくなった」*と手厳しい。確かにかつてはそうだったのだろう、と思わせる場所はちらほらと目に入る。しかし私は、この街並みの中を歩くのは好きだと思った。ひとの営みは

「神のよう」
〝娘。顔をみせい。」
娘にはもう苦痛もないらしかった。かれは妹夫婦にたすけられて、縁のそばへしずかに這い寄って来ると、老いたる職人は筆を執って一心にその顔を写し始めた。うす暗い燈台の灯は真っ直ぐに燃えて、夜叉王の荘厳な顔を神のように照らした。〟（『修禅寺物語』）

とみに俗っぽく
P．183註釈と出典同じ。

変化に富んでいて見て飽きない。ぬいぐるみが並ぶ射的場も、真新しく整備された遊歩道も、ひとの営みの積み重ねだ。

道々、いろいろ考える。『修禅寺物語』には記憶通り、「修禅寺には、土の底まで源氏の血が沁みる」という言葉が出ていた。いまは、その意味が少しわかる。

鎌倉幕府草創期における同族殺しは、後の世の比ではない。源頼朝は叔父を殺し、従兄弟を殺し、娘婿を殺し、弟を殺した。その息子である頼家は母に（少なくとも母の実家に）殺されたと言われている。頼家の息子も叔父を殺し、直後に殺された。

頼家の墓のまわりには、数人の観光客がいた。墓の傍らには神籤（みくじ）の自動販売機がある。これは岡本綺堂が随筆に書いたとおりで、綺堂は一銭銅貨でお神籤を引いた。私は百円でそれを引く。

取り出し口に引っかかって出てこないお神籤を、指でつまんで引っ張り出す。糊が乾ききってなかなか開かないのを、爪を使って開けていく。――中凶。

随筆の内容がよみがえる。綺堂もまた凶を引き、そしてこう書いた。

わたしはそれが当然だと思った。将軍にもし霊あらば、どの御神籤にもみんな凶が出るに相違ないと思った。

はばかりながら私もそう思う。

修善寺の駅まではバスが出ている。それほど遠くはない。

あまりしんみりした書きぶりではよくないかと思って初めは強いて楽しげに書いていましたが、『修禅寺物語』を手にしたところから風向きが変わりましたね。これもまた、物語が持つ引力でしょう。

二〇一三年二月

○月×日

この仕事にして恥とするべきことではあるのだが、事実なので書いてしまう。しばらく本が読めなかった。

文字を追うのが嫌になったわけではない。むしろその逆で、読んだ本が良すぎて、酔いが醒めなかったのだ。『一九三四年冬―乱歩』*。しばらく手に入らなかったものが今回復刊され、たまたま手にしたら、おそろしいほどに囚われてしまった。

文章の美しさも、ほの見える幻想も耽美も、今更私が言うまでもないのかも知れない。しかしとにかくこの小説に酔った私が、読後に最も感激を覚えたのはその構成だった。

この小説は、小説を書こうとする乱歩が出会うさまざまな出来事、奇妙な出来事や艶っぽい出来事を書いているのだと思って読んでいた。

だが、違っていた。これは乱歩が小説を書く話であって、彼が脱稿すれば、そのほかのことはすべてたちまち意味を失う。謎や、美しき人妻と青年や、隣

*『一九三四年冬―乱歩』 久世光彦 創元推理文庫。執筆に行き詰まり、麻布の長期滞在用ホテルに身を隠した探偵小説界の巨匠・江戸川乱歩。初期の作風に立ち戻ってみたところ、驚くほど筆は進んだのだが……。やがて身の回りに不思議な出来事が起こり始める。山本周五郎賞受賞作。(編)

室から意味ありげに注がれる視線や、小説をいろどっていたすべてが、乱歩の小説が完成してしまえば褪色した背景へと姿を消す……。

こうでなくてはならないのか。

○月×日
ようやく小説が読めるようになってきた。が、それが一つの読書経験を消化しつつあるせいか、何もかもを押し流してしまう残酷な忘却のせいなのかはわからない。

とにかく、まだ国内作家のものはつらい。そこで書店では翻訳小説の棚を重点的にうろつき、少し感度が回復したアンテナに引っかかってきた本を買ってきた。

『話してあげて、戦や王さま、象の話を』*。題名から判断するに、小説家が小説を書く話（『乱歩』）とは何の関わりもなさそう。

まずはこうしたものから慣らしていこう。それにしても素敵な本だ。

○月×日
違った！

なんということだ。この本は、創造や創作と無縁の話ではなかった。無縁どころか、まさにその話ではないか！

時代はルネサンス、主人公はミケランジェロ、そして彼が挑むべき仕事は、

『話してあげて、戦や王様、象の話を』
マティアス・エナール 関口涼子訳 河出書房新社。ローマで教皇廟の設計に携わっていたミケランジェロだったが、金払いの悪さに嫌気がさしていた。そんなある日、彼のもとにトルコのスルタンからイスタンブールで橋を作って欲しいという依頼が持ち込まれる。「高校生が選ぶゴンクール賞」受賞作。（編）

イスタンブールの金角湾に橋を架けること。きらきらとかがやく、目のくらむような設定だ。

しかし、小説にきらびやかさはない。そこにあるのは、創作ということ。脳髄から、最善策を絞り出すということ。自分の作品を全部過去にしていくということ――。

まったく、一つ前に読んだ本のせいで弱くなった部分に、容赦のない追い打ちを加えるような選書をしてしまった。小説の後半、ミケランジェロがとうとう、自分が描きあげる橋の姿を幻視する。その場面の気高いさまといったら。

むかし読んだいくつかの小説にも、こうしたシーンがあった。天才が、あるいは凡才が死力を尽くしてあがきにあがき、その果てに、自分がこれからつくりあげるものをもう知っていることに気づく*場面が。

私はそうした場面が好きだ。この本も、大事な一冊になるだろう。

○月×日

今月はどうやら、創造と創作に関わる小説を読む運命らしい。真っ向から向き合うには怖いテーマだから立て続けに読むのはためらうけれど、運命ならば仕方がない。次に読む本はサイコロで決めよう。未読本を書棚から六冊出して、運に任せよう。

運命ならば、次もそうした本に当たるだろう。

知っていることに気づく
まず思い出したのは『悉皆屋康吉』（舟橋聖一）でした。悉皆屋（「悉皆」は「全部」ぐらいの意味です。呉服に関係することならなんでも引き受けるということですが、主には染色や洗い張りなどを行います）の職人康吉は、栄枯盛衰の世の中で店に婿入りし、主人となります。自分は芸術家だという自負を持っていますが、これといった新しいものを生み出してきたわけではありません。しかし小説の最後近くで初めて、これまでになかったような色を生み出すのです。いろいろなことが書かれている小説なので、この新色の発明に特に焦点が当てられているわけではないのですが、私は康吉の新色が褒められた場面が大好きです。

○月×日

賽(さい)の目が導いた運命は――『**美味方丈記**』*。

……創作とは全然関係ないですね。おいしそうなエッセイです。陳舜臣と奥さんの共著で、ところどころ喧嘩してるのか惚気(のろけ)てるのかわからないような、しあわせな本ですよ。

文中、陳舜臣が突然、食に関する文章の書き方について演説をぶつシーンがある。なんだなんだと思っていたら、すぐ後ろで種明かしがあった。このエッセイが連載されていた時期に、山田風太郎が別の雑誌で、作家の老化徴候の一つに「食物の随筆を書き出すこと」と記したそうだ。陳舜臣はそれに（内心うなずきつつも）反発し、ますます筆致も意気軒昂になったとのこと。

いい話じゃないですか！

ああ、おなかが減ってきましたね。

After Talk

陳舜臣は小説も随筆も好きです。私は幼いころ祖父母の家でことわざ辞典を読むことが好きで、「折檻」や「豹変」のもともとの意味を知って面白がっていたものですが、そんな私にとって陳舜臣が故事成語について詳述した『**弥縫録**』は大好物でした。『美味方丈記』は文章が柔らかく、読んでいると嬉しくなってくるような本ですが、書かれていることはさすがに鋭く、料理を通じてこの世の来し方とあり方を見通すようです。

『美味方丈記』
陳舜臣・錦墩　中公文庫。食へのこだわりは持ちつつも、難しく講釈を述べるのは野暮、おいしいものをおいしく食べるのが楽しい。そんなポリシーを持つ夫婦が、それぞれの育った家庭の味付けや具材など、料理について、交互に書き綴った食エッセイ集。（編）

二〇一三年四月

○月×日

いま住んでいる場所は仮住まいという意識が強く、どうせ引っ越すのだからと万事簡略に済ませている。味噌汁も小鉢のような磁器によそっていたけれど、ある日いきなり「これじゃ嫌だ！」という思いが火山のように噴き上げて、汁椀を買いに行くと決めた。

焼き物なら少し好みもあるけれど、椀をじっくり見たことはあまり記憶にない。素材別に、檜、桜、胡桃、そしてプラスチック。刷毛目のもの、柄亀甲のもの、内スリ漆のものと実に多種多様で、目移りする。いちど出直そうかと思ったけれど、夕飯の味噌汁用に豆腐を買っていたことを思い出し、ねばって一つ選んだ。

帰りに本屋に寄った。『短篇小説日和』*が出ているのを見つけて、ぱらぱらとめくった。ジェラルド・カーシュの**「豚の島の女王」**が収録されているのを見つけて嬉しくなった。

編者は西崎憲。カーシュを訳した人だ*。カーシュは好きだが、あまり単著が

『短篇小説日和』
西崎憲訳　ちくま文庫。英国短篇小説の中から逸品をチョイス。**ディケンズ、グレアム・グリーン**といった大御所の作品や、それほど名前は知られていない作家のきらりと光る小品など、空想、幻想、ユーモア、皮肉といった短篇小説の面白さが詰まった作品集。（編）

訳されてないので、あっという間に読み尽くしてしまった。次は、カーシュに感じたような面白さを別のアプローチで読みたい、と常々思っていた。その訳者が編んだ本なら、きっと間違いない。そう思って迷わず買う。

椀を選ぶのに迷いに迷い、本は見ただけで買う。品揃えは本の方が遥かに豊富なのに、「この人なら」と思える人がいるかどうかでこれだけ違う。

帰って、さっそく最初の一篇を読む。**ミュリエル・スパーク「後に残してきた少女」**。

読後、「よし」とこぶしを握った。期待通りに面白い。この先も、まず間違いないだろう。

○月×日
『短篇小説日和』、最後の一篇まで来た。**アンナ・カヴァン「輝く草地」**。野っ原が朝露に濡れてでもいるのかな……と思ったが、読んでみるとさにあらず。「草地」を恐れる、強迫観念に満ちた小説だった。

その「草地」は強力に繁茂し続け、世界を覆い尽くしてしまいそうな生命力に充ち満ちている。その「草地」を押さえ込むため、人々はほとんど命がけで草刈りに挑む。

恐るべき土地、というキーワードで、ふと思い出す短篇があった。本棚から一冊引っ張り出す。

あった。**『秘書綺譚』**（読むまで「秘められた書の綺譚」だと思っていた。ま

カーシュを訳した人
西崎先生はカーシュを訳し、バークリーを訳し、〈書物の王国〉の編纂に携わり……要するに私が本を読んできた、その結節点ごとですばらしい本を紹介してくださった方です。「CREA」誌内の連載企画「本にまつわる四方山話」では対談の機会を頂きましたが、呑まれっぱなしでした。そのもようは『ほんのよもやま話～作家対談集～』（瀧井朝世編　文藝春秋）にまとめられています。

さか「社長秘書の綺譚」だったとは！）の最後の一篇、「**転移**」。「輝く草地」とは正反対の、いのちの気配に欠けた、うつろな土地が描かれている。

二つの短篇で描かれた土地は、どちらも広くはない。花壇よりは広いけれど、畑一枚にも及ばないぐらいに書かれている。そんな土地に得体の知れない恐怖を覚える小説を、立て続けに読んだ。

これはイギリス的な感覚なのだろうか。小さくともおぞましい土地が、家の窓から見えるような身近にあるという感覚が、イギリスにはあるのだろうか？少なくとも日本の小説で、こうしたものは読んだことがない（もし私がそんな土地を小説に書くとしたら、注連縄（しめなわ）で囲って祠を建てるだろう。少なくとも、人間がその土地に挑むという形にはならないと思う）。また一つ、興味のあるガジェットに巡り合った。

○月×日
変わった色の小口に惹かれて、『**カレーライス!!**』を読む。カレー*に関する随筆を数多く揃えている、狙いが面白い。

幾人かの著者が異口同音に、カレーは旨いというよりも懐かしい、というようなことを言っている。実際、旨いカレーを食べた話より、どんな時にカレーを食べたのかという話が多かったのは意味深長だ。

かくいう私も、旨いに越したことはないと思いつつ、すぐに思い浮かぶのは思い出深いカレーだ。故郷の図書館の向かいにカレー屋があった（たぶんいま

カレー
むかし好きなカレー屋があったのですが、なぜかお店の方は私のことを食うや食わずの生活をしていると勘違いされたようで、行くたびにカレーをずいぶん大盛りにしてくれました。ご厚意は嬉しかったのですが、実は、完食するため毎回必死でした……。やはりカレーには、思い出話が似合いますね。

もある）。私はその店に通っていた。

店主は長崎出身で、カレー屋なのに皿うどんやちゃんぽん麵も出してくれるのが面白かった。私はその店の皿うどんが好きで……。

あれ？　これ、カレーの思い出じゃない。皿うどんの思い出か。

After Talk

『短篇小説日和』についてもう少しだけ。これは本当に面白いアンソロジーでした。「小さな吹雪の国の冒険」（F・アンスティー）では、魔法使いに閉じ込められたお姫さまを助けるため、現実世界の人間が召喚されます。彼は弁護士だったので、塔に姫を閉じ込めることの違法性を説き、現状に鑑みれば人身保護令の適用を受けられるだろうと伝えます。塔を見張るドラゴンが問題ですが、ドラゴンのような危険な生物を無許可で飼育することは違法ですから、魔法使いは一日当たり二十シリングの罰金が科せられるでしょう……。

もし一篇選ぶなら、「聖エウダイモンとオレンジの樹」（ヴァーノン・リー）です。ある街に三人の聖者が住んでいた。一人は神学者で、一人は柱頭行者で、もう一人がただの聖者、エウダイモンだった。学識豊かな神学者と瞑想の日々を送る柱頭行者は互いを下に見ていたが、それよりもエウダイモンを蔑んだ。ある日エウダイモンの畑からヴィーナスの彫像が発掘され、お話が始まる。これは、聖性と寛容の物語でした。

二〇一三年六月

○月×日

『無慈悲な昼食』*。

著者はエベリオ・ロセーロ。知らない人である。『顔のない軍隊』の作者だという。そちらは知っている。確か買ってあったはずだ……と思って後で本棚を探したら、『死者の軍隊の将軍』が出てきた。惜しい。

それにしても、『無慈悲な昼食』である。おひるごはんが無慈悲だそうである。いったい何事か。どんなランチだ、日の丸弁当から梅干しを抜きでもしたのか、と思うではないか。買ってしまった。

*『無慈悲な昼食』
エベリオ・ロセーロ　八重樫克彦他訳　作品社。二〇〇六年、『顔のない軍隊』がヨーロッパで絶賛され、ポスト〝ラテンアメリカ・ブーム〟世代を担う小説家となった著者の埋もれていた旧作のひとつ。貧困や暴力といった現代人の抱える苦悩を、民衆の側から見つめ、深い内省を促す物語。（編）

○月×日

恐ろしい本だった。

コロンビアの小さな教会で、物語が始まる。神父、聖具室係、寺男、そして女たち。教会は、毎日のオーバーワークとお互いの見栄への不満をどんよりと溜め込みながら、しかしかろうじて平穏に運営されていた。

誰にでも、気に入らないことはあるだろう。ご高説をぶつ相手に、こっちの事情も知らないで好き勝手に言ってくれる、と腹が立つこともあるだろう。しかし、だからといって全面的な破綻には至らない。それでもまあなんとかやっていく。それが生活というものだ。

そんな教会に、一人の男がやってくる。『悪魔とプリン嬢』*の、平凡な人間を悪へと誘う悪魔のように……と言いたいが、そうではない。教会に来た男は大酒飲みだが、無邪気で、誠実で、歌が上手い。無垢だとすら思える。あきらかに善だ。しかし彼の訪問が、教会に醜悪さと悪を、爆発的に広めていく。昼食から始まる物語が昼食で終わるまでの間に、多くのことが永遠に変わってしまった……。

何が悪をもたらすのか？　この本のことは忘れないだろう。

○月×日

ある日ある街で*、道に迷った。地図でもなければ目当ての場所には辿り着けそうもなく、私は本屋を探した。ようやく一軒見つけて飛び込んだが、あいにくなことに古本屋。「このあたりの地図をください」と言いでもしたら、大江戸八百八町の古地図が出てきそうな店だった。

店番の、人の良さそうなおばあさんに「いらっしゃいませ」と声をかけられた。それで昭文社の地図を探しに来たとは言いにくくなって、ぼんやり棚を見ることにした。ミステリに登場する暗号を論じた本を見つけて、手を伸ばした。

『悪魔とプリン嬢』
パウロ・コエーリョ　旦敬介訳　角川文庫。「条件さえ整えば、地球上のすべての人間はよろこんで悪をなす」悪霊に取り憑かれた旅人が、山間の田舎町を訪れた。この恐るべき考えを試すために――。（編）

ある日ある街で
たしか荻窪だったと思いますが、なんで荻窪を歩きまわり地図を欲していたのかは、よく憶えていません。引っ越しを考えていたんだったかな……。

ところがよほど棚が詰まっていたのか、隣の本までつられて引っ張り出されてきた。ふと表紙を見る。**『行方不明のヘンテコな伯父さんからボクがもらった手紙』***。どうやら絵本らしい。しかしそれがなぜ、ミステリやSFを扱う棚に入っていたのか？

そして著者名を見て、目を見開く。**マーヴィン・ピーク**、重厚なゴシックファンタジー「ゴーメンガースト三部作」で知られる作家である。それが、絵本を書いているとは。そしてその本に、こんな出会い方をするとは！

素敵な絵本だ。ぱらりと開いただけでも、冒険心と好奇心が伝わってくる。買って、それから地図を買うため、近くのコンビニに向かった。

○月×日

誤植が嫌いである。

それが好きな作家はいないだろうが、私があまり好きではないのは「誤植」という言葉そのものだ。私は原稿を電子データで送っている。出版社から印刷所へと、私が作成したデータが渡っていく。そして出来上がった印刷物に文字の間違いがあったとすれば、それは植字のミスではなく百パーセント*私のミスだ。私は誤植という言葉に、「俺は間違えてなかったんですけどね。印刷のプロセスの中で、そう、植字の時に間違えられたんですよ」という言い訳がましいニュアンスを感じ取ってしまうのだ。

もっとも、これも時代の流れ。筆は入れないのに筆箱、飯を盛るのに茶碗、

『行方不明のヘンテコな伯父さんからボクがもらった手紙』
マーヴィン・ピーク　横山茂雄訳　国書刊行会。タイトルにあるように、行方不明だった伯父さんから、甥のもとへ突然届いた絵物語形式の手紙。「ゴーメンガースト三部作」で名高い小説家であり、詩人、画家でもある著者が描いた奇想天外な世界観は第二次大戦後の英国で好評を博した。（編）

百パーセント
実際には百パーセントではありません。校正時に肉筆で書き入れた文字が間違われる場合があります。が、その場合でも、著者の校正指示が不親切だったか、字が下手だったせいではないかという疑惑は残ります。

という例もある。字を植えるわけでもないのに誤植という言葉が使われるのも、やむを得ないと言うべきか。それに……あんまり恥ずかしいミスの時は、植字に責任転嫁するかのような「誤植」の語感が、ほんのちょっとだけ、嬉しいこともあるのです。

今日、『誤植読本』を読んだ。その記念に、この読書日記にも、一ヶ所ミスを入れておく。*

After Talk

ＯＣＲというソフトウェアがありまして、紙に書かれた文字を光学的に読み取って文字データに変換するためのものです。これを使えば、たとえば雑誌に書かれた記事でも簡単にテキストデータに変換し、別の本にまとめることができます。

しかしＯＣＲが登場した初期は、その認識能力は信用の置けるものではありませんでした。仮にＯＣＲが文字を正しく読み取る割合が99・9％でも、一般的な文庫の見開きで一字ぐらいはミス――「誤植」が出てしまう。ＯＣＲで起こされた原稿をチェックするのは大変な作業でした。人間なら間違いそうもないところに脈絡のない間違いが忍び込むので、気が抜けなかったのです。

その後、ソフトウェアの改善が進み、読み取り装置の性能も上がったことで、ＯＣＲの読み取り率は遥かに向上しました。いまはもう、ＯＣＲで起こされた原稿だから特に大変だということはありません。

ミスを入れておく
実は、意図的なミスは存在しません。古来より書を校するは塵を掃うが如しと申しまして、何もわざわざミスをしなくとも、どこかには忍び込んでしまうものなのです……。

二〇一三年八月

○月×日

いろんなことを楽しみたいと願っているのに、時々、タチの悪いツマラナガリ屋が顔を出す。

「これはどうせ、あの手だろう」

「こういう形に落ち着くだろう」

そんなふうに勝手に先を読んで、これはどうせつまらないだろうと結論づけるのだ。

なぜそんなふうに思いたがるのか、だいたいわかっている。――読みたい本も見たい景色も、知りたいことも多すぎる。多少は篩（ふるい）にかけなくては、頭の先まで予定で埋まってしまう。だから何かを選ぶ理由を探すと同時に、別の何かを選ばなくてもいい理由も探してしまうのだ。「所詮これは読むまでもないもの」と決めつけたがるツマラナガリ屋は、いつも出番を窺っている。

『すべての終わりの始まり』[*]を手にしたときも、そいつが顔を出した。冒頭の一篇**「私はあなたと暮らしているけれど、あなたはそれを知らない」**を読みな

『すべての終わりの始まり』 キャロル・エムシュウィラー　畔柳和代訳　国書刊行会。「私の誕生日に世界の終わりが来るとは……なんて素敵なの！」。SF・ファンタジーのジャンル枠に収まらないエムシュウィラーの奇想世界を初めてまとめた、繊細かつコミカルな文章と不思議な発想が詰まった二十の物語。（編）

がら、これはもしかしたらものすごく面白いのではと思いつつ、一方で「どうせ」と思おうとしていた。

「どうせ幽霊話で落とすのだろう」

「どうせ二重人格ネタだろう」

「どうせ……」

しかし、そうではなかった！　そんな話ではなかった！

私は、創作についてオリジナリティが最も重要だとは思っていない。オリジナリティを第一に据えてしまうと、つまるところ風変わりなびっくり箱が最高の物語ということになってしまう。それではかなしいと思っている。

だけど「私はあなたと暮らしているけれど、あなたはそれを知らない」には、これまで見たことがないという理由で興奮した。面白かった！　と声を上げさえした。ツマラナガリ屋は尻を蹴られて退散した。痛快だった。

著者の**キャロル・エムシュウィラー**は一九二一年生まれ。「私はあなたと暮らしているけれど、あなたはそれを知らない」は二〇〇五年に書かれ、ネビュラ賞を受賞している。

……は、八十四歳でこんなものを書いたのか……。

〇月×日

『**海底バール**』*。ええ、もちろん、てこの原理を利用する金属工具が海の底に沈んでいるさまを想像いたしました。幻想小説だと思って買ったが、すぐに

『海底バール』
ステファノ・ベンニ　石田聖子訳
河出書房新社。海底にある不思議なバール（バー）に集う二十三人の怪しい客たち。そこに紛れ込んだ「ぼく」の耳を通して語られる、世にも奇妙な二十三の物語。U・エーコ、A・タブッキと並び、現代イタリアを代表する人気作家の傑作。（編）

「なんだこりゃ」と笑うことになった。

アフォリズムめいた寓話もあるが、真骨頂はユーモアに満ちた奇想的な小説群……いや、これを評するのにもっと適切な言葉は、たぶん「ホラ話」だろう！　小洒落た装幀をしていながら、まさか「あまりにもタマネギくさい息がトルネードを巻き起こし大地を引き裂きマグマを噴き出させ、町をトマト煮にしてしまう話」を読ませてくるとは思わなかった。

一方で唯一「中篇」と呼べそうな長さの一篇だけは、ホラ話・ユーモア小説で片づけられない味わいがあった。著者の技量が存分に発揮された恐怖に満ちた小説だ……と言いたかったのに、最後まで読めばこれもやっぱり底抜けである。あんた、真面目にやればもっと素敵にできたんじゃないのか！　と、著者に涙目で迫りたくなるような衝動に駆られる。

しかつめらしい読書もいいけれど、こういう読書が結局記憶に残る。今年が終わるとき、本棚を眺めて間違いなく、「ああ『海底バール』！　これ楽しかったなあ」と思い出すことだろう。

○月×日
電車の中で、『**増補　幕末百話**』。

違う文化圏に暮らす人々の話を聞くのが好きだ。当然、幕末期を生きた人々の話が聞ける『増補　幕末百話』は、好みのど真ん中である。電車から降りても駅で立ったまま読んで、帰り道でも歩きながら読んだ。

底抜け
こういう書き方をしたのは、当時新刊だった『海底バール』を読もうという読者に配慮してのことです。実は、底は抜けていません。「**オレロン**」という中篇のことです。

幕末の江戸は治安が悪いという話は、知識としては知っていた。しかし人々の体験談として読むと、「政権末期の治安崩壊」とはこういうことだったのかと思うことしきりであった。食料・金銭をゆする暴徒を解散させることさえ出来ない一方、徳川はもう終わりと話しかけられて頷いた男の妻が、妊娠しているにもかかわらず拷問にかけられたりする。生きた心地のしない世であっただろう。

幕末にはロマンがある。それは否定しない。そして『増補　幕末百話』は、実話集だけにかえって誇張もあるだろう。

しかし、やはりもちろん、ひとつの時代の終焉(しゅうえん)が綺麗事だけで片づくはずもないのだ。

After Talk

変わった海外短篇を読むことが好きです。この読書月記の中でもいろいろと面白い短篇を読むことができまして、そのおかげか、後日文藝春秋の編集者さんから海外短篇のアンソロジーを編みませんかというご提案を頂きました。不慣れなエッセイを毎回なんとかかんとか書いてきた、うれしい余禄であったと思っています。

二〇一三年十月

○月×日

物語は単独で存在するものではない。それはお互いに響き合っている。

時には、思いもしなかったほど遠くと共鳴する。そこに著者の意向があるかどうかは、全く重要ではない。

不思議な題名に惹かれ、**『木々は八月に何をするのか』**を読んだ。短篇集だった。その中の一篇、**「いっぷう変わった人びと」**が特に良かった。

嬉しくなると宙に浮いてしまう女の子。両親は彼女の浮遊を気味悪がり、何とかそれを「小児病」だと思い込もうとする。放っておけば治るのだ、と。そうであってくれと自分に言い聞かせている。

一見して、**志賀直哉「清兵衛と瓢簞」**を思い出した。ジュール・シュペルヴィエルの「バイオリンの声の少女」も。特異な才能と、それを疎んじる大人。* 嘘のようなきらめきが、何か乾ききったものに押しつぶされる様を描いた短篇たちだ。「好きだ」とは言えないけれど、ずっと憶えている。「いっぷう変わった人びと」も、きっとそういう話なのだと思って読み進めた。

疎んじる大人
そう考えると、この連載の中で読んだ『荊棘の冠』とも響き合っていたのかもしれません。

しかし、この短篇で女の子のきらめきを消し去ってしまうのは、両親でも乱暴な男でもなかった。時間だ。時間が、すべてを色褪せさせてしまった。そこに残るのは成長することの本質的なかなしさ。――そして、もうひとつ。いまここで書くことは躊躇(ためら)われる温かいものが、最後に残る。

そしてその温かさは、これまで冷たさばかりを感じていた二つの短篇「清兵衛と瓢箪」「バイオリンの声の少女」をも、温めてくれたような気がする。

○月×日

電車旅の道半ばで本を読み終えてしまうことは、まことに始末に負えない。四六判を持参していた日には、もう目も当てられない。

行きも帰りも一冊でまかなうつもりだったのに、事もあろうに往路の半ばで『銀行強盗にあって妻が縮んでしまった事件』*を読み終えてしまった。いつもなら憤懣やる方なく、さっさと寝てしまうところである。

ただ今回は、そうはならなかった。私は残りの時間ずっと、いま読んだ小説のことを考えていた。

変わった小説だった。題名も変だけれど、中身もかなり風変わりだ。私は電車の中で、作中で何人かが迎えてしまったかなしい結末のことを考えていた。

私は子供の頃、かなしい物語に触れると、自分でその続きを考えて、幸せな物語に変えていた。どうしようもなく壊れてしまった友情や、砲火の下で傷つき倒れた兵士たちが、私の想像の中で回復していった。

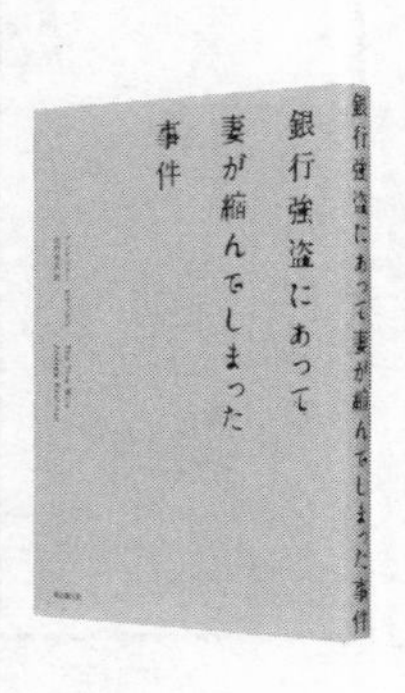

『銀行強盗にあって妻が縮んでしまった事件』
アンドリュー・カウフマン　田内志文訳　東京創元社。銀行強盗が、人々から〝もっとも思い入れのあるもの〟を奪っていった日から、身長が日に日に縮んでいったり、心臓が爆弾になってしまったりと、被害者たちに奇妙なことが起こる。カナダ出身の奇才が描く不思議な比喩の寓話小説。（編）

いまはもう、そんな想像はしなくなった。たいていのことは、かなしいままで変えられないと知っている。だから本当に久しぶりだった。作中の彼らが幸せになる方法について考えるのは。

だけどやっぱり私は大人になってしまったので、なかなかその方法を見つけられないまま、電車は目当ての駅へと入って止まる。

○月×日
雨の夜に自室で。

このところ、暇があると**森銑三**の随筆『**落葉籠**』*を読んでいる。はっきり告白すると、作者が何を書いているのか全然わからない。たとえばこんな調子である。

——自得翁こと伊達千広の「大勢三転考」は、**内藤湖南**博士の認むるところとなってから、人々も知るようになった。

そうか、人々が知るようになったのか。知らなかった。なにしろ初めて見る固有名詞ばかりなので、読んでいてもほとんど頭に入ってこない。もとより憶えるつもりもないのかもしれない。

だけど、これが面白いのだ。

碩学・森銑三の文章に導かれ、聞いたことのない人名、読んだことのない書名を浴びていく。どこかの誰かが手すさびに書いた本、別の誰かが命を賭して書いた本が、ページをめくるたびに現れては消えていく。

『落葉籠』
森銑三　中公文庫。中世から明治期にいたるまでの膨大な古書から、落葉を集めるかのごとく無造作に書きとめられた逸話、蘊蓄の数々——古書研究者として名高い碩学・森銑三が昭和三十年から十一年間にわたり雑誌「日本古書通信」で連載した傑作短文集。（編）

読書は船出に似ていると思う。あまりにもちっぽけなボートで夜の海に漕ぎ出していくよう。あまりに不安なので決まり切った航路に舵を切って、「なんだ、海もそんなに怖くないね」と言い放つ。そこで『落葉籠』のような本を読むと、いま自分が漂う海の広さを改めて鳥瞰(ちょうかん)させられて、ぼうっと熱に浮かされる。

ほどよくぼんやりしたところで本を閉じ、明かりを消す。雨音はあまりうるさくないようだ。

目をつむり、おやすみなさい。

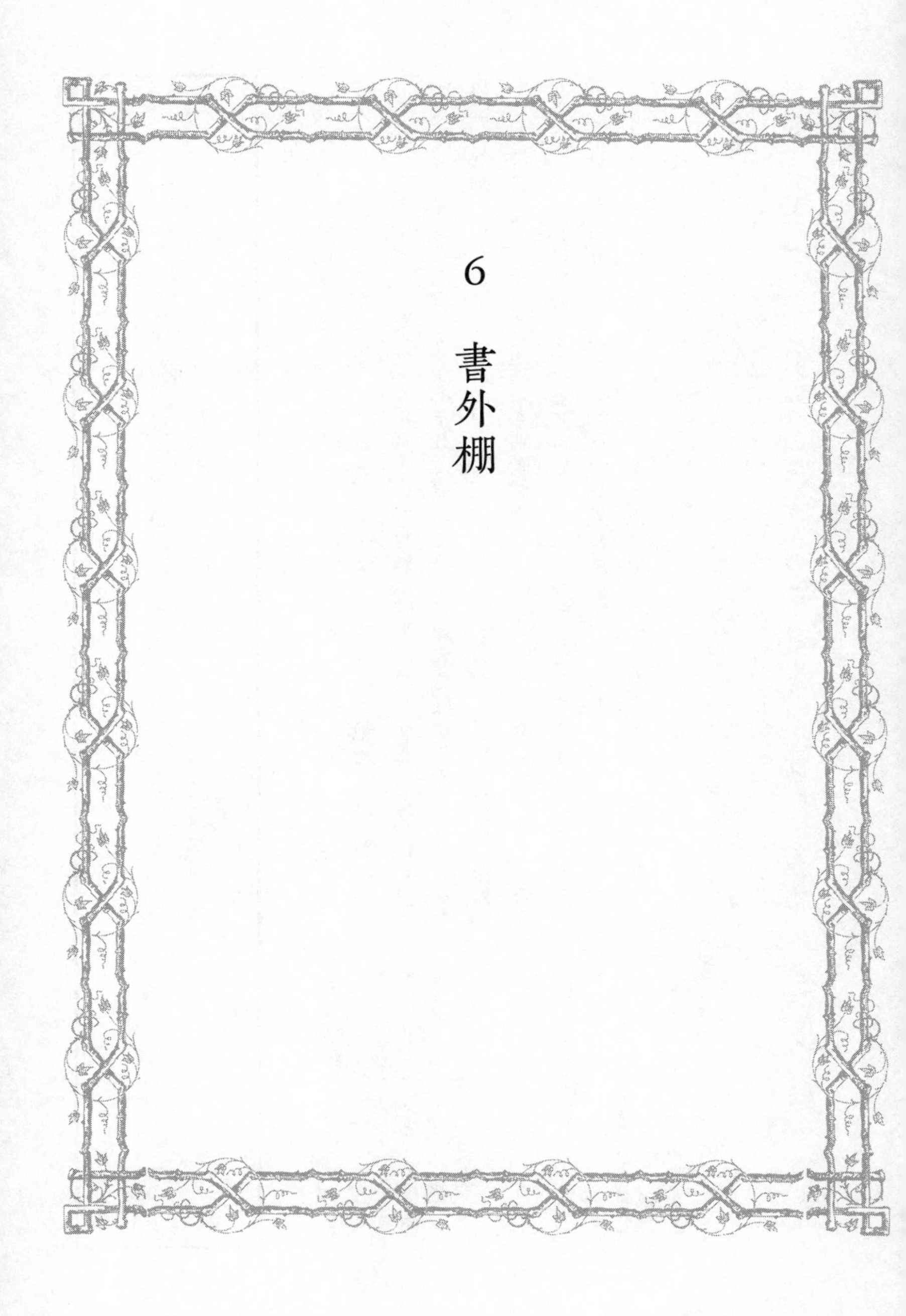

6

書外棚

わたしの鞄を見て！

以下四篇は、WEBサイト「好書好日」内のリレーエッセイ「大好きだった」に寄稿したものです。「二十歳までに好きだった『映画』『音楽』『本』に加え、自分で選んだテーマ」についてそれぞれ書くという企画でした。

初めて見た映画は「キングコング2」ではなかったかと思います。アメリカのアイコンの一つになったキングコングは「2」以降長らく絶えて続編が作られなかったのですが、なにぶん年齢一桁の身には映画の善し悪しなどわかるはずもなく、私はただコングがあまりに哀れで泣きじゃくるばかりでした。それ以降、映画というのはとてもかなしくておそろしいものだと思ってしまったのか、それともどんな小さな町にも映画館の一つはある時代が終わりつつあったからなのか、私は映画を浴びるように見るという経験はしてきませんで、もっぱらVHSを借りてきてブラウン管テレビで見るか、土曜の午後に放映していた海外ドラマ、たとえば「ナイトライダー」や「超音速攻撃ヘリ　エアーウルフ」を見るという時期が続きました。

　そんな中で幼い頃に見た映画と言えば、「K9／友情に輝く星」*と「グーニーズ」をよく憶えています。前者は犬がかわいかった*。後者にはちょっと思い出がありまして、グーニーズというのは悪ガキのマイキーたちが海賊の宝を探す映画なのですが、物語の最後で大冒険の顛末を大人に語るマイキーたちが、自

「K9／友情に輝く星」
一九八九年アメリカ。ロッド・ダニエル監督。はぐれ者刑事と扱いにくい警察犬がコンビを組んで、麻薬取引を追う。――三行で語りつくせるあらすじの映画を何十年も愛おしく思い出せるのですから、映画というのも不思議なものです。

犬がかわいかった
本当にかわいかった。

分たちは大ダコに襲われたと主張するんです。ところが、そんな場面は映画のどこにもない。冒険以前のマイキーたちであれば、何も語るべきことを持たないがゆえにタコに襲われたと嘘をつくことは日常茶飯事だったでしょう。しかし、大冒険を経た彼らがそれでも嘘を言うのが、どうも腑に落ちなかった。

　大人になって、そういえばこれは好きな映画だったとＤＶＤを借りて特典映像を見て、初めて真相がわかりました。大ダコに襲われる場面はたしかに撮影されていたのですが、蛇足（蛸ですが）だったためか、カットされてしまっていたのです。マイキーたちは最後に至ってもなお嘘をつき続けたのではなく、単にその場面が映像に映らなかっただけだったのだ……そう知って、長年の心の澱が流れていくような感覚がありました。とっくにぜんぶ知っていたつもりの映画でも、改めて見ることで新しいことを知った。学びて時に之を習う、またよろこばしからずや、といったところです。

「ウォー・ゲーム」*に「アンタッチャブル」*、「レマゲン鉄橋」*に「眼下の敵」*……二十歳までに好きだった映画と言われて思いつくままに並べると、私も結構、いわゆる男の子が好きそうなものが好きだったんだなと改めて思います。しかしいま一作選べと言われたら、私は首を傾げながら、「ブレックファスト・クラブ」を挙げるような気がします。

　自分がどうしてこれを見たのかというのも、実はよくわからない。私だって、先ほど列挙したような映画が好きだというひとが、学校という小世界の力学にとらわれた五人のティーンが不器用に気持ちを重ね合わせていく映画を見ると

「ウォー・ゲーム」
一九八三年アメリカ。ジョン・バダム監督。若きクラッカーが侵入したのは、米軍の中枢コンピュータだった。モニタに表示される核ミサイルは、仮想か、現実か。

「アンタッチャブル」
一九八七年アメリカ。ブライアン・デ・パルマ監督。禁酒法時代のシカゴに蟠踞するギャングの首領と、彼を逮捕しようとする捜査官らとの死闘を描く。――史劇と思いきや、意外に直球エンタメ。

「レマゲン鉄橋」
一九六九年アメリカ。ジョン・ギラーミン監督。ライン川最後の橋をめぐり、米軍と独軍が対峙する。どちらも疲れ果て、支援はない。――虚無的なラストが胸に残ります。

「眼下の敵」
一九五七年アメリカ。ディック・パウエル監督。駆逐艦とUボートの息詰まる戦いと並行し、敵愾心では割り切れない、海に生きる者同士の微かな共感を描く。

いうこと自体、なんだか不思議に思います。実を言えばお話も細かいところまで憶えているわけではありません。それでもこの映画をいちばんに挙げるのは、たったひとつ、どうしても忘れられない場面があるからです――五人のティーンの一人、いわゆる「ゴス」、つまり「不思議ちゃん」枠*とでもいうような女の子が、突然カバンを開ける場面です。わたしを見て、わたしのカバンの中身を見せてあげる、みんなも興味があるでしょう？　と言わんばかりに、彼女は突然カバンを開ける。これが、衝撃的だった。こわばって解きほぐすことも出来なくなったような自意識がカバンを開けるというつまらない行為で爆発する滑稽さ、わたしの一大事はあなたの一大事であると信じて疑わない痛々しさに、思わず目を背けました。

……でも、その滑稽さや痛々しさを、映画の中の彼らは誰も笑いません。なぜなら、たぶん彼らも心のどこかに、カバンを開けて「ねえ、見たいでしょう？」と言いたくなる衝動を抱えているからなのです。

それ以来私はどこかで、自分はカバンを開けているだろうか、と考え続けているような気がします。胸のうちを切り売りするような毎日の中で、みんな私のカバンの中を見て、ねえ見たいでしょう？　と思ってしまってはいないか。あるいは、いまこそカバンを開けるべきという時に、その行為の持つ本質的ないたましさに怯んでしまってはいないか。好きな映画を繰り返し見ることはままありますが、私は「ブレックファスト・クラブ」を、実は一度しか見ていません。もういちど見ることが、こわいような気がしてならないのです。あのい

「不思議ちゃん」枠
言うまでもないことですが、「不思議ちゃん」枠などという人間は存在しません。人を役まわりで把握することは、大雑把な理解や伝達には（特に紙幅がない時などは）役立ちますが、乱用は容易に偏見を招きます。「大人になると心が死ぬの」と呟いた彼女を単に「『不思議ちゃん』枠」「ゴス」「アリー・シーディが演じた誰か」と呼んでは、何かがこぼれます。人を役まわりではなくその人として扱う第一歩は常に、名前を知ることでしょう。ということで、書いておきます。彼女の名前はアリソン・レイノルズです。

たましさをもう一度見ることがおそろしい……そしてそれ以上に、いまの私がそれを感じ取れなくなっているかもしれないと思うと、ためらってしまうのです。

そう考えると、私にとって映画とは、やはりかなしくておそろしいものなのかなと思わなくもありません。

no music, but life

保育園で保育士さんたちを前に「3年目の浮気」を朗々と歌い上げたのが、人前で歌った最初の記憶です。出だしとサビしか憶えておらず、途中がすっぽりと抜け落ちた無様な出来映えでしたが、私は四歳かそこらでしたし、なによりデュエットソングを一人で歌うことに無理があったようにも思いますので、やむを得なかったと大目に見ていただきたいものです。

思い返すと、両親がギターを手に弾き語りする家庭に育ったというわけでもないのですが、なんだかフォークソングばかり聴いていたような気がします。「22才の別れ」「赤ちょうちん」「『いちご白書』をもう一度」「初恋」などはずいぶん聴き、口ずさみました。さだまさしも、だいぶ歌いましたね。本当に幼い頃は「なごり雪」も歌えたのですが、声変わりとともに歌いきれなくなったのは、とてもかなしいことでした。

長じるにつれ、私は音楽と自分の関係がいかなるものであるか、徐々に悟っていきました。生きるつらさを音楽に救われることや、メロディが胸に染みて離れないことは、私には起こらない。むろん、楽しい音楽を聴けば楽しく、悲しい音楽を聴けば悲しく感じますし、歌を口ずさむことは好きでした。しかし、それはどこまでも、それだけのことでしかなかった。多くの級友が「自分の音楽」を見つけていく中、私は、自分の人生にとって音楽は潤色以上のものにはならないことを知ったのです。

なぜ私が音楽を求めなかったのか、それはわかりません。もしかしたら、その頃から既に自分の物語を書いていたことと関わりがあるのかもしれませんし、センスがないという一言で片づけられることなのかもしれない。わかりません。やがて音楽と私のかかわりは、歌詞を中心としたものになりました。音楽を愛する人々が、歌詞など副次的なものであり音こそが主であると力強く主張するのを聞き、そうなんだろうなと納得しつつも、CDを聴きつつライナーノーツを読むことが好きでした。スピッツ「スパイダー」とTM NETWORK「Self Control」はつまり同じことを歌っているのだろうとか、Danny Kaye with the Andrews Sisters「Civilization」とMadonna「Material Girl」とJamiroquai「Virtual Insanity」は同一の直線上に位置しており、おそらくはDaft Punk「Technologic」もそうなのだろうとか、歌を聴くことをもっぱら詩人たちのことばを聞くこととして楽しんできました。そう、つまり私にはおそらく、大好きな音楽がなかったのです。

私は小説を書いて生きています。そして、このような仕事をしていると時折、小説は人間にとって必要不可欠であるとか、小説を読まない人間がいるとは信じられないとか、果ては小説を読まないことは人生を損なうことであるとかいうことばに接することがあります。しかし私は、そうは思いません。私にとって小説は不可欠であり救いでしたが、音楽はそうではなかった。同じように、音楽が不可欠であり救いだけれども小説は必要としないひともいるでしょう。愛があればそれだけでいいひとも、飯がうまいことが救いであるひとも、魂に何も必要とはしないひともいるでしょう。どれもひとつの人生です。誰であれ自由に生きればいい。

二十歳になる年、気がつくと、武田鉄矢の「少年期」を口ずさんでいました。いまではもう、あまり歌いません。

太い背骨

小学二年の頃でしたか親戚の結婚式がありまして、久しぶりに従兄弟たちに会える機会だと当日を楽しみにしていたのですが、日程の都合で参列するにはどうしても学校を休まなくてはならないことがわかり、いま思えば別に休んでもいいようなものですが、当時の私は結婚式の方を諦めてひとり留守番することを選びました。その日のおみやげ*として、私に買い与えられたのが、ファミリーコンピュータでした。

ゲームも好きだったのですが、より好きだったのは、説明書に書かれた数行の「ストーリー」を読むことでした。テレビの中の彼らはなぜ冒険に赴くのか、それを知るのが好きだったので、「テニス」や「ゴルフ」などストーリーのないゲームにはあまり興味を示しませんで、「バルーンファイト」や「アイスクライマー」といったお話があるのかないのかよくわからないゲームを遊ぶときには、自分で彼らの物語を夢想して補完していたのです。

教室の話題が「ドラゴンクエストII」でもちきりだったころ、なぜか*私は「ファイナルファンタジーII」を選びました。文章で物語が描かれるゲームに

おみやげ
我が家では、それは実際に「ファミリー」コンピュータでした。学校から帰るとキャラクターのレベルが二つ三つ上がっていることは、よくあることでした。……母がレベルを上げていたのです。

なぜか
たぶん、「ドラゴンクエストII」は売り切れだったのでしょう。

接したのは、おそらくこれが初めてだったかと思います。子供心にこのお話は「スター・ウォーズ」だなと思ったのですが、それがなぜだったかと言えば、なんのことはない「皇帝」が出てくるお話をこの二つぐらいしか知らなかったからでしょう。ですがこの直感はどうやら当たっていたようですから、子供のまぐれもそう捨てたものではありません。

さまざまなゲームを遊び、小説や漫画や映画に触れるうち、私は次第にゲームのお話がどこから来ているのかということを気にするようになりました。物語はひとの頭で考え出すものですが、生き物が親から生まれるように、物語にもルーツがあることに気づいたからです。

たとえば、「バイオハザード」はゾンビに満ちた洋館を探索するゲームです。ゾンビは一般にブードゥー教が発祥だと言われていますが、さらに遡れば、世界中で語られる不死者への恐れ、もっと言えば生前埋葬への恐怖が背景にあるでしょう。洋館を探索するというコンセプトの源流がファミリーコンピュータで発売された「スウィートホーム」にあることは各種インタビューなどで明らかにされていますし、その「スウィートホーム」の原作は、呪われた洋館を舞台としたホラー映画*です。怨霊に祟られた屋敷で怪異が起こる映画の発祥をどこに求めるかは映画に詳しい方のご意見を待ちますが、いわゆる幽霊屋敷の物語は洋の東西を問わず語り継がれています。そうした、どこまでも辿れる物語のエッセンスを無数に呑み込んで作られたゲームには、確固とした背骨がある。その背骨は物語をより面白く、味わい深く、強靱なものにするのです。

*ホラー映画
「スウィートホーム」一九八九年日本。黒沢清監督。著名な画家が住んでいた屋敷を訪れたテレビ取材班が、数々の怪異に見舞われる。その背景には、かつて画家の一家を襲った悲劇があった。

なにしろゲームはクリアまで数十時間かかるものが多いですから、ずいぶんゆっくりとお話を描く時間があります。「幻想水滸伝Ⅱ」と**マイケル・ムアコック**、「エターナルアルカディア」と大航海時代の歴史、「シャドウハーツ」とクトゥルフ神話、「ファミコン探偵倶楽部」と横溝正史、「バイオショック*」と**アイン・ランド**、「ゴッド・オブ・ウォー」とギリシア神話……。様々なゲームに織り込まれた、様々な物語のエッセンスを見ることが好きでした。分析と咀嚼が足りず浅薄な模倣に終わってしまったゲーム、有名な過去作品への目配せがかえって嫌らしいゲームにもいくつか出会いましたが、過去から受け継がれてきたエッセンスを巧みに操り、他では見られない独自の物語を生み出したゲームを遊ぶこともできました。お話はこうでなくてはならない、と学んだことも一度や二度ではありません。

中でも特に思い出深いのは「タクティクスオウガ」です。ユーゴスラヴィア紛争を縦軸に、貴種流離譚を横軸に置き、両者の交点に戦争の終結を配置した物語には、とても太い背骨がありました。もし、ゲームを作る人々がゲームだけにしか源流を持たなかったのであれば、こうした作品群は決して生まれなかったでしょう。

最近は何かと多用で、ゲームをすることも減りました。それでも少しは遊ぶことがありますし……そうですね、このあいだ、とあるゲーム*の記録で日本人ランキングの一位になりました。

発売直後でプレイヤーが少なかっただけなんですけどね！

「バイオショック」
エッセイのテーマが「二十歳までに好きだったもの」だったのに、これはそうではないですね。二〇〇八年発売です。

とあるゲーム
「バットマン　アーカム・アサイラム」のタイムアタックです。

さあ神を選びたまえ

マックス・ウェーバーは著名な社会学者で、彼が一九一九年にミュンヘンで行った講演を書き起こしたものがこの『職業としての学問』*です。彼はまず、学問には幸運が必要だと語ります。一つは、安定した職を得られ、順調に昇進することが出来るかという幸運。そしてもう一つは、霊感が得られるかどうかという幸運です。

ここでいう霊感というのは、原文はドイツ語ですから違う単語を用いていたでしょうが、要するにインスピレーション、閃き（ひらめ）のことです。閃きこそが決定的なのであり、それは漫然と機械的に手元の作業をこなしているだけでは得られない。全身全霊を傾け、脇目もふらず、門外漢にはそれがどうしたと思えるような小さな問題を「これが数千年未解決の難題だ」とのめりこみ……それでようやく、閃きを得られるかどうかの抽選が始まるのです。学問とはこの点で運に支配されている、とウェーバーは語ります。そして、それは学問の世界だけに留まらない。商人であっても技術者であっても（たぶん小説家であっても）肝心なのは閃きであり、それは手元の仕事をなげうって「閃きを得よ

*『職業としての学問』
マックス・ウェーバー　尾高邦雄訳
岩波文庫。第一次大戦後の混迷のドイツ。青年たちは事実のかわりに世界観を、認識のかわりに体験を、教師のかわりに指導者を欲した。ウェーバーはこうした風潮を鍛えらるべき弱さだと批判し、「日々の仕事（ザッヘ）に帰れ」と彼らを叱咤し、学問と政策の峻別を説いた。（編）

う！」と座り込んでいても得られるものではなく、また同時に、機械的に仕事を右から左へと処理しているだけで得られるものでもないのです。

さて、とウェーバーは言います。学問上の（そして商業上の、技術上の、芸術上の、その他すべての）閃きが誰にでも与えられるかというと、そうではない。どれだけ必死に取り組んでも、最後の閃き*が得られなければ仕事は有意義なものにはならない……この残酷な宿命から目を背けた人々が、「個性」と「体験」をもてはやしている。「誰もが認める学識を備えた大学者であっても、不運にも閃きが訪れなければ生涯凡庸なままである」と考えるのは、ゴールがあるのかどうかもわからない旅路を行くようなもので、これはつらい。だったら「世の中には個性的な人々がいて、彼らは凡庸ではない（そして俺は個性的だ）」と考えた方が気が楽だ。そして、多くの人々が自分は個性的であることを証明しようと、どうだこんなことは誰も言っていないだろう、こんなことを体験したのは俺だけだろうと胸を張っている（念のためですが、これは一九一九年のドイツの話です）。

ウェーバーは、こうした個性を求める人々には間違いなく、なんの個性もないのだと語ります。ゲーテが偉大であったのは作品制作に打ち込んだからであり、彼の生活や言動が奇矯（ききょう）であったからではない。たとえゲーテであっても、俺は個性的だろう、面白いだろうということをそのまま作品にすれば、ただ名を落とすだけである、と。

私が読むところ、かつては、いまほど宿命に向き合う必要がなかったとウェ

最後の閃き
〝実際、よい思いつきは、たとえばイェーリンクが書いているように、ソファの上で煙草をのんでいるときとか、またヘルムホルツが自然科学者らしい精確さで述べているように、ダラダラ登りの道を散歩しているときとか、一般にそういったばあいにあらわれることが多い。〟
やっぱりどこでもそうなんですね……。そして、こう続きます。
〝とにかくそれは、人が机に向かって穿鑿（せんさく）や探究に余念ないようなときにではなく、むしろ人がそれを期待していないようなときに、突如としてあらわれるのである。とはいえ、こうした穿鑿や探究を怠っているときや、なにか熱中する問題をもっていないようなときにも、思いつきは出てこない。〟（尾高邦雄訳）
心当たりがあります。

ーバーは言っています。昔の世界は単純で、雨が降らないのは祈りが足りないからで、不作だったのは呪われたからだった。その世界では、（ドイツでは）キリスト教的価値観を受け入れれば心の平安を得られたのです。しかし人類は学問を進め、この世の仕組みを解き明かそうとし始めた。世界を覆っていた魔法は解けてしまい＊、いまや自分で自分の神を選ばなくてはならなくなった、これが時代の宿命である……これは宗教的な話ではないですよ。もっと実際的な話です。そうですね、たとえば「野球を上手くするためにシゴキは必要だ」という立場があり、「科学的練習こそが野球を上達させる」という立場があるとしましょう。ある程度までは両天秤をかけることができても、究極的にはどちらかの立場を選ぶしかなく、それは必然、もう一方の立場には侮辱を与えることになる。この、人生のあらゆる局面で自分の立場を自分で決めなければならないというのが現代の宿命だというのです。

様々な選択肢を一つ一つ検討していき、ようやく「私はつぶあんが好きで朝はパンを食べ、洋画は吹き替え派で目玉焼きにはケチャップをかけます＊」と言ったとたんに異論のリプライが群れをなして押し寄せるのが現代であるとするならば、たしかに「汝、こしあんを愛し朝は白米を食べ、洋画は字幕で見て目玉焼きには塩をかけよ。それが神の意思であり、逆らう者は異端である」と決めつけられた方が楽に思える瞬間が訪れるのも、わからなくはない。そして選択は、こしあんかつぶあんかよりももっと深刻な問題についても、自分自身で行わなくてはならない……。

魔法は解けてしまい
岩波文庫版では「魔法からの世界解放（エントツアウベルンク・デア・ウエルト）」とルビがふられています。エントツアウベルンク・デア・ウエルト。声に出して読みたくなります。

「私はつぶあんが……
ちなみに私はどちらかと言えばつぶあんが好きですが、月餅のようなみっしりした質感のものはこしあんの方がいいと思っています。朝は特に決まっていなくて、うどんを茹でることも多いですし、シリアルで済ませることもたびたびです。洋画は、映画にもよりますが、吹き替えだと画面の隅々まで見られるのはいいことだなと思っています。目玉焼きにかけるのは、何でもいいです。

個性と体験がもてはやされるのは、実は、このしんどさから逃れようとする弱さのためだとウェーバーは喝破します。個性と体験に固執する人々は、やがてより特別な体験を約束する者、つまり新たなる預言者を、指導者を、「こしあんを食べたら宝くじに当たり就職も決まりました！　さあこしあんを選び、つぶあん派を滅ぼそう！」と旗を振る者を求めるようになるのだ、と（弱さと言ってしまうのは酷ではあります。ぜんぶ自分で決めなければならないことをふとしんどいと思ってしまうのは、弱い人間ではなく、ふつうの人間ですよ）。

学問は私たちがどの立場を選ぶべきかを教えることはない、とウェーバーは言います。それを教える者は扇動者であり教師ではない、と。しかし学問は、あなたが（私が）ある立場を選ぶとき、その根拠を明確にすることが出来る。ふんわりとフィーリングでつぶあん派に属するのではなく、学問を修めた結果として内的整合性をもってつぶあんを選んだのであれば、なぜつぶあんなのかといつ誰に問われても、論理の万力でもって答えることができる。それどころか学問的態度が身についていれば、こしあん派の言い分を分析し、非合理を排除し、自分のつぶあん派学問を再検討して、両者を止揚させる新しい学説にも到達できるかもしれない。それは敗北ではない、学問は時代遅れになることを自ら欲するのですから。

つまり、学問は自分の人生を制御し、自分の立場がどんなものであるのかを知る有効な手段である、というわけです。

私はこの本が好きでした。

思い出の映画

ふと思い出すことがあったので、ティム・バートン監督「ビッグ・フィッシュ」（二〇〇三年アメリカ）で書くことにします。

この映画が製作された二〇〇三年は、私にとってちょっと特別な年です。というのも、この年、私は一冊も本を出していないんですね。

既に名を成した方や兼業の方ならよくある話ですが、私の場合、そうじゃありませんでした。無名の新人で、意欲と原稿はあるのに、出版の目処が立たない。*仮に出せたとしても、先があるのかどうか。小説家としては最早ここまでか、という思いが、なくもなかったのです。

そうなると、いろいろつまらないことを考えるわけです。私はいったい、何の才があって小説を書こうとするのか。世の中には、想像力の限界を突破するような奇抜な話を、すらすらと書く（あるいは、すらすらと書いているように見える）作家がたくさんいるわけです。ところが私は、決して想像力豊かな方ではない。奇譚が作れない。*そして現に、こうして窮状に追い込まれている。もう駄目かもしれない。そう思っていたわけです。

これは古い原稿ですね。ええと、二〇〇七年のものです。

出版の目処が立たない
『氷菓』に始まる〈古典部〉シリーズの三作目として『さよなら妖精』を書いたのですが、叢書が休眠することになり、行き先を失ったのです。

奇譚が作れない
たしかに奇想天外なお話を続々送り出すというタイプでないのは事実ですが、その後の経過を見る限り、奇譚そのものはやってやれなくもなかった……とは、言えそうです。

駄目なら駄目で見切りをつけて、何か職を探さなければなりません。人生設計のやり直しです。ところで、次も物語る仕事にしましょうか。それとも、虚構とはすっぱり縁を切って生きましょうか。おそらく誰もがうすうす気づいているように、人間にとって物語は、本当は、無くても何とでもなる*ものです。そんなものに固執しなくても、ねえ……。

「ビッグ・フィッシュ」を見たのは、そういう時期でした。

年老い、死期を前にしてなお、物語をこよなく愛する老人。そして、単に父に反発しているというだけでなく、人生における物語の意味にピンと来ていない息子。これは面白い構図だと思います。世にありふれているのは、物語にすがる若者とそれを苦々しく思う年寄り、という組み合わせのほうでしょうから。

さすがの映像美と愉快な演出で描かれる、「ビッグ・フィッシュ（大法螺）」の数々。森のトンネルの向こうの桃源郷、時間が止まるほどの運命の出会い、ベトナム従軍の際に出会った少女。父は自らの人生を物語で飾り、飾り、飾りまくった。すべてがただのオハナシだと思っていた息子は、物語をかきわけて、父親の真実の人生を知ろうとする……。

いや、気持ちはわかります。どこまでが作り話でどこからが本当にあったことなのか区別がつかないのは、なんとも尻のすわりの悪いこと。「物語は物語のまま、そっとしておいてあげればいいのに」などというのは理想論に過ぎません。

大切なのは、面白いのは、その後です。物語にケムに巻かれ続けた現実主義

無くても何とでもなる
もちろん何とでもなります。しかし物語の、文化のない文明の、なんと儚いことでしょう。寝床と職場しかない文明がもっとも効率的で優れているとは、私には思えないのです。……とはいえ、腹を満たすのが先決であることもまた、疑いようもありませんが。

者が父の臨終の床で、赤ん坊がヨチヨチ歩き出すようにたどたどしく、自ら物語を語り出すのです。一人の語り部の物語を閉じ、そしておそらくは、次の語り部となるために。

新しい語り部の物語は、そんなに出来がよくありません。[*] 先代の、数々の大法螺に比べると、まだまだヒネリってものが足りない。仕方のないことです。新人に最初から上出来を期待するのが間違っている。

ですが、彼が語ったこと。語ることに意味を見出したこと。その姿に私は、すとんと腑に落ちるものを感じました。

というか、なぜか、勝利感さえ味わっていたのです。あたかも時代劇で、善がばっさり悪を斬り倒した瞬間に味わうようなカタルシス。「そうこなくっちゃあ、いけねぇや」と思っていたのです。物語のそれぞれに、出来不出来はありましょう。しかし、「物語ること」だけは否定されない。私は「ビッグ・フィッシュ」をそう見たのです。

映画を見終えた後、私は、こう直感していました。

どんな形であれ、たとえプロでなくなったとしても。……お話作りはやめられないだろうなぁ、と。

出来がよくありません
すごい。息子が語った物語を、私はまったく憶えていません。憶えているのは、息子の物語を聞いた父親の満足だけです。

7　バックヤード

書店認識の歩み

私の書店に対する認識は、大きく三期に分類することが出来る。

第Ⅰ期は、概ね学生時代と一致する。中でも、通学路が変わったため書店が日常の動線に位置するようになった高校時代が、最も足繁く書店に通った時期だった。

私は控えめに言っても読書家ではない。当時を振り返れば、一体何を読んでいたのか自分でもよくわからないぐらいだ*。しかし書店にはほとんど毎日行っていた。二軒三軒とはしごすることもよくあった。何をするわけでもないのだ。財力は限られ、興味の範囲もさほど広くはない。毎日通ったところで、毎日本を買うわけではなかった。ほとんど「何か昨日と違っているところはないかな?」と点検してまわっていたようなものである。

書店にいること、それだけで楽しかった。書店は私の場所だった。第Ⅰ期において、書店はアジトに似ていた。

第Ⅱ期は、大学卒業後になる。その頃、私は自分がいずれ物語を作る仕事に就くことを確信していたが、それまで口を糊(のり)せねばならなかった。最も馴染み

この章では書店にかかわる文章がまとめられています。つまり同じことについて書いているのでどうしても似た話も出てきますが、それぞれ文章の趣旨は違っている……はずです。

自分でもよくわからない 〈館〉シリーズ(綾辻行人)や〈エルリック・サーガ〉(マイケル・ムアコック)を読んだのは中学生の頃でしたし『はてしない物語』(ミヒャエル・エンデ)や『三国志』(吉川英治)は小学生の頃でしたし、ミステリを集中して読み始めるのは大学に入ってからでしたし……。ライトノベルも読んでいましたが『スレイヤーズ!』(神坂一)や『蓬萊学園の初恋!』(新城十馬)は中学時代、『ブギーポップは笑わない』(上遠野浩平)や

のある場所である書店に飛び込んだのは自然なことだった。

　自信はあった。何しろ入ったのは中学生の頃から通っていた店である。隅々まで知っているつもりだった。角川ソフィア文庫*はそこ、その裏には扶桑社文庫*の棚、最近できた徳間デュアル文庫*はあっちの棚、と。その店のことなら知り尽くしているようなつもりでいた。だがそんな知識は、全く通用しなかった。……客はほとんど小説を買っていかなかったからだ。

　私が勤めた店は郊外型の大規模書店だった。街の住人が、「あの本が必要だ」と考えた時、まず最初に訪れる場所である。それだけに、店には広く浅く、あらゆるジャンルの本が揃っていた。

　私にとって本を買う・読むという場合の「本」とは、他でもない小説のことを指していた。あとは学習参考書や学術書にいくらかお世話になった程度だった。そんな私の目には、いくら広大な書店であっても小説の棚しか映っていなかったのだ。

　だがそれは、書店の機能・求められる役割のごく一部に過ぎない。客はあらゆる本を必要としていた。接ぎ木のやり方。健康を取り戻す方法。資産運用のガイドブック。資格試験の参考書。絵本。地図。官報。私の目に、書店はそれまでの何十倍もの広がりを持って見えた。第Ⅱ期、私にとって書店はホームセンターに似た場所だということを思い知った。

　そして第Ⅲ期は、小説家として仕事を始めて後のことになる。


『ブラックロッド』（**古橋秀之**）は大学時代で、やっぱり高校時代が抜けています。辛うじて憶えているのは**『死のロングウォーク』**（スティーヴン・キング）、**『アンドロメダ病原体』**（**マイケル・クライトン**）、**『アルジャーノンに花束を』**（**ダニエル・キイス**）、**『ホット・ゾーン』**（**リチャード・プレストン**）あたりでしょうか。部活（弓道部）や趣味（テーブルトークRPG）に力を注いでいたせいかもしれません。それで文化祭ではミステリ映画の脚本を買って出たのですから、いまから考えればずいぶんな蛮勇です。

角川ソフィア文庫／扶桑社文庫／徳間デュアル文庫
角川ソフィア文庫は『画図百鬼夜行全画集』（鳥山石燕）を出して世人を驚かせたことが記憶に新しいですが、**『おくのほそ道』**の註釈が当時刊行されていたものの中でもっとも見やすく詳しかったことを憶えています。いまでも**『代官の日常生活』**（**西沢淳男**）といった面白い本、**『保元・平治の乱』**（**元木泰雄**）といった頼りになる本、**『漢字使い分け辞典』**（**武部良明**）といった実用的な本などに巡り

プロモーションを通じて多くの書店員と知り合い、多くの書店を訪れることになった。その中で私は、新しいタイプの書店に巡り合うことになる。それらの店では、本という生活用品を単に網羅し陳列する段階は、とうに通り越していた。そこには攻めの姿勢があった。

ベストセラーを面陳し、話題の本を平積みにするといった基本は、もちろんしっかり押さえている。その上で「こんな本もあったのか」と思わせ、「面白そうだ」と手を伸ばさせる。POPやパネルもそのための一手段だろう。だが何よりも、棚が面白かった。通り一遍の売れ筋からもう一歩踏み込んだ、発見のある書店に魅せられた。そうした店にはつい、用がなくても足が向き、何を探していたというわけでもないのに意外な本に読書欲をそそられる。第Ⅲ期、私は書店にセレクトショップとしての側面を見た。

……そしていま、通販の発達により、何でもあるという大規模書店のアドバンテージは失われた。良書を紹介し薦めるという機能においても、インターネットは充分な役割を果たしつつある。ホームセンター的側面は既に消え失せ、セレクトショップ的側面も脅かされつつあるというのが現状だろう。

来るべき第Ⅳ期、私は書店をどういう存在だと捉えることになるだろう。書店の「次の一手」を楽しみにしつつ、私はたぶん今日も本屋に立ち寄る。最初期の認識、そこにいるだけで心地よいという書店のアジトとしての側面は、未だ些(いささ)かも損なわれてはいないのだから。

合うことの多い文庫です。扶桑社文庫はP．46、132で書きました通り〈昭和ミステリ秘宝〉を出してくれたありがたい叢書で、徳間デュアル文庫は梶尾真治『おもいでエマノン』や矢崎存美『ぶたぶた』などが嬉しくて毎月チェックしていたところ、新刊で北野勇作『かめくん』に出会って面白さに瞠目しました。

素敵な場所、あるいは売書稼業

本屋はなんだか素敵な場所だ。ずっとそうだった。

幼い頃は年に数回、家族で富山に遊びに出かけた。私がその機会をことのほか喜んでいた理由を両親は知っていただろうか。私は大きな本屋に行きたかったのだ。本に囲まれていることが好きだった。何を買うでもねだるでもなく、本屋にいるだけで嬉しかった。

そして私は、大学を卒業してから少しの間だけ、本屋に勤めていた。* この頃には物語を作ることを自らのなりわいにしようと決めていて、勤める傍ら小説を書く計画だった。そしてこの、書店での勤務の経験は、私の認識を大きく変えることになった。

本屋はなんだか素敵な場所だ。それは変わらない。しかし同時に、そこは商品を売る場所だった。わかっているつもりだったが、わかっていなかった。商品を売るとは売れる物を仕入れることで、そしてそれは、売れない物を仕入れないということなのだ。素晴らしい本だとわかっていても、ランクが低ければ棚に置くわけにはいかない。売れている、つまり多くのひとが探している本を

本屋に勤めていた
客が本を注文する時に使う帳面がありまして、そこに二、三日おきに自分の注文を書き入れていました。レジの裏手には各社の文庫目録が備えられていまして、客足が途切れて手元の仕事もない時間帯には、それを見ながら次に注文する本を考えていました。いま思うと幸せな時間だったのかもしれません。

押しのけるわけにはいかないからだ。本を売るとはそういうことだ。

なぜ本屋が素敵な場所なのか、その理由がわかったような気になった。鮮度がいいからだ。いまどういうものが良しとされ、どういう考え方が新しく生まれてきているのか、本屋の棚はそれを包括的に表す。陳腐化した考え方と新しい考え方がほぼ等価で並ぶ図書館とは、ここが違う。図書館*の楽しみは博物館に行く楽しみに似て、本屋の楽しみは街に出る楽しみに似る。

そのダイナミズムに接し、より本屋が好きになった。……が、同時に、少しの寂しさも感じるようになった。時代遅れの本は一掃され、いま望まれている本がずらりと並ぶ本屋が、よく手入れされ鮮度を保った本屋ということになる。ではしかし、出先でふらりと本屋に入り、意外な本に出会った喜びは、店主の怠慢から生じた偶然に過ぎなかったのだろうか。本屋は依然として素敵だが、その素敵さをどう受け止めればいいか、わからなくなった。

作家としての仕事が軌道に乗りはじめ、私は本屋をやめて東京に来た。そこで出会った本屋の数々に、私は第二の衝撃を受けることになる。

大型書店に押し寄せる新刊の波は強烈なものであり、一冊一冊を吟味することなど出来ようはずもない。だからこそ、売れ線であるかどうかが、棚に残るか否かの唯一の基準だったのだ。しかし私が出会った書店員たちは、不可能と思われた難事に挑み、新刊の波の中からいい本を見分けようと懸命だった。これと思う本が見つかったらそれを売るため、ＰＯＰ書きしかり、サイン会しかり、ペーパー配布しかりあらゆる手を打っていた。そして売上が上がれば、過

図書館
私が通っていた図書館には、一般の利用者が入れる書庫がありました。窓のない空間に弱々しい白熱電球がともり、埃くささが鼻をつく中で、本を探していきました。ずいぶんといろいろ読んだと思うのですが、いま思い出せるのは、そこで北野勇作『クラゲの海に浮かぶ舟』と『昔、火星のあった場所』を見つけた喜びです（直後に徳間デュアル文庫で復刊したのですが）。

去の名作を掘り起こす余力も生じる。本屋は本を売る場所だ。そして、いいと信じた本を商売に繋げるため情熱を傾ける人々の姿に、私は本屋に見失いかけていた人間性を再発見したと思った。いや、私がいた本屋にも、人間性はあったはずだ。単に私の在籍期間が短すぎ、目が悪すぎて、見えていなかっただけで——。

いま私は、本を書いている。自分の仕事が本屋をなんだか素敵な場所にする力の一つになって、どこかの街で知らない子供が、本屋に行くだけで嬉しくなっているといいなと、ときどき思う。

その子は多分、未来の私なのだ。

入荷と返品の間に残るもの

私たちは*たいてい書店が好きですから、書店というと無条件によい場所だと考えてしまいがちです。ですが実際のところ、利鞘は薄く、安売りはできず、正社員の登用は少なくアルバイトのマンパワーが頼りで、それでいて少しでもレベルの高い仕事をするためには専門的な知識が欠かせず、つまり望むと望まざるとにかかわらず「本好きの愛と知識をバイト料金で（たいていは最低時給で）買い叩く」システムになっていて、買われるのが愛と知識だけならまあともかく実は入荷も返品も体力勝負で、棚卸ともなれば運送業に勝るとも劣らないガテン系*バイトとなり、でも時給はガテン系には及びもつかずさすがに棚卸特別手当が出ないものかと嘆息し、それでも物語が好きだからと自分に言い聞かせようとしてもパーセンテージグラフを分析すれば小説などをお求めになるお客さまはごく僅かで、では小説だけではない全ての本を愛そうとしてもノアの洪水のような入荷量と真夏の節水制限のような売上との差は荒れ狂う奔流のような返品で埋めるしかなく、何か緻密な物理計算の結果としか思えないほどみっしりと本が詰め込まれた返品用段ボール箱に「ごめんね売ってあげられな

私たちは
これは「小説すばる」に載せて頂いた文章です。文芸誌を手に取ってくださる方は書店も好きであろうと推定するのはさほど的外れではないでしょうが、世の多くの人々が書店を愛しているはずと決めてかかっては、言うまでもなく間違いです。別に嫌われてもいないでしょうが……。

ガテン系
埃がたまりやすいので、日々の清掃もそれなりに大変です。……ところで、体力を必要とする現業系の仕事を「ガテン系」と呼ぶのは、リクルートから出ていた求人情報誌「GAT'N」（後に「ガテン」に誌名変更）から来ているそうですね。長い間、ガテン系という言葉が先だと思っていました。雑誌は休刊しましたが、言葉は残りました。

くて。誰かいい人に買われてね」と合掌していた無垢な新人も、ものの数ヶ月もしないうちに入荷した箱をそのまま返品セクションに投げ込んで心の痛みなど毫（ごう）ほども感じなくなり、ぜひ多くの人に手にとって欲しいと願う本はそもそも入荷すらせず、*話題の本は買切で送り込みPOP*はゴミ箱に送られ、会計以外の理由でカウンターにいらっしゃるお客さまとの間に繰り広げられるのは心と心のふれあい*などではなく、建前と苛立ちのぶつかり合いなのです。とかく私たちは、書店で行われているのが知や、あるいは知よりも大切な何か人間的なものの醸成であると考えがちですが、そこで本当に行われている行為の本質はもちろん消費です。胸が痛くなるほどの風化速度の前にすべての本は見ている間にも陳腐化し、「商品の鮮度を如何に保つか」という課題が当然に突きつけられます。古くなった商品を摂取してもお客さまがハライタを起こさないのは幸いですが、片腹ぐらいは痛くなるかもしれません。しかしそれでも全ての個性を剝奪し尽くすような疾風怒濤の戦場の果てにひとかけらだけ残っているものは、誰が何と言おうと冷笑家がどんな斜めの角度から見ようとも、間違いなく愛なのです。書店ＬＯＶＥ。

入荷すらせず
この文章を書いた二〇〇七年、全国の書店の数は一万七千軒ほどと言われていました。新人の新刊は五千部とか四千部とか言われていましたから、入荷しない店の方が圧倒的に多いのです。また、人気商品が品薄になるのは、どの業界も同じです。

送り込みPOP
二〇〇一年ごろ、書店員さんが書かれたPOPが起爆剤となり（正確にはそのPOPを出版社がコピーして大量に配布したことで）**『白い犬とワルツを』**（テリー・ケイ　兼武進訳）が爆発的に売れるということがありました。おそらくそれ以降、出版社がPOPを販促物として書店に送ることが増えたようです。しかしすべての新刊にPOPを立てては平台がいくらあっても足りず、そもそも棚が見づらくなります。それで、せっかくのPOPも一度も使われることなく捨てるしかないということが、毎日のように起きていました。

心と心のふれあい
ないこともなかった……ような気も……しないこともない……ような。

本をどこで買ってきたか

私が生まれたのは小さな鉱山町でした。鉱山町というのは、景気がいい時には金、人、美酒美食、文化に至るまですべてが集まるものです。鉱口町というのがありまして、鉱山への入口の近く、山の高いところに小さな集落を作るのですが、そこの住人たちは本を読みたくなると麓の（つまり私が住んでいた）町の本屋*に注文をしたのだそうで、書店の店主は月に何度かライトバンを走らせて、山の上まで本を届けたのだと聞いています。その車に同乗して、今月分の本だよと注文の本を手渡すことが、幼い頃の私がやりたいことでした。そして鉱山町というのは、景気がよくない時にはすべてが去るものです。いまは鉱口町もなく、少なくとも三軒あった書店は一軒になりました。

車で一時間の距離にある隣町に大規模書店が出来たと聞いた時には、嬉しかったものです。いや、私よりも母の方が喜んでいたような気もしますね。母はにこにこと、「大きな本屋が出来たんだって」と教えてくれました。それから月に一度は、車を出して隣町に行くことをせがんでいました。何を買うわけでもなかったんですけどね、本が沢山ある場所が好きだった。不思議なものです、

町の本屋
私の家でも定期注文をお願いしていたようで、数ヶ月おきに横山光輝『三国志』が届けられました。横山『三国志』はなぜか劉封が童顔で、私は彼がお気に入りでした。後に世界史の試験で漢王朝を開いた人物を問われ、自信満々に「劉封」と書いて、バツをもらったものです（音が一緒なので、つい引っ張られたようです）。彼は、正規の跡継ぎがいる君主の、養子でした。彼のように行き場をなくしてしまった人物の生涯には、何か惹かれるものがあります。

本があり[illegible]ばいいのなら図書館*でもよかったようなものですが、私は書店の方が好きだった。本を所[illegible]んでしょうか。それとも、書店の方が「いま」だったから？　よくわかりません。その頃は[illegible]〈敵は海賊〉シリーズを読みたくて、棚の前を何度もうろうろしましたよ。『敵は海賊・海賊版』の前で、「海賊版を買うのは癪だな。正規版を探そう」などと思ったりもしました。

いまでは舌が肥えてしまって、いわゆる郊外型チェーン書店に行くと、ふうん、いつもの本ばかりだななどと思ってしまうこともないではないですが、幼い頃の私にとって、その郊外型チェーン書店こそが世界への扉でした。可能性そのものだった。その可能性のどれかを選ぶことはほかの可能性を捨てることであると気づくのは、もう少し大人になってからのことです。ある日、広い書店の入口に立って、自分に関係があるのはせいぜい「小説」の棚だけだと気づいた時は妙に寂しかった。ですが同時に、少なくとも「小説」の棚を選び得たことをちょっとだけ誇らしくも思ったものです。

それで、ふと思うのです。本が沢山あることが可能性を表すなら、本屋はやはり、この世に存在する。あらゆる議論、合理性、効率化、情報化、すべてを超えて、たとえいまとは違った形になるにせよ、本屋は存在するべきです――過去の私のためにと。最近は手元の仕事が多くて、あんまり本屋には行きません。それでも仕事の合間にちょっと本屋に行くと、いまでもふっと心が広がるような感じがして、笑顔になってしまうのです。

図書館
後に県立図書館の近くに住んだ時は尻尾を振ってそこに入り浸ったので、単に規模の問題だったのかなと思います。国書刊行会の叢書〈世界探偵小説全集〉や、三一書房版の『久生十蘭全集』はそこで読みました。

鷹と犬

「本の雑誌」誌の「図書カード三万円使い放題企画」にお呼びいただいた際の文章です。

欲しい本は通信販売で自宅に届けてもらえるいま、本屋に行く意味は、欲しいと思っていなかった本が欲しくなるところにある。その欲を充分に高めるため、鷹狩りの前に鷹を飢えさせ野性を引き出すように、十日ほど本屋に行くのをやめた。ほどよく新刊にも疎くなり、これ以上は仕事にも差し支えるのではないかと心に不安が兆しはじめたころ、日はようやく企画の当日に至った。選んだ場所は地上九階(売り場は八階まで)地下一階の堂々たる大書店紀伊國屋書店新宿本店、このビルを下から上まで全部見て本屋を堪能することが今回の方針である。まずは気になった本をメモ帳に書き留めつつ最上階まで上り、後に予算の範囲内で再検討を加え、買うものをカゴに入れながら最下階まで下って会計をする計画だ。

方針に従い、まずは地下一階から見ていく。ここは旅行書や地図を揃えたフロアで、率直に言ってふだんはほとんど縁がない。行かない売り場には知らない本があるわけで、これ即ち宝島である。まず最初に目に入ったのが山と溪谷社が出している山岳地図で、見つけるやたちまち連想が走り出し、山岳地図なら日本アルプスのものが欲しい、今年の中山義秀賞が**風野真知雄『沙羅沙羅越え』**だった、さらさら越え*と言えば富山にいた武将が徳川家康に会いに行くため山岳地帯を抜けたという話だが具体的にどういうルートを抜けたのか前から気になっていた、地図があれば考えやすいだろうというところまで思いが至ったが、本を買う企画で地図はどうなのかという気が差したので、これはいったん保留にしてヤマケイ文庫**『穂高に死す』**を代替とし、さらにヤマケイ新書**『香料商が語る東西香り秘話』**の「香料商」というエキゾチックな言葉に胸を射貫かれこれもメモした。しかし考えてみればハウス食品のことだったかもしれない。平台に目を落とすと**『文豪山怪奇譚』**という文字列が飛び込んできて、「山怪」と「奇譚」に弱いんですよ私は、などと思いながらメモに書き留める、ちなみに他には「大時計」とか「ねむり」とか「廃」に弱い、まだ他にもいろいろ弱い。

地図に関係するからか**『古地図に憑かれた男』**というノンフィクションがあって、地図を盗んだ男の話だというので、どんな男がどんな理由でどんな古地図を盗まねばならなかったのかと気になってたまらず私の心も盗まれた。次に見つけたのが交通新聞社新書、時刻表の棚のすぐ側にあった一群の背表紙を見るだに気持ちが浮き立つ。**『伝説の鉄道記者たち』**などと言われたら「鉄道記者、そういう仕事があるのか。そしてその伝説の記者とは⁉」と身を乗り出さざるを得ない。**『鉄道が変えた社寺参詣』***は、新しい道具や食品の誕生が社会を一変させ、しかも多くの人々が新しい常識を古来不変のものと思い込むという

さらさら越え
おおざっぱに言えば富山から立山に向かい、飛騨山脈を越えて大町に下ったか、飛騨を南下して野麦峠から松本に入ったか——でしょうか。

『鉄道が変えた社寺参詣』
これは面白い話ですよね……。鉄道敷設の初期、その目的は社寺参詣にあったといいます。そしてその敷設された鉄道が、初詣という新しい習慣を日本に生み出したというのです。

私が長年興味を持っている現象にアプローチしてくれそうで当然買う。国内観光の棚で日本中の奇岩を網羅したらしい『石ってふしぎ』を見つけエッへへあっしは「奇岩」にゃ弱いんですよと言いながらメモし、「るるぶ」や「まっぷる」のそばで岸朝子の『全国 五つ星の手土産（新訂版）』を見つけてこれで旅先で不味くはないが旨くもなくひたすらかさばるハズレみやげを買わずに済むと喜び勇んで書き留める。

放っておくと地図と旅行書で予算を使い切ってしまいそうなので後ろ髪引かれながら一階に上る。ここは雑誌と話題書が並んでいる。今回、さすがに雑誌は買わないつもりだったのでなんとなく一周するだけで終わりにするはずが、話題書の棚に『少年の名はジルベール』を見つけたので無言でメモする。買わないわけがない、むしろ何故いままで買ってないのか。

エスカレーターで二階に上りながら、さてここからが難所だと気を引き締める――二階は小説売り場なのだ。いいか私、節制が大事だ、いつも心にテンパランスと自らに言い聞かせながら、まずはエスカレーター上りたての棚、時代小説の前に立つ。杉浦日向子が好きで『百日紅』は大好きで、必然的に葛飾応為には弱いので『眩（くらら）』をメモ、題名のすさまじさと安禄山という興味をそそる人物が主役というので『肥満』も書き留め、そこから外国文学にスライドして以前から惹かれていた『出島の千の秋』を、見つけてしまったからには仕方がないと買い物リストに入れ、作曲家の小説『プロコフィエフ短編集』、東欧とジャズの取り合わせに心誘われ『二つの伝説』、「ラフィク・シャミも愛する」*

「ラフィク・シャミも愛する」
シャミは『夜の語り部』で知ったのですが、これは実に私好みの一冊でした。希代の語り部として一生を送ってきた老人が、自らに宿っていた物語の妖精が去ってしまったために言葉を失ってしまう。老人の七人の友人は、これまで老人が語ってくれた物語のお礼にと、自分たちが物語る。なぜならそれが、老人にふたたび物語の妖精を宿す唯一の方法だからだ――という小説でした。『千夜一夜物語』的な物語もいいのですが、友人たちの一人がアメリカに行った時の話が最高でした。

という惹句に他愛なく引っかかって『**囀る魚**』、ふと振り返ったら短歌や俳句の棚だったので無言で『**うた合わせ**』もピックアップ、内容が面白そうとかどうとか以前にそもそもなんだその文字列が意味するものは、と『**耳ラッパ**』、特に悩みもせず『**赤死病**』もリストに入れ、そうだこれ買おうと思っていたんだと『**世界が終わるわけではなく**』『**乳しぼり娘とゴミの丘のおとぎ噺**』、これもう出ていたんだと平石貴樹選の『**アメリカ短編ベスト10**』もメモする。私、平石貴樹に弱いんです。新シリーズ〈ドーキー・アーカイヴ〉始動をお祝いして『**虚構の男**』を購入候補に入れ、『ミニチュアの妻』をメモして海外ミステリの棚までカニ歩き、これも以前からいずれはと目論んでいた『**隅の老人**』と『**剣闘士に薔薇を**』をリストに載せる。近くにあった映画化原作二作『**ビッグ・フィッシュ**』と『**ミスター・ホームズ**』が気になる、どちらも好きだが小説で読んだらどんな感じだろう、こんな機会でもないと買わないかもしれないと書き留め、ついでに資源が枯渇し水を私有する者は罰せられる世界に生きる茶人を書いた（らしい）『**水の継承者　ノリア**』もなんだそれと思ってメモに入れる。

そしてダウンした。

時間にして二時間ほどしか経っていないのに、くたくたである。もう歩けないのである。疲れてしまったのである。馬鹿な、紀伊國屋書店新宿本店を最上階まで上るはずの私がこんなところで……と膝に手をつく。しかしどうやら駄目らしい、仕事は引き際が肝心、ここはいったん引き上げである。

ふらつく体をなんとか操り、近くの喫茶店に入る。「マスター、コーヒーを頼む。すまないが濃く淹れてくれ……疲れているんだ」と頼んでテーブルに突っ伏した、というのはもちろん嘘で、実際はケーキセット（選んだケーキは季節のフルーツショートケーキ）をお願いした。ケーキは取りあえずぺろりして、コーヒーを飲みながらポケットからメモ帳と、この時のために自宅から持参した電卓を取り出した。さて、三万円の予算に対し、いまどれぐらいの本を選んだだろう。ふだんはページ数カウントと確定申告の時しか使わない電卓のボタンを不慣れな指で押していき、買うつもりの本の総額を弾き出す。——しめて六万四千三百六十円。

ぜんぜんだめである。* 数字が苦手とか暗算が遅いとかいうレベルではなく、そもそも予算内に収めようという努力がまったく、からっきし見えない額になっている。八階まで行こうというのに二階の時点で予算の倍以上をリストに入れているのは、なんというか、欲が深すぎる。どうやら、当日欲が無くなって買う本に困ってはまずいと危惧して実行した本屋断ちがよくなかった。自分では餌を減らされて野性を研ぎ澄ました鷹のようなつもりでいたが、これでは久しぶりの散歩に大喜びして飛んだり跳ねたりぐるぐるまわったりして、公園に着く前にばてている犬である。さあどうしよう、既に予算（と体力）は尽きているし、いまリストにある本から買うものを選択するだけで充分企画の主旨に沿ってはいる。ケーキ（季節のフルーツショートケーキ）のおかげで多少は回復しているが、疲労が好奇心のアンテナを下げてしまうことは間違いなく、こ

ぜんぜんだめである
まったくだめである。

こから先は労多くして功少なしということにもなりかねない。もういいじゃないか、本を買って帰ろう……。

いや。それではいけないのだ。今回この企画をお受けするにあたり、私は自らに「本屋を堪能する」ことを課していた。今日、ある特定の本が欲しいと思ったとき、送料もかからず数日で家に届けられる通信販売を選ばずに、交通費を払い自分の時間を割いて本屋に出かけることに意味はない。では本屋は不要なのか？　本屋はすべて、もう衰退を待つばかりの時代遅れの業態なのか？

そうではない。もちろん、需要の一部分が通信販売に置き換えられた以上本屋の数は減らざるを得ないし、実際に減ってもいる。しかしそれでも、本屋が絶滅するとは思わない。このセクションの冒頭にも掲げたが、本屋に行くのは欲しい本を買うためではなく、欲しいと思っていなかった本が欲しくなるからなのだ。知らない本と出会う楽しみが忘れがたいから私は本屋に行くし、それこそが本屋にしかない代替不可能な楽しみだと信じている。ならば「本屋を堪能する」という目的は本屋を隅々まで見てこそ達成されるはずで、慣れ親しんだ小説売り場を見るのもむろん楽しかったが、ここで頓挫しては何のために来たのかわからない。倒れるには早すぎる、行け、行くのだ私、知らない棚の前に立ち、ああ知らなかった、こんな本もあったのかという、あの懐かしい喜びを胸に刻んで帰るのだ！

カップに残ったコーヒーを飲み干し、テーブルに手をついて、私は立ち上がった。目指すは紀伊國屋書店新宿本店、あのビルを最上階まで上り、精査でき

るかどうかはいざ知らず、全ての棚の前に立たない限りは帰らない。たとえ何度喫茶店に引き返し、何杯のコーヒーを飲み、何個のケーキ（季節のフルーツショートケーキ）をぺろりすることになったとしても。そうして不屈の闘志を胸に、私はふたたび征服の途に就いたのであった。

……あとはまあ、次のリストをご覧いただければいいのかなと思います。

『鉄道が変えた社寺参詣』平山昇　交通新聞社新書	￥864
『全国　五つ星の手土産（新訂版）』岸朝子選　東京書籍	￥3024
『少年の名はジルベール』竹宮惠子　小学館	￥1512
『うた合わせ』北村薫　新潮社	￥1728
『アメリカ短編ベスト10』平石貴樹編訳　松柏社	￥1944
『虚構の男』L・P・デイヴィス　矢口誠訳　国書刊行会	￥2376
『ミニチュアの妻』マヌエル・ゴンザレス　藤井光訳　白水社	￥2808
『最初の刑事』ケイト・サマースケイル　日暮雅通訳　早川書房	￥3024
『ニンジンでトロイア戦争に勝つ方法』上下　レベッカ・ラップ　緒川久美子訳　原書房	￥4320
『漢字廃止の思想史』安田敏朗　平凡社	￥4536
『紅茶スパイ』サラ・ローズ　築地誠子訳　原書房	￥2592
『本を愛しすぎた男』アリソン・フーヴァー・バートレット　築地誠子訳　原書房	￥2592
合計　￥31320	

結局、小説を買うのはやめました。小説はいつか自分でも買うと思ったからです。こういう企画なればこそ買うことが出来た、と言える本を選びました。いやしかし、楽しい一日でした。

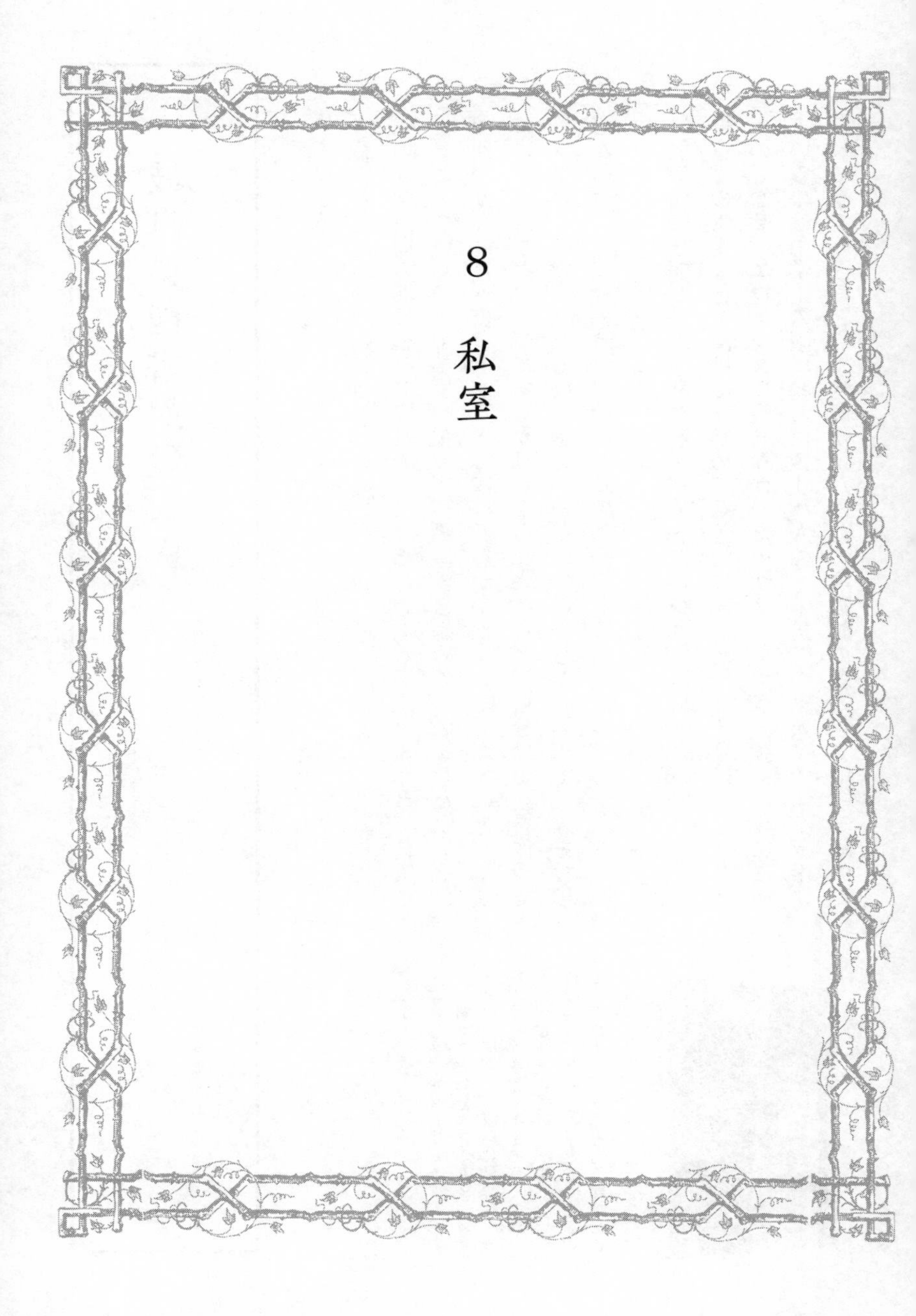

8 私室

岐阜県図書館Q&A

Q　作家になるまで
A　お話を考えるのは、幼い頃からの癖というか、趣味のようなものでした。長い通学時間の間に組み立てたのです。その想像が小説という形で結実し得ると気づいたのは中学生の頃で、実際に書き始めてもいましたが、それが曲がりなりにも書き上がるまでには五年かかりました。高校に上がる頃には、小説家という形であるかはわからないけれど、自分はお話を作って生きていくのだろうなという予感をいだいていました。初めて長篇を投稿したのは二十二歳の時で、それが私の第一作となる『氷菓』*です。

Q　学生時代に好きだった作家やインパクトの強かった作品、思い出の一作
A　児童書のポーなどを除けば、初めて意識的に読んだミステリはクリスティーの『**なぜ、エヴァンズに頼まなかったのか？**』ですが、強く印象に残っているのは中学生の頃に読んだ綾辻行人の『十角館の殺人』です。夢中になって読み終えると、当時最新刊だった『**黒猫館の殺人**』まで一気呵成に

*『氷菓』

大学在学中に投稿しましたが、それが受賞するとは思っておらず、二年と期間を区切って書店に勤めながら、次の投稿作を書く予定でした。思いがけず賞を頂いたので、書店にいた頃は第二の投稿作ではなく、『**愚者のエンドロール**』『さよなら妖精』を書いていました。

読みました。

学生時代*の思い出の一作ということになりますと、いろいろありますが、デアンドリアの『ホッグ連続殺人』や山口雅也『生ける屍の死』、西澤保彦『七回死んだ男』などに目を瞠って驚き、倉知淳『日曜の夜は出たくない』、加納朋子『魔法飛行』、若竹七海『ぼくのミステリな日常』に日常の中に謎を置く手つきを学び、エリン『九時から五時までの男』やヴィカーズの『迷宮課事件簿』を大喜びで読み耽り、都筑道夫や高木彬光、横溝正史と読んでいくうちに、やがて、最も敬愛する作家である泡坂妻夫の『煙の殺意』『乱れからくり』に出会いました。

Q　心がけていること

A　当然ではありますが、間違った日本語を書かないことは第一に気をつけます。美文ではなく、簡にして要を得た文章を書きたいと思っていますが、それは小説全体を簡単な文章で書きたいからではなく、むしろ一冊中にせいぜい一、二ヶ所しかない、ほとばしるような一文のための準備というように感じています。

Q　最近読んで面白かった本

A　『「弱い父」ヨセフ』（竹下節子著）

キリスト教の宗教絵画ではマリアとイエスの「聖母子」が一般的であり、

学生時代　答えたことは真実ですが、ミステリについてお話しするなら、大きな出会いが一つ抜けています。森博嗣『すべてがFになる』です。

そこにヨセフを加えた「聖家族*」の絵が出てくるのはずいぶん時代が下ってからです。養父という微妙な立場ゆえに時には無視され、時には嘲(あざけ)られたヨセフが、いかにして現在の「聖ヨセフ」になっていったのかが、平易かつ興味を誘う文章で書かれています。

『鉄道忌避伝説の謎』(青木栄一著)

新技術である鉄道は日本各地で嫌われ、「火の粉で火事になる」「洗濯物が黒くなる」と言われ、町や村は線路を押しつけあった。しぶしぶ受け入れた町は鉄道によって栄え、線路を拒んだ町は衰退の中で歯がみした……という、いかにも事実らしい話は「伝説」に過ぎないとし、実際を検証した本。伝統の創造には常に興味があります。

『アガサ・クリスティーと14の毒薬』(キャサリン・ハーカップ著、長野きよみ訳)

ミステリを入口に毒の解説を試みる本は何冊かありますが、これは読み物としての楽しさがずば抜けています。著者が毒物の知識を持つだけでなく、クリスティーに深い興味を持っているからこそ、これほど面白いのでしょう。戦時中に調剤師*として活動していたクリスティーがいかに正確に毒薬を用いていたのか、驚くばかりです。

「聖家族」
聖家族を描いた小説で思い出すのは、**「飼葉桶を囲む牛とロバ」**(シュペルヴィエル)。この小説でヨセフは、マリアとイエスのために麦藁を用意し、笛を吹いてイエスをあやし、イエスに敬意を表すために集まった動物たちの行列を取り仕切って、面会時間を管理していました。奇蹟と恩寵の場で、ずっと実務を担当していたのです。ヨセフにはどこか、生活感がある……『「弱い父」ヨセフ』を読むと、それこそが今日のヨセフ信仰の礎なのかなと思います。

調剤師
有名なエピソードがあります。薬剤師の下で調剤師を務めていたクリスティーは、ある時、薬剤師の処方が間違っていることに気づきます。立場的に異を唱えられなかったクリスティーは、ミスを装って処方された薬をこぼしてしまったといいます。

Q　自分に影響を与えた時代／場所

A　特にここが、この時代がというのは思いつきませんが、現代とは異なる価値観や社会システムを知ることは、いつでも興味深いことです。「鍋をみんなでつつく」*「結婚式で三三九度の杯を傾ける」「食前に『いただきます』と言う」「悪いことをすると牢屋に入れられる」……いまでは当たり前のことにも始まりはあります。なぜ始まってどうして受け入れられたのか、広い範囲で知ることができれば、と思っています。
最近ですと、新しく統治することになった場所の名前を新たにつけるという行為が、どのあたりから始まったのか興味を持っています。通称しかなかった土地に行政地名をつけるというのは昔からあったでしょうが、軍事的に征服した土地の名前を変えてしまったのが「岐阜」「長浜」以前にあるのか、最初の例を知りたくてぽつぽつ調べています。

Q　特に思い入れのある作品

A　思い入れと言えるかはわかりませんが、**『儚い羊たちの祝宴』***（新潮文庫）に入っている**「玉野五十鈴の誉れ」**という短篇は、この岐阜県図書館にお世話になりながら書きました。たしか暑い時期で、窓際の席でじりじりと焙られながら資料を見たような記憶があります。図書館といえば**『クドリャフカの順番』**（角川文庫）に必要な資料は、高山市立図書館であたりました。夜遅くまで開館しているので、ずいぶんと助かりました。

「鍋をみんなでつつく」
『考証要集』（**大森洋平**）によれば、江戸時代、江戸の料理屋に鍋料理はなく（〝大鍋の汁は必ず各自の椀によそってから〟ともありますから、大鍋自体はあったようです）、文明開化後の牛鍋も一人前ずつの小鍋が基本であったといいます。そういえば**岡本かの子「家霊」**にちなもうと両国にどじょう鍋を食べに行った時も、鍋は一人前ずつの小鍋でした。

『儚い羊たちの祝宴』
米澤穂信　新潮文庫。夢想家のお嬢様たちが集う読書サークル「バベルの会」。夏合宿の二日前、会員の丹山吹子の屋敷で惨劇が起こる。翌年も翌々年も同日に吹子の近親者が殺害され、四年目にはさらに凄惨な事件が。優雅な「バベルの会」をめぐる邪悪な五つの事件。（編）

Q　休日の過ごし方
A　あまり全休の日はありませんが、たいてい次の小説のことを考えています。

Q　岐阜県をモチーフにした作品
A　『氷菓』（角川文庫）に始まる〈古典部〉シリーズの舞台は、高山市とその周辺をイメージしています。『さよなら妖精』（創元推理文庫）の舞台もそうですが、こちらは重要伝統的建造物群保存地区や桜山八幡宮、東山寺院群に相当する場所が登場するため、〈古典部〉の舞台よりも実際の高山市に近いものになっています。
『春期限定いちごタルト事件』（創元推理文庫）に始まる〈小市民〉シリーズの舞台は、岐阜市をイメージしています。

文庫と共に去りかけぬ

私が初めて世に出した本、『氷菓』は文庫書き下ろしだった。より正確には、角川学園小説大賞ヤングミステリー&ホラー部門という賞に応募し、奨励賞を受賞した小説が、文庫として刊行された。このたいへん長い名前の賞に私が応募したのは、不慮の事故*により本来応募を考えていた賞の締切に間に合わなかったためだ。受賞作がどういう形で出版されるのかも知らなかった。なにしろ、ヤングミステリー&ホラー部門というのはその年に初めてできたのだから。スニーカー・ミステリ倶楽部というこれもまた長い名前の文庫ミステリレーベルを新しく立ち上げ、受賞作はその中に収録されるのだという話は、受賞後に聞いた。

当時、若年層にミステリを読んでもらおうというレーベルが林立していた。富士見書房が富士見ミステリー文庫*を起こし、白泉社は白泉社My文庫*を立ち上げ、徳間書店の徳間デュアル文庫*もミステリを扱っていた。これらの動きの背後には、こんにちの「少年探偵団」を見出し、少年探偵小説の復権をもって ミステリの裾野を広げようとする気運があるのだと私は思い、微力ながらその一助になれればとさえ思っていた。本当の思惑はどうだったのかわからない。

不慮の事故
レーザープリンタのトナー切れです。

富士見ミステリー文庫
『砂糖菓子の弾丸は撃ちぬけない』(桜庭一樹)を別格とするなら、『無謬邸は暁に消ゆ』(新城カズマ)が好きでした。

白泉社My文庫
やはり、『アルファベット荘事件』(北山猛邦)が素晴らしかったです。

徳間デュアル文庫
SFの印象が強いですが、『海底密室』(三雲岳斗)などが出ていたんですよね。

自らの初めての小説が世に出たとき、私は書店に勤めていて、作家と書店員という二重の意味で新レーベル誕生の前線にいた。自著の隣に、太田忠司や西澤保彦といった歴戦のミステリ作家が小説を寄せたアンソロジー*が並ぶのを見て胸を高鳴らせたものだ（このアンソロジーはシリーズ化され、有栖川有栖、恩田陸、泡坂妻夫など幅広い作家が寄稿することになる。このあたりが、スニーカー・ミステリ倶楽部は「一線級の作家に若年層向けミステリ小説を書かせる*」という少年探偵小説の手法を踏襲しようとしていたのではないかと思った理由だ）。しかし私は、読者層が広がっていないことにも気づいていた。結局、先に挙げたミステリ文庫はそのほとんどが短命に終わり、生き残ったものもミステリからは遠ざかった。スニーカー・ミステリ倶楽部も二年ほどでレーベルを閉じることになる。

『氷菓』もまた、版を重ねることのないまま、レーベルの休止と共に店頭から姿を消していった。これが復活するのは四年後、二〇〇五年に角川文庫に収録された時のことだ。ありがたいことに、角川文庫に入った『氷菓』は三ヶ月で重版を果たし、その後も長く読んで頂けている。私自身のスニーカー・ミステリ倶楽部への思いは複雑だ。あのレーベルでは自著が広く読まれず、自身もレーベルの消滅と共に小説を発表する場を失いかけたことを思えば、いい思い出だと言えないのは事実だ。しかし一方で、私に商業出版の苛烈さを教え、私の最初の読者に本を届けてくれたのがあのレーベルだったということを考えると、すべてが悪い思い出だとも言えないように思うのだ。

アンソロジー
『名探偵は、ここにいる』です。

一線級の作家に若年層向けミステリ
これを明確に志向したのが、講談社ミステリーランドでしょう。とにかく次の世代にミステリを読んでもらわなくては、という祈りを感じました。

ネヴィル・シュートの『パイド・パイパー』について

ネヴィル・シュートの『**パイド・パイパー**』について書く。

子供のころ、**キャパ**の写真（ノルマンディー上陸作戦のもの）を見て、兵士を前から撮るということがどういうことかわかったので大変に驚き、銃下の中で仕事をするということについて考えた。家にあった『**ちょっとピンぼけ**』も読んだが、ドラマティックなところがあまりなく、迫力あるオハナシを求めていた子供には物足りなかったようだ。後に読んだときには、その抑えた筆致の奥に韜晦（とうかい）された人間性を感じたものだったけれど。

国語の教科書には**大岡昇平**などが載っていたと思うが、いま印象に残っているのは『**西部戦線異状なし**』だ。とはいえもっとも、読むきっかけになったのは**押井守**原作**大野安之**作画の『**西武新宿戦線異状なし**』だったのだから、そんなに真面目に読み始めたわけではなかったと思う。

ひどく静かな話だった。悲劇なのかもしれないけれど、大げさな悲劇として書くわけではなく、ただ静かに戦争だけが進んでいった。砲撃跡のクレーターに敵の死体と取り残され、自分が殺した男が印刷工だったことを知るシーンが

*どういうことか
撃ってくる相手に背を向けているということです。

印象的だ。主人公は、戦争が終わったら償いのため自分も印刷工になろうと決心する。でも戦闘が止み、陣地に戻ると、そんなことはもうぜんぜん思い出しもしないのだ。

そうこうしているうちに、あのユーゴスラヴィア紛争が起きた。

ベルリンの壁が崩れて、これで物騒なニュースは世の中から一掃されるのだ、と子供心に思っていたところに東欧での民族紛争が頻発し、しかもどうやら「冷戦が終わったこと*が原因」らしいと聞いた。

正直、理解の外だった。何が起こって、誰が悪くて毎日戦争報道がなされているのかよくわからなかった。スロヴェニア紛争とクロアチア紛争とボスニア・ヘルツェゴヴィナ紛争の区別もつかない状態ではやむを得なかった。

そのわからなさは、戦争一般のわからなさにつながっていった。歴史の教科書は戦争でいっぱいで、『三国志』は面白かった。トロイア戦争の物語などは喜んで読んだ。しかし目の前の戦争は、金のリンゴが原因で起きているわけではないことは明白だった。

一九九六年、大学に入った私は、こつこつユーゴ関係の本を読み始めた。学者の**柴宜弘**（のぶひろ）と、ジャーナリストの**千田善**の著作を読んだ。しかし一番よく憶えているのは**山崎佳代子**の『**解体ユーゴスラビア**』だ。これは、戦争の前後、山崎佳代子が現地の人と交わした茶飲み話をひたすら収録した本だ。戦地からは遠く離れたベオグラードで、いつの間にか戦争になり、そしていつの間にか*敵への侮蔑が膨らんでいくさまを、リアルタイムで描いていくものだ。

冷戦が終わった
同年代の方にはわかっていただけるかもしれません。いつかは（明日か、来年かには）全面核戦争が起きて、自分は大人にはなれないかもしれないという諦めをどこかに抱えた子供時代でした。

いつの間にか
多くの人が、テレビや新聞で他民族のことを悪く言うからだと言っていました。しかしそれは「原因」から伸びた枝のようなもので、幹ではなかったでしょう。

私の興味は、いつのまにか、戦争そのものや戦場ではなく、その後ろにいる普通のひとびとに移っていた。

ユーゴと言えば、**イヴォ・アンドリッチ**を読んだりもした。ユーゴの作家なら**ダニロ・キシュ**が面白かった。**『死者の百科事典』***は変な話がいっぱいだった。ソヴィエトがウクライナで虐殺を行ったのは、ロシア白衛軍の生き残りがハンガリーで売り飛ばした一冊の本が帝政フランスに渡ったからだ、という真実をアメリカで暴くという長くて壮大な――「短篇」とか。

『女王陛下のユリシーズ号』（アリステア・マクリーン）や**『ナバロンの要塞』**（同）、**『鷲は舞い降りた』**（ジャック・ヒギンズ）などを読み、映画では「遠すぎた橋」や「レマゲン鉄橋」をよく憶えているが、それらはキャパや**レマルク**を読んで、現実としてのユーゴ紛争を調べている脳味噌とは違う脳味噌で楽しんでいたのだ。もっとも、当然のことだ。ミステリを好み、書いてはいるが、現実の殺人事件に対する思考とはぜんぜん違うのだから。

心のどこかでは、『西部戦線異状なし』のような、もっと静かな小説を求めていた。

映画も見たが*、「ブコバルに手紙は届かない」は、ぜんぜん、静かではなかった。映画だったら〝美しい村は燃えるときも美しい〟という意味の題名を持つ映画が、少し静かだった。邦題は単に「ボスニア」だったが。

卒業論文では、ユーゴスラヴィアのことを書いた。

やがて、歴史上どういう人々が兵士になり、ならなかった人々はどうするの

『死者の百科事典』
上で触れている短篇は、**「王と愚者の書」**です。ほかには、誇り高く銃殺に臨んだ男が本当に誇り高かったのか、それともその誇り高さは陰謀による演出に過ぎなかったのかを問う**「祖国のために死ぬことは名誉」**をよく憶えています。

映画も見た
ここでエミール・クストリッツァ監督に出会っていないのが不思議です。運が悪かったか、アンテナが低かったか、その両方でしょう。

かという興味は、**藤木久志**の研究で結構満たされるようになった。これは日本の戦国時代に関する研究で、『**雑兵たちの戦場**』*が一番有名だと思う。彼の研究で、現代の総力戦とそれ以前の戦争の違いというのが見えるような気がしてきた。兵士ではない生産者たちの自衛のたくましさはインパクトがあった。その面白さは、拙作『**犬はどこだ**』に込めたつもりだ。

そして私は大学を出て、『さよなら妖精』を書くことを決意した。けれどまだ、民族紛争の憎しみの本質をつかみきれた気はしなかった。サラエボとコソボの区別ぐらいはつくようになっていた。けれどまだ、民族紛争の憎しみの本質をつかみきれた気はしなかった。

仕方がないので、各民族の間に生まれた連邦主義者を主人公にして書いた。**笠井潔**先生に、多文化主義的な連邦主義は時代遅れ、という主旨の当を得たご批判を頂いたが、自分自身それはわかっていた。ただ、私にはそうとしか書けなかったのだ。

時は流れ、いろいろな話を知るようになった。

シモ・ヘイヘやヴァシリ・ザイツェフ、ハンス・ルーデルなどの英雄譚も、楽しく読んだ。しかし私が好きなのは、たとえばキスカ島撤退作戦や、エムデン号の逸話だった。ドラマティックなお話を、ミステリを楽しむがごとく楽しむ一方で、でもこれらはレマルクに感じた静かさとはぜんぜん異質だと思っていた。

でも一昨年、ようやく、求めていた静かな本にめぐり合うことができた。

それが、ネビル・シュートの『パイド・パイパー』である。

『**雑兵たちの戦場**』
藤木久志　朝日選書。飢餓と戦争があいついだ日本の戦国時代、英雄たちの戦場は、人と物の掠奪で満ちていた。戦場に繰り広げられる、雑兵たちの奴隷狩り——。雑兵たちの視点に立つことで、意外な戦国社会の姿が見えてくる。（編）

これはどこに掲載された文章だったのか、記録がありません。ハードディスクの片隅に残っていました。インタビューを受けるにあたって準備した原稿だったように思います。

一文に願いを託す――於・福岡県大刀洗町

福岡県大刀洗町から講演のご依頼を頂きまして、お話してきたときの講演録です。なぜ私にご依頼があったのかというと、おそらくですが、拙作『さよなら妖精』『王とサーカス』『**真実の10メートル手前**』に「太刀洗万智」という登場人物がいたからのようです。そんなご縁でお仕事を頂くことは、そうそうないことです。お話を頂いた経緯が経緯なので、この講演では太刀洗万智が登場する小説についてお話をしています。

■福岡との縁

福岡には何度か来たことがあって、太宰府天満宮にもよく参拝しています。境内に、中嶋神社という兵庫県にある神社の分社があって、そこには田道間守命が祀られている。実はこの田道間守命、お菓子の神様なんですね。自分もお菓子の名前がつく小説をいくつか書かせていただいているので、そのシリーズがうまくいきますようにとお参りしています。

一昨年は、柳川を訪ねました。水堀が張り巡らされた、たいへん美しい町です。**北原白秋**のふるさととしても有名で、その名を冠した白秋祭というお祭りを見に行きました。お堀のまわりを舟で巡りながら歌舞音曲を楽しむ、たいへん雅な祭りでした。

柳川と大刀洗は、古くは筑後国というひとまとまりの地域で、江戸時代の最初期には田中吉政という大名が治めていました。柳川に堀を巡らして水郷の町を築いたのも、この吉政の仕事です。ところがその後、地元の人々に敬愛されていた立花家が戻ってきたものですから、吉政はやや立花家の陰に隠れているようなところがあります。遡(さかのぼ)って調べると、吉政は実に面白い人生を辿っています。

彼に男子の孫がいなかったため田中家が絶えた後、大刀洗を含む久留米(くるめ)一帯は有馬(ありま)家の領地になります。この有馬家には、ミステリとの意外な繋がりがあります。有馬家は明治維新の時に華族になるのですが、当時、伯爵有馬頼寧(よりやす)の三男に、**有馬頼義**(よりちか)という人物がいました。この方がだいぶ型破りで、小説を書いていた。『兵隊やくざ』という題名で映画化もされた『**貴三郎一代**(きさぶろう)』*などが有名です。その有馬頼義ですが、ある日、江戸川乱歩(えどがわらんぽ)に「君もミステリを書いてみないか」と言われて、実際に書いているのです。

当時、乱歩は「宝石」という雑誌をなんとか立て直そうと、ミステリ作家でない人々にも声を掛けて、ミステリを書かせていました。

さすが華族というのか、有馬頼義の自宅にはプールがあったそうで、ある日そのプールで泳いでいたところに、突然乱歩が訪ねてきた。奥さんが慌てて頼義のところへ行って、「大変です、乱歩先生がいらっしゃいました」と言うと頼義も驚いて、「応接室にお通ししておいてくれ」と話しているところ、乱歩がプールサイドをとことこ歩いて、こちらへやってくる。まだ濡れたままの頼義に原稿の依頼をして、彼が引き受けると笑顔で帰っていったそうです。

ほっこりする話ですが、乱歩のこの依頼を受けて有馬頼義が書いたのが『**四万人の目撃者**』。面白いです。この小説で頼義は日本探偵作家クラブ賞を受賞しました。私にとって、偉大な先輩のひとりです。

『兵隊やくざ—貴三郎一代』
有馬頼義　光人社NF文庫。ビンタも、階級も、軍律も通じない一等兵・大宮貴三郎が、満州の荒野にくりひろげるユニークで、無頼の軍隊生活。戦争にゆがめられながらも、なお人間性を失わない人々の姿を活写する。直木賞作家みずからの三年有余にわたる軍隊体験に裏打ちされた著者の代表作。(編)

私の小説では、『真実の10メートル手前』＊に収録されている**「名を刻む死」**という短篇の舞台が福岡＊ですね。どうしても福岡でなければならなかった理由はないのですが（笑）、強いて言うなら、大きな国際会議が開かれる場所が条件だったのです。国際会議のために警察が一旦そちらの警備にまわっている話なので、日本で大きな国際会議が開かれそうな場所ということで選びました。

もし小説で特定の場所を舞台にするにあたって気にしたことがあるとすれば、同じ『真実の10メートル手前』に収められている**「綱渡りの成功例」**でしょうか。大水害の話なので、もし、これから近い将来に本当に大水害が起きるかもしれない町を舞台に小説を書いてしまうと、もしかしたら読んで悲しむ方がいるかもしれない。そう思って、あまり大きな川の走ってない、地盤が固そうで、そう近々に水害は起きないだろう町を舞台にしました。

■**徳田秋声**にまつわる、ある一言

実は先日、金沢で別の講演がありまして、会場の近くに石川近代文学館があったので、帰りに立ち寄ってみました。同じ金沢出身の泉鏡花と**室生犀星**と徳田秋声を、三文豪と呼ぶこともあるようです。

鏡花は読んでいまして、**「眉かくしの霊」**などはたいへん愉快で面白いなと思っています。

『真実の10メートル手前』
米澤穂信　創元推理文庫。『王とサーカス』の続編。高校生の心中事件。二人が死んだ場所の名をとって、それは恋累心中と呼ばれた。週刊深層編集部の都留は、フリージャーナリストの太刀洗と合流して取材を開始するが、徐々に事件の有り様に違和感を覚え始める。（編）

福岡
のちに私は、福岡の縁起譚でもある『黒牢城』という小説を書くことになります。

犀星は、以前『ボトルネック』という小説でその歌碑にすこし触れたことがあります。もっと面白みを知りたいなと思うところのある作家です。

そして、秋声ですが、実は読んだことがありません。ただ彼については、有名ではありますがどこで読んだのかどうしても思い出せない、こんなエピソードを知っています。

徳田秋声と泉鏡花は、ともに尾崎紅葉(おざきこうよう)を師匠としていました。鏡花は師匠をたいへん尊敬していたのですが、一方で秋声はあまりそうではなかった。紅葉が亡くなった後、彼の全集を編もうという席で、秋声がこんなようなことを言ったそうです。

「紅葉というのは甘いものが好きで、甘いものをあんなに食べていたから早く死んでしまったんだ」

これを聞いた鏡花は、兄弟弟子の言うこととはいえ敬愛する師匠のことですから、黙っていられません。二人の間にあった火鉢を飛び越えて*、秋声を殴りつけてしまった。その後、帰りの車のなかで秋声は泣いたということです。

この話は、石川近代文学館の展示でも紹介されていたのですが、そちらでは単に泣いたとは書かれず、「秋声は、車のなかで『悔しくて』泣いた」と書かれていた。この「悔しくて」の一語があるだけでずいぶん話は違ってきます。

いったいこの徳田秋声というひとは、何が悔しかったのだろう。おそらく、殴られて「ああ、殴られた。ちくしょう悔しい、鏡花め!」と泣いたのではないでしょう。悔しいとすれば、いくら兄弟弟子相手に打ち解けたような気持ち

火鉢を飛び越えて
私は徳田秋声が「『悔しくて』泣いた」という展示に遠まわしの疑問を呈したに留まりましたが（悔しくて泣いたのか悲しくて泣いたのか、それとも実は嬉し泣きだったのか、余人にわかるはずもないと思ったのです）、この講演録は北村薫先生のお目に留まり、先生はこの伝説的場面の真偽を検証した**「火鉢は飛び越えられたのか」**（**『中野のお父さんは謎を解くか』**所収）という短篇を書かれました。

があったとしても、師匠を侮辱するようなことを言って、温厚な鏡花をこれほど怒らせてしまった、そんな己の迂闊(うかつ)さが悔しかったのではないか。「『悔しくて』泣いた」という一言から、そんな風に私は連想しました。

　これはあくまで勝手な推測なので、当たっているかどうかはわかりません。文学館で見た「悔しくて」の一語はどこから来ているのか探ることも含めて、もうすこし色々な本を読んでみなければいけないようです。でないと、秋声というひとは、私のなかでいつまでも「鏡花に殴られたひと」というだけのイメージしか残りませんので。

　さて、この「悔しかった」の一言から話を広げます。たった一言に小説家がどのような思いを込めるのか、今日はそんなことについてお話ししたいと思っています。

■太刀洗万智について

　今日はせっかく大刀洗町での講演ですから、私の小説の中から、もっぱら太刀洗万智(たちあらいまち)という人物が出てくるものについて取り上げたいと思っています。その前に少し、彼女について簡単にお話しします。

　彼女が最初に登場したのは、『さよなら妖精』という小説です。当時、これから書こうとしていた小説に出てくる人物に似つかわしい名字がないかと、**丹羽基二**(にわもとじ)という名字研究の先生が書かれた**『日本姓氏大辞典』**を繰(く)っていた。その最中に「太刀洗」に目を留めて、「これは使いたい」と直感で思いました。

太刀洗という名字を選んだのは、その字に怜悧さとともに、優美さを感じたからです。私がこれから書こうとしている太刀洗万智という人物も、怜悧でありながら、その刃を秘めるようなところがある。ちょっと恥ずかしがり屋で、情けは深いのだけれども、それを表には出さない、誤解されがちな人物。そういうひとを書こうと思っていました。


『さよなら妖精』という小説に太刀洗万智が登場した時、彼女は高校生でした。入学早々、夜更かしでもしたのか、こくっこくっと舟を漕いでいた。そこから彼女を「船頭」と呼ぶ守屋路行とともに、マーヤ・ヨヴァノヴィチという少女に係わる冒険に加わっていきます。

この小説の主人公は守屋路行で、太刀洗はあくまで友人というか、一人の脇役でした。一方で、彼女がミステリにとっての探偵役であることは、当時から変わっていません。本来の小説のなかでの探偵役・守屋路行よりも、常に先んじて真相を見出すけれども、「これが真相だと思う」と言うのが恥ずかしくて、それとなく仄めかして終わるという、ちょっとややこしい性格の人物でした。

■英題を付ける――『さよなら妖精』について

『さよなら妖精』が文庫化された時、英語の題名が付きました。創元推理文庫は元々翻訳小説を紹介する文庫で、本のなかに、原題と著作権表示を記載するページがあります。それを踏襲して、日本人の小説にも英題が付くようになっているのです。*

『さよなら妖精』に英題を付ける時、色々と考えて、「The Seventh Hope」としました。本来なら直訳して「Bye bye, Fairy」でもよかったのに、なぜ全然違う英題を付けたのか。その理由は、同じ創元推理文庫から出ていた、北村薫先生の『六の宮の姫君』という本にあります。

『六の宮の姫君』は、〈円紫(えんし)さんと私〉と呼ばれるシリーズの四作目にあたります。それまで本シリーズの英題はすべて直訳で付けられていました。ところが、『六の宮の姫君』だけは違っていた。「A Gateway to Life」という英題が付いていたのです。「生への門」もしくは「人生への扉」という風に訳されるかと思いますが、これはあるいは『マタイによる福音書』から来ているのでしょう。本来の題名と違う英題が付くことで、小説に対して別のアプローチを生む、もうひとつの扉が開くような気がしました。その扉を自分の小説にも付けたい、そう願って「The Seventh Hope」という題を選んだのです。

実は、この英題にはもうひとつ案がありました。「The Vanishing of the Seventh Hope」、「七番目の希望の消滅」です。本作はユーゴスラヴィアがテーマになった小説です。ユーゴスラヴィアという国は既になくなっているので、「The Vanishing of」をつけたほうが、実は小説の内容には合っている。だけ

＊日本人の小説にも英題
新しい創元推理文庫を手にすると最初にこの英題を確認してしまうのは、決して私一人でないと信じています。

ど、最終的に私はそれを取りました。なぜか。

小説を書くうえで、登場人物には尊厳をもたせるべきです。登場人物は、あくまで作家がつくりだして、都合のいいように動いてもらう、ひとつの手駒ではある。それは事実ですが、それでも登場人物たちには尊厳を認めてあげたい。これは精神論や、情け深さではありません。尊厳を認めようとすると、こういう場面では彼ならばこう言うはずだ、こうは言わないはずだということが、次第に見えてくるのです。それが見えることで小説が活きるはず。私はそう信じています。

英題が指す「七番目の希望」は、マーヤという人物が一生をかけて追い続けた夢を指しています。その夢は汚され、叶わなくなってしまうけれども、英題でまで「彼女の夢はいっさい叶わなかった。消滅してしまったのだ」と書いて、追い討ちをかけなくてもいいのではないか。それは、彼女の尊厳を侵す、侮辱する行為ではないか……。「The Vanishing of」を取ったのは、そういう思いがあったからです。

■英題を付ける――『王とサーカス』について

『さよなら妖精』の次に太刀洗万智が登場する小説が、『王とサーカス』*です。このなかで太刀洗は、新聞社を辞めて、これからフリーの記者として身を立てていこうとするも、まだ自分と仕事の関係を確立できていないまま、半分新人

『王とサーカス』
米澤穂信　創元推理文庫。フリージャーナリストの太刀洗万智がネパールのカトマンズに赴く。穏やかな時間を過ごそうとした矢先、王宮で殺人事件が発生。太刀洗は早速取材を開始するが、そんな彼女を嘲笑うかのように、彼女の前には死体が転がり……。主要ミステリーランキング三冠達成の傑作。（編）

のような心持ちでネパールに行きます。

なぜ『さよなら妖精』の主人公であった守屋路行ではなく、太刀洗万智が主人公になったのか、訊ねられることがあります。守屋という人物は『さよなら妖精』の経験を経て、どういう人生を歩んでいくのだろうか、彼はおそらく学問の道に進み、学問的な見地から『さよなら妖精』という物語を彼自身の人生のなかで消化していくのではないか。そう思ったので、守屋ではなく、太刀洗を主人公に選んだ。この質問に対して、私はこのように説明してきました。

しかし、この間『さよなら妖精』の新装版が刊行される時に読み返して、ああそうか、これも理由だったかもしれないということに思い至りました。結局、守屋路行は、『さよなら妖精』という小説のなかで、彼自身の物語を一回生ききっている。彼は十分に出番を終えた役者*だったのだ。見事に役を演じきって舞台を降りた役者をもう一度舞台に上がらせることに躊躇(ためら)いを覚えて、太刀洗万智が主人公になったのかもしれません。

『王とサーカス』にも英題があります。

「Kings and Circuses」です。「王とサーカス」という言葉自体は、ローマ時代に詠まれた詩*に出てくる「パンとサーカス」という言葉にもとづいています。「パンとサーカス」とは、食べ物と娯楽という意味です。かつては、国のために身を砕(くだ)き心を砕いたローマの民衆も、今や堕落して、本気になって要求することと言ったら食べ物と娯楽だけだと嘆(なげ)く言葉だそうです。

出番を終えた役者
出番を終えた役者がふたたび主役を演じようとすると、ふつう、あまりいいことにはなりません。無理にでもそうするならば、彼（彼女）からは何かが奪い取られることになります。

ローマ時代に詠まれた詩
ユウェナリス「風刺詩」第十番80

ここから「王とサーカス」という私の小説の題名を取ったのですが、「The King and the Circus」と単数形で書くことも考えられました。そちらの方がふつうだったかもしれません。

ではなぜ複数形を選んだのか？　ここには、願いが込められています。

この小説のなかで太刀洗万智はネパールに行き、王族殺害事件を取材することになります。つまり本来「王とサーカス」は、事件のなかで殺害されてしまったネパール王と太刀洗の記者としての仕事、という程度の意味です。しかし、この題名に私は、うまくいったら、それ以上の意味が込められるかもしれないと思っていました。

王という言葉が、ネパール王ひとりを指すのではなくて、王という言葉が暗示する、もっと様々なもののことを表すことができるかもしれない。同様にサーカスという言葉も、太刀洗万智個人の仕事だけではなくて、記者という仕事が象徴する広いものが表せるかもしれない。小説のなかに書かれている単数の「王とサーカス」ではなくて、もっと広いものを暗示したかったのです。

小説がうまく書けたかどうかは、作家自身にはわからないこと*です。読者に「なるほど、これは『the King』ではなく『Kings』であった。『the Circus』ではなく『Circuses』であった」と思ってもらえていれば幸いです。

『王とサーカス』という小説のなかで太刀洗万智は、ある有力な情報提供者からこのように言われます。「お前の書くものはサーカスの演し物(だしもの)だ」。この言葉にどのような意味が込められているのか。そして、太刀洗万智が、その言葉に

作家自身にはわからない
これが本当にわからないんですよね。自信作がいまひとつ楽しんで頂けなかったり、これは駄目だと封印しかけたものが好評を博したりします。ですから私は、私自身の評価は小説にとって最もどうでもいいことだと思っています。

どうやって答えていくのか。それは小説でお読みいただきたいと思います。

■英題を付ける——『真実の10メートル手前』について

太刀洗万智が登場する三冊目の本が、『真実の10メートル手前』です。——とは言っても、収められている作品のほとんどが、実は『王とサーカス』より前に書いたものです。この本のなかで太刀洗は、プロのフリージャーナリストになっています。六篇収録されていますが、そのなかで太刀洗は、現地に行って関係者に話を聞く段階で、事件の構造をおおよそ読み解いているので、割と簡単に謎を解いているように見えます。ですが、自分の部屋ではものすごく悩み考えている筈です。夜も寝ないで考えに考えて、こうではないかという仮説を組み立てて、そして取材にとりかかる。取材の結果が仮説に反していたら、また一から考え直す。そういうことをしているんじゃないかと、『王とサーカス』を先にお読みいただいた方には、伝わっているかもしれません。

そういう意味で、『王とサーカス』ではあまり思いませんでしたが、『真実の10メートル手前』の太刀洗は、絶対に自分の部屋が綺麗じゃないと思うんです(笑)。資料が散らばっていて、そこにばたっと寝ているところが思い浮かびます。

『真実の10メートル手前』には最初、「Mightier than the Sword」という英題を付けようと考えていました。「剣よりも強い」という意味です。元になったのはもちろん、「ペンは剣よりも強し」です。「強い」と言うが、果たしてここで言われている強さとは何だろう、太刀洗の仕事のいったい何が強いというのだろう。そういう感じを読者に与えることができれば成功だなと思っていました。

ところが、実際に邦題と繋げてこの英題を書いてみると、どうも彼女が「どうだ、私の仕事は剣よりも強いだろう」と胸を張っているように見えてしまった。これではまずい*、別のものを考えなくてはなりません。

そこで、直訳してはどうかなどと英単語を捻(ひね)るうち、ふと思いついたのが「How Many Miles to the Truth」、これはマザーグースの「バビロンまでは何マイル」という歌からもらっています。

これも実は普通の文法とは違うところがあります。「How Many」で始まるなら、もちろん、最後にクエスチョンマークが付く筈なのです。実際この題名をお送りした時に、編集者の方から「これはクエスチョンマークはいらないのですか」という確認がはいりました。英題はあくまで小説の表現の一部なので、かならずしも厳密に文法に従う必要はないのですが、英語に詳しい方やネイティブの方に苦笑いされてしまうようでは、やっぱり恥ずかしい。しかし私は、これにはハテナを付けたくなかったのです。東京創元社が翻訳に強い出版社であることから、英語に詳しい方にお願いして、ネイティブならどう感じるかとお聞きすることができました。

これではまずい　いちおう、二〇一六年に邦訳が出たジェフリー・アーチャー『剣より強し　クリフトン年代記　第5部』の原題がまったく同じであったという事情もありました。しかしもし案出した題名が小説にとってふさわしいものであれば、そのまま命名していたでしょう。

そうしたところ、この英題にクエスチョンマークが付くと、「真実までは何マイルありますか」という質問になる。ということは、答えが得られることを何となく予想している。まさに答えを聞くための疑問になる、と教わりました。一方でそれがないと、「真実までには、いったい何マイルあるのだろう」という、疑問だとしても答えが得られないのではないかという詠嘆の感じが出るとのことでした。まさに私はそういう感じを出したかったものですから、我が意を得たりと膝を打ち、ハテナはつけないままとしました。

邦題は「真実の10メートル手前」です。10メートルなんて、ものすごく近いわけではないけれども、手がかかる距離まできている、真実までもうすこしで手が届くという題名です。一方で、英題は「Miles」です。一マイルが一・六キロメートルで、それがどれほどあるかわからないのですから、真実はものすごく遠いわけです。どのくらい離れているのか見当もつかない。つまりこの小説は、邦題で見ると目の前にあるように感じるけれども、英題で見るとものすごく遠い感じもする。近いのか遠いのかわからない、邦題と英題をならべて見た時に、そういう感じを受けとってもらえないかなと思っています。

■英題を付ける──「花冠の日」について

太刀洗万智が登場する小説で最後に紹介するのは、先日刊行された『さよなら妖精』の単行本新装版に寄せた「花冠の日」です。この小説に、私は「A Flower Crown」という英題を付けました。「花冠の日」ですから、「The Day of Flower Crown」とか「Flower Crown's Day」など、色々工夫することもできたはずです。ですが「花冠の日」は、言ってしまうと追悼の小説です。追悼に長いものや凝ったものはいらない、あるものをそっと出せばいい。そのような思いから、「A Flower Crown」としました。その一方で、世界中のどの花冠なのかわからないけれども捧げられてほしい、そういうような願いを込めて、theではなくaを選んでいます。

作家として仕事をさせていただいて、原稿用紙何百枚何千枚と小説を書いていくうえで、一文一文すべてに血と神経を通わせるというのは、なかなか難しいことです。けれども、題名におけるたったこれだけ、複数形か単数形か、aなのかtheなのか、そんな些細なところにも、こういう風に思いを込めることがあります。作家が普段どういうことを考えているのか、題名や一文に、どういう風な願いを託すのか。そういうことを知っていただく縁になればと、このような話をいたしました。少しなりともお楽しみいただけていれば幸いです。

13冊のミステリについて

二〇二〇年に早稲田大学のワセダミステリ・クラブにお招きいただき、オンライン講演会をした際の講演録です。ミステリの技法を教わった先達の書を十二冊挙げ、それぞれをどう楽しみ、何を学んだのかについてお話ししました。活字化にあたって、ボーナストラックとして一冊足しています。

■ハリイ・ケメルマン『九マイルは遠すぎる』――推理連鎖――

文庫のあらすじに「本格ミステリのエッセンス」とある、まさにそういう一冊です。エッセンス、つまり精髄(せいずい)ですね。ミステリの骨組みを見るような感じがします。

表題作は、「九マイルは遠すぎる。まして雨の中ならなおさらだ」という一文を、作者のハリイ・ケメルマンが十四年考えつくして、小説に仕上げたものです。ワンシチュエーションから推理を連鎖させて飛距離を出していくタイプのミステリは、ここから生まれた。ただ、こういう推理連鎖、いわば「九マイル型」の中で、短篇**「九マイルは遠すぎる」**がパイオニアにして決定版だったかというと、私は、必ずしもそうとは思っていない。というのはですね、表題作は、実は最初の一文からすべてが始まってはいないんです。たとえば昨夜はこんなことがあったとか、この町はこういう状況でという情報が、あとからいろいろと付け加えられていくんですよね。もちろん、それは通常のミステリの手順ではありますが、最初の一文っていうのがずばりと決まってきたという美は、実は、この表題作にはそれほど強くない。

では、その素晴らしさが頂点に達したのはどこか。私は、この本に入っている「エンド・プレイ」か「おしゃべり湯沸かし」だと思っています。読めば、「最初に出ているじゃないか。これは気づいてもよかったな……」と悔しくなる。そこがたまりません。つまり『九マイルは遠すぎる』という本には、この型の嚆矢（こうし）と代表例の両方が含まれている。私はそう思います。

■ロイ・ヴィカーズ『迷宮課事件簿』――倒叙*――

今回講演のために読み返して、いやこんなに面白かったかなぁ、と思いましたね。優れた倒叙ミステリとして記憶に残っていたのですけれども、それ以上に人間スケッチがすばらしい！　こんな人間だったら殺してやろうっていう気にもなる……って。いやもちろん、その気になったからといって殺してはいけませんが（笑）。ヴィカーズはこれほど鮮やかに人の心理を描き出す人だったっけ、とびっくりするくらいでした。でも、そうでないと倒叙の甲斐（かい）がないとも言えます。犯人の心理を緻密（ちみつ）に追っていけるのが、なんといっても倒叙の魅力ですから。

事件があって、犯人が誰なのか読者にはわかっている。警察が彼ないしは彼女に接触すれば、たちどころにすべてがわかってしまう。でも警察には、接触をする理由がない。読者はすべてを見ているはずなのに、事件と犯人を結びつける、ほんの短い糸だけが繋げないんです。そこに迷宮課の、たとえば偶然で

倒叙
ほかに倒叙で好きなものといえば、やはり『試行錯誤』（アントニイ・バークリー）です。心臓に大きな病を抱え、死が間近に迫っていることを知った男が、その命の使い方として誰かを殺そうと考える。最初は政治的暗殺を想定するが、友人たちと会話を重ねる中でそれは結局混乱をもたらすだけだと悟り、もっと卑近な相手を殺すべきだと考える。その彼の前に、まさに、他人に苦痛をばらまくだけの「死んだ方がいい人間」が現れる……というお話です。それにしてもバークリーは、この「死んだ方がいい人間」を出すことが好きだったようで、『試行錯誤』のほかにも『ジャンピング・ジェニイ』や『第二の銃声』などで繰り返しそういう人物を出しています。世の中の見方としてはあまり賛同できるものではありませんが、『試行錯誤』が無類に興味深いミステリであることは変わりません。

あったりとか、優れた推理であったりとか、情報収集によって、この微妙な、ほんとに狭い、あと一本で繋がるっていう糸をぎりぎりのところで繋いでいってしまう。この息詰まる構造は、そうか『迷宮課』で読んだ形だったんだ……と気づいて唸（うな）りました。エラリー・クイーンが一読して「推理短篇小説の分野における新しい古典に際会したという実感をおぼえた」（ハヤカワ文庫『迷宮課事件簿』〔I〕序より）と言ったのも、むべなるかなです。

倒叙は、長いものを書くのがなかなか難しいジャンルです。ミステリとしては、「犯人のミスはどこにあったのか」という書き方になりがちですが、六百ページの小説の中の二百五十ページ目にあった一行でミスしてました、なんてことになってしまうと、読者に「そんなの覚えてないよ」と思われかねない。ですが『迷宮課』を読むと、倒叙ってまだまだ全然豊かな世界だなぁ、と思います。素晴らしい長篇の倒叙も、いくつもありますよね。

■F・W・クロフツ『樽』* ――捜査の楽しみ――

なんだかわからないものを調べてわかっていく、その過程ってやっぱり単純に楽しくって、そこの面白みがすごいので、『樽』は古びないだろうと思っています。よく、『樽』は難しくて、ハードルが高くて、みたいなことを言われることもありますが、いやこれはページターナーですよ。派手なことはないけれども、ぐいぐいぐびぐびと捜査をしていく感じがたまらない。

『樽』はですね、十代のころに両親から教わった小説です。「容疑者が二人出

『樽』
F・W・クロフツ　霜島義明訳　創元推理文庫。パリ発ロンドン行き、彫像在中――荷揚げ中に破損した樽に疑念を抱いた海運会社の社員がバーンリー警部を伴って船に戻ると、樽は忽然と消えていた。紆余曲折を経て回収された樽から出てきたのは女性の遺体。何らかの事実が判明するたび謎が深まり……。永遠の光輝を放つ奇蹟の探偵小説。（編）

てくるんだ。AかBかというだけで最初から最後まで書かれてる小説なんだ……」っていうことを言われまして。本当にそうなんですよね。果たして犯人はドーヴァーの北にいるのか南にいるのか、それだけでひたすら話が進んでいく。つまり、事件の全貌(ぜんぼう)も問題点も、何を解くべきなのかも最初にどかんと出ているわけです。そしてそれは最後まで揺らがない。

樽が発送され、受け取った人がいて、その中には死体がある、という状況で、いったいどっちが犯人なのだろうというのを、細かく細かく、双方の言い分を検証していって、明らかにしていく。この部分は事実と認められる。ここのところは少し嘘があったけれど、おおむね裏は取れた。別のところはどうだ、このところはどうだっていうふうに、論理と調査という鑿(のみ)で、最初に与えられた大きな謎を削り落としていくと、真相が削り残されていく……。

漱石の「夢十夜」で仏像が木の中に埋まっているという話がありますけれども、もともとの木に埋まっている真相というものを調査で彫り出していく、彫刻(ちょうこく)するようなミステリだなあと思ったことを憶えていますね。

■ロス・マクドナルド『さむけ』* ――事件の広がり――

これでもかというほどのミステリ、これでもかというほどのサプライズストーリーです。名作中の名作ですね。この小説についてお話しするなら、語り口について言及しないわけにはいきません。本作において、主人公自身はほぼまったく語られません。自宅すら出てこないんじゃなかったでしたっけ。ですが、

『さむけ』
ロス・マクドナルド　小笠原豊樹訳
ハヤカワ・ミステリ文庫。新婚旅行の第一日目に新妻のドリーは失踪した。夫に同情し彼女の行方を捜すこととなったアーチャーは、失踪の背後に彼女の過去の影が尾を引いているとにらんだ。数日後、彼は手掛かりをつかめぬまま夫の家を訪れた。と、そこには血にまみれ、狂乱するドリーの姿が……!（編）

アーチャーを無個性な、つまらない人物だと思う読者は皆無でしょう。魅力的なキャラクターとはなにか、と考え込んでしまいます。そして個人的に、『樽』と『さむけ』は対照的な位置づけの作だと思っているんです。

『樽』は、最初に大きな事件があった。ところが『さむけ』の最初の事件っていうのはハードボイルドの常で、わりと小さいんですよね。奥さんがどこかに行ってしまった、っていう。その事件がとんでもない事件を呼び起こして、その事件がまた別の恐るべき真相を、そして過去の事件を呼び起こし……っていう感じで、事件がどんどん雪だるま式に大きくなっていく。

最初の失踪事件は間違いなく事件の発端(ほったん)ではあるんだけれども、捜査が進むにつれて、パーツのひとつに過ぎなくなっていく。捜査によって発見されたパーツが組み合わさって、誰それは実は何々であった。あの人は実は裏ではこういうことをしていた、っていうことをですね、依頼人に調査費用をもらって飛行機に乗って……主人公のアーチャーの移動経路って、冷静に考えるとむちゃくちゃですよね。あれは疲れます*(笑)! まあそんな感じで飛びまくるうちに、問いが移っていくんですよね。何が問われているミステリなのか、が変わっていく。調べ続け危ない目にも遭(あ)い、問いを新たに立て直し続けることで、ようやく全体の絵というものが見えてくるんです。

『樽』が大きな木の中にもともとある仏像を彫り出すようなミステリだとするならば、『さむけ』というのは最初の小さなピースから新しいピースを見つけていって、最初は考えもしなかったような信じられない絵が顕(あらわ)れてくるミステ

あれは疲れます
冗談らしく書いていますが、アーチャーのタフさというか、骨惜しみをしない行動力にはつくづく感服します。もちろん筆の上のことですからどんなに無理なスケジュールを組んでも構わないわけですが、アーチャーの「受け取るべきものは受け取るが、一日いくらで働いている以上、一日たりとも遅滞は許されない」という職業意識の強さには、アメリカという国の文化的な背景を感じずにはいられません。

りです。私にとって『樽』と『さむけ』が好対照だというのは、そういう意味です。

■エリス・ピーターズ『死体が多すぎる』*——歴史ミステリ——

冒頭部分のあの、ボールを投げた瞬間に事情がわかるっていう場面が、実にかっこいいですね、はい。

ミステリで歴史を扱うという手つきを、私はエリス・ピーターズから学んだつもりです。この原題"*ONE CORPSE TOO MANY*"がいい。ミステリ作品の中でもとても好きな題名です。最後まで読んでいただくと、ダブルミーニングに気づくと思います。

〈修道士カドフェル〉シリーズは、女帝モードとスティーブン王が争う、イングランドの内乱時代を扱った歴史ミステリです。そして、ただ単に舞台を過去にしただけではない。登場人物たちの精神のありかたが、現代の人間とは決定的に違うんです。私はカドフェルについて語るとき、よく「行間に神がいる」って言い方をするんですが、キリスト教の価値観っていうのが生活のすべてを規定していたころの話だということが、文章から滲み出ています。もっともこのシリーズでは、神の奇蹟だとか悪魔の仕業だとか、そういう超自然的な話はほとんど出て来ません。憶えている限りでは第一巻に当たる『**聖女の遺骨求む**』で少し出てきたぐらいで、それにしたところで、読者はそれが別に奇蹟ではないことを知っている。〈修道士カドフェル〉シリーズの行間に神がいると

『死体が多すぎる』
エリス・ピーターズ　大出健訳　光文社文庫。戦いで捕虜となり処刑された者、九十四名。ところが、埋葬を頼まれたカドフェルが見たのは九十五名の遺体だった。死体が多すぎる。誰が何のために死体を紛れ込ませたのか？（編）

いうのは、登場人物たちが「これは神の御業だ！」と叫ぶことでは、ぜんぜんないのです。チェスタトンの〈ブラウン神父〉シリーズで、ブラウン神父が超自然的な見解をたいてい一顧だにしないことと考えあわせると、興味深いです。

　そして、ピーターズは〈修道士カドフェル〉シリーズを書くにあたって、たとえば『聖女の遺骨求む』ではフルタ・サクラ（神聖盗掠。よその教会や修道院から聖遺物を盗んで、自分たちのところに持ってくること）、**『聖域の雀』**ではアジール（法的な安全地帯のこと。日本では縁切り寺などに見られる）というように、中世には確かにあった、そして現在はおおよそなくなってしまった慣習、価値観をミステリに持ち込むんですよ。デーンゲルド（デーン人への宥和金）であるとか、誓約であるとかね。この時代に生きるとはこういうことであったのか、というのを小説の中で実によく活かしていて、読むたびに嬉しくなってしまうような、大好きな小説です。

『死体が多すぎる』でいえば、決闘裁判ですね。ゲルマン的な自力救済とローマ的な法が結びついたような特殊な裁判で、神は正しい者に味方するがゆえに、決闘の勝者が勝訴するという慣習になります。これは講談社現代新書に**『決闘裁判』（山内進）**といういい本がありますので、興味があったらお手に取ってみてください。

　それで、この決闘裁判の活かし方が実に素晴らしい。小説中では決闘裁判で決着をつける流れになるものの、現代人である我々は、「決闘で負けたからあいつが犯人」では納得しません。しませんよね？（笑）ですから決闘の裏では、カドフェルがちゃんと証拠を見つける場面を書いている。中世の法観念でミステリを進めていきながら、現代的な物証主義でその裏打ちをするわけです。こうでなくてはいけない。さすがですよね。

■高畑京一郎『タイム・リープ——あしたはきのう』*——特殊設定——

この作品を読んだら、登場人物の鹿島翔香と若松和彦を好きにならずにはいられない、という一冊です。

タイムリープの構造、プロットが凄まじい。ばらばらになった時間軸の中で、すべての発端に何があったのか、それを推理して過去に抗おうという、実に入り組んだ話です。私は確かに館も豪華客船も好きだ、マナーハウスも大好きです。だけど、ミステリの根本っていうのはやっぱりプロットであり構造なんだと。そこのところが完璧に組みあがっていれば、たとえ顔はミステリのようでなくても、ミステリの面白さっていうのは出てくるんだというふうに……これはいつ頃読んだのかなぁ、読んだ時に思い知った一冊です。

時間を飛ぶお話というのはたくさんありますが、そのどれもをミステリだと思うわけではない。ではなぜこの一冊が傑出したミステリとして語り継がれるのかと言いますと、「一度飛んだ時間には二度飛ばない」というルールのゆえではないかと思います。このルールがあるために、読者が時間と因果のジグソーパズルを組み立てることが出来る。読者が物語に先んじて真相を推理することが可能なように作られているために、この小説はミステリとして愛されたの

『タイムリープ』上下
高畑京一郎　電撃文庫。鹿島翔香は高校二年の平凡な少女。ある日、彼女は昨日の記憶を喪失していることに気づく。そして、彼女の日記には、自分の筆跡で書かれた見覚えのない文章があった。〝あなたは今、混乱している。若松くんに相談しなさい……〟若松和彦は校内でもトップクラスの秀才。半信半疑ながらも、彼は翔香に何が起こっているのかを調べはじめる。だが、導き出された事実は、翔香を震撼させた。（編）

ではないか。この、推理可能性の保証こそがミステリの妙味だと、私は思います。

少し話は逸(そ)れますが、本書は青春ミステリとしてもいいですね。凝った構造の青春ミステリと言いますと、私はやっぱり辻真先先生の作品を思い出します。青春三部作も好きですし、その後のものも。『本格・結婚殺人事件』、そして『戯作・誕生殺人事件』まで、作中作あり、読者が犯人という趣向あり、プロットの凝り方が尋常ではない。辻先生には、死んだ人間があの世で自分の死の真相を推理する『デッド・ディテクティブ』、実在しなかった鉄道を時刻表まで組んで走らせてしまう『急行エトロフ殺人事件』など、大胆なプロットのものが多いです。憧れますね。

■アントニイ・バークリー『毒入りチョコレート事件*』——多重解決——

これは古典的名作で、現在にもかなり影響力の強い小説です。多重解決、多重推理ものと言われますけれど、多重解決っていうのは「登場人物がそれぞれ別の解決を言いました」っていう意味ではないんですよね。

シャーロック・ホームズ譚(たん)の**「技師の親指」**(**『シャーロック・ホームズの冒険』**所収)を例に挙げますと、列車の中で犯人のアジトをホームズ以外の四人で推理していく場面があります。「わたしは南だと思いますね」「ぼくは東だと思うな」「わたしは西」「ならばぼくは北だ」(深町眞理子訳)とばらばらの意見が出て、それに対してホームズが真相を推理するんですが、これをもってじ

『毒入りチョコレート事件』
アントニイ・バークリー　高橋泰邦訳　創元推理文庫。ロジャー・シェリンガムが創設した「犯罪研究会」の面々は、迷宮入り寸前の難事件に挑むことになった。被害者は、毒がしこまれた、新製品という触れ込みのチョコレートを試食した夫妻。夫は一命を取り留めたが、夫人は死亡する。だが、チョコレートは夫妻ではなく他人へ送られたものだった……。(編)

ゃあ「技師の親指」は多重解決ものだと言えるかというと、それは違うでしょう。ワトソン役が不完全な推理を言うのはいつものことであって、それをもって「毒チョコ」的多重推理とは言えない。

じゃあ多重解決、「毒入りチョコレート型」の真髄っていうのは何なのか。単なる甲論乙駁ではないとすれば何がポイントなのか——。それを私は、複数の解決のそれぞれが、真相の一部を構成しているという点にあると思う。読者は一つの事件に対していくつもの解決が提示されるのをただ見ていくだけではなくて、その解決の過程でもって、最初は隠されていた事件の様相を知っていくんです。言い換えるなら、はずれの解決が次の解決への捜査になっている。この多重的な構成っていうのが『毒入りチョコレート事件』の面白いところであって、後世に残る作品になった理由でしょう。

だから、はずれ推理を単に「はずれなんでしょ」と読者に思われてしまうと、「毒チョコ」は上手くいかないんですよね。ただのはずれだったら、読み飛ばしてもたいして差し支えがないんですから。

そしてもう一つ、『毒入りチョコレート事件』なら探偵役は六人ですが、六番目の解決が真相と見なされるのは、次に待つ誰かがいないからに過ぎないという点も指摘しておきます。仮に七番目の探偵役が登場したら、その誰かは過去の議論をすべて踏み台にして、またまったく別の推理を打ち立てる事でしょう。バークリー自身は『第二の銃声』の序文で『毒チョコ』を「循環的な形」と表現していますが、これはもしかしたら、永遠に中心（つまり真相）に辿り着けないという意味かもしれませんね。私などは無限に増築される建築を想像してしまいます。

この意味で、真相を相対化する演出を施したのが映画「キサラギ」です。「毒チョコ」をやるなら、終わり方は腕の見せ所ですね。真相を相対化するのか、あるいは何かで補強材を入れて、絶対化するのか。どちらも面白いやり方です。

■連城三紀彦『敗北への凱旋』* ――暗号ミステリ――

連城三紀彦はすごく映像的に文章を書かれる人で、短篇でも長篇でも、ああなるほど、文章で絵を描いたのだなという部分がしばしばありますね。『敗北への凱旋』だと、終戦の日、焼け野原の東京に夾竹桃（きょうちくとう）の雨が降る、ここでしょう。もう一ヶ所ありますが、これを挙げるとネタバレになりますので、読んだ人だけのお楽しみで。

このホワイダニットのスケールには圧倒されますね。発想の根本はチェスタトンでしょうが（さらに遡れば旧約聖書でしょうか）、換骨奪胎にしても、あまりに大胆です。過去の物語の蓄積が新しい小説に深みを加えた好例でしょう。

そして暗号です。言ってしまっていいと思うんですが、わかんないですよね、この暗号。暗号ミステリっていうのは本質的に難しい。あんまり簡単だと子供の遊びめいてしまうし、かといって凝ったものにしていけばいくほど、それミステリじゃなくてもいいんじゃないのか、となる。解きようのない暗号を名探

『敗北への凱旋』
連城三紀彦　創元推理文庫。終戦から間もない降誕祭前夜、まだ焼け跡の残る横浜・中華街の安宿で死体となって見付かった隻腕の男。才気あるピアニストとして将来を嘱望されながらも戦争によって音楽の道を断たれた男は、如何にして右腕を失い、名前を捨て、悲惨な末路を辿ったのか。初期を代表する長篇。（編）

偵がいかに鮮やかに説いたところで、「へえ、そうなんだ」というぐらいの感慨しか持てないでしょう。本質的にパズルである暗号を、小説であるミステリとどうやって重ね合わせていくのか。その成功例のひとつが『敗北への凱旋』で、もうひとつ挙げるとするならば、M・D・ポースト*の短篇**「大暗号」**（**『暗号ミステリ傑作選』**所収）だと思っています。

　このふたつは対照的です。『敗北への凱旋』の暗号は、解けるもんじゃない。そして、その難しさに、これほど高難度の暗号というものを作らなければならなかった人の気持ちが顕れてくる。この暗号は、そんじょそこらの人にさらっと解かれてしまうわけにはいかないから、難しい。絶対に誰にも届かないような叫びを、でも叫びたかったから暗号にしたんです。つまり暗号の難しさそのものが、『敗北への凱旋』という小説を作るのに不可欠な要素になっている。これがすばらしいと思います。

　もう一方のポーストの「大暗号」は、慎重に読んで立ち止まって考えれば、解けるんですよ。少なくとも、解けたはずだったのにと思える。ミステリを読んでいるときの一番の楽しみ、「それならわかってもよかった!」っていう悔しさ、「してやられた!」っていう膝をたたくような楽しみが存分に味わえる。

　この二作、『敗北への凱旋』と「大暗号」、そこに亜愛一郎ものの「掘出された童話」（泡坂妻夫**『亜愛一郎の狼狽』**所収・創元推理文庫）を加えた三作があるので、私は暗号ミステリっていうものに全然絶望してない。こういう手があったのかという暗号ミステリは、これからも書かれるだろうと思っています。

M・D・ポースト
ポーストは〈アブナー伯父〉シリーズで知られた作家です。その代表作は（「大暗号」ではなく）**「ズームドルフ事件」**でしょう。乱歩の**「火縄銃」**と、偶然にもメイントリックがかぶったことで知られています。しかし、事件もトリックも同じなのに、「ズームドルフ事件」と「火縄銃」では探偵による事件の解釈が全く異なります。物の考え方の底流になにがあるのか、その差が如実に表れている好例と言えるでしょう。

■北村薫『六の宮の姫君』——日常の謎——

これは歴史的事実なので伏せなくてもいいと思いますけど、やっぱり芥川龍之介を失った菊池寛の心っていうのを思うと、やるせないものがありますね。

この小説は、改めて読むと場面の少なさに驚きます。〈私〉がアルバイトに行って、福島に車で旅行に行って、円紫さんと飲み屋で話して、で解決となる。でもその少ない場面に描かれていく時間的な深さ、広がりに魅せられるんです。何度読んでもいいですね。

この小説の構造みたいな話をするならば、おそらく北村薫以前だったら、この話でも人は殺されていたんじゃないかと思うんですよ。例えばですが、研究室で人が死んでいて、その亡くなった研究者の遺したメモの中に「あれは玉突きだ」という一文が残っていた、みたいなストーリーになっていたでしょう。それ以前にも〝日常の謎〟にあたるようなものは**戸板康二の『グリーン車の子供』***（創元推理文庫）などがあったわけですが、やはり北村薫の登場は衝撃的だった。なんというかな……殺さなくていいのか！　っていう発見を、日本のミステリにもたらしたんです。芥川龍之介の友情の物語を書こうと思ったときに、そこに現在の殺人事件はべつに絡めなくてもいいのだということを世に知らしめた。「長篇には殺人が必要だ」という固定観念、呪いを打ち破ったとも言えるでしょう。現在、日常の謎というのはとても広く書かれていますが、その登場は今日思われているよりも革命的な出来事だったんじゃないかなと私は

『グリーン車の子供』
戸板康二　創元推理文庫。「盛綱陣屋」への出演依頼を受けた中村雅楽。しかし、子役の演技が気になる雅楽は、なかなか出演を承諾しない。そんな折、大阪で法要に出席した雅楽と竹野記者は、帰京する新幹線で一人の少女と出会う。東京駅に着く間際に、雅楽が「陣屋」への出演を決めた訳は——。日本推理作家協会賞を受賞した表題作を含む、十八篇を収録。（編）

思っています。

　ミステリ的な話をもう少しするなら、主人公は謎を追う上で、最大のキーパーソンを見落としているんですよね。巨人過ぎて目に入っていない。そこに円紫さんが少し示唆を与える。円紫さんは実は答えを知っているわけです。ミステリにおいて、本来、これは艶消しであってもおかしくない。誰も知らない、あるいは誰にも知られたくないと誰かが思っている真実を無理矢理突きとめていくのが探偵役の仕事です。しかしここで、これは卒論制作なのだという物語の枠が効いてくるのです。円紫さんは意地悪で主人公に真実を伝えないのではない。それを自分の力で見出す力を身につけることが、小学校から長く続いた教育のひとまずの終わり、卒業なのだと知っているから、そうするのでしょう。小説とミステリの融合がここにあります。

■山田風太郎『明治断頭台』――連作短篇――

　時代がいいですからね。出てくる道具立て全部、ひとつひとつが、いかにももう明治の道具です。起きてる事件、処刑のやり方とか、いろいろその時代の空気が描かれていてとても好きな本です。トリックもぎりぎりを攻めていますね。物理トリックは貧弱だと興醒めだし、あんまり凄すぎても馬鹿げて見える。その点、この本に出てくるトリックは絶妙ですよ。でもそれだけじゃない。一冊のミステリとして考えると、短篇を連ねていって、最後にあたかも数珠に紐を通すかのように一冊の本として束ねてしまう、いわゆる連作短篇だという点に特徴があります。

この連作短篇という型って、誰が始めたんでしょうね？ 私にとってこの方式は、東京創元社のいわばお家芸だったんですが、それ以前からあったものだとは思います。ミステリ史のことはちょっとよくわからないので、もしかしたらどなたかが、あれが元祖だよとおっしゃっているかもしれませんが。割と私自身の読書体験の最初期に出会って、かつ現在でも連作短篇の究極形だと思っているのが、この『明治断頭台』です。断固とした信念をもって最初からまったく揺らぐことのない無欠の人物であるかのように描かれていた主人公が、いったいどんなことを考えていたのか。小説の終わりで、はっと息を呑みます。この最後は生涯忘れません。

連作短篇という方式には、構造的な難しさがあります。最後にまとめる準備をするがゆえに、それぞれの短篇は、さっきのたとえで言えば数珠の紐を通す穴が開いたように、欠けた部分が生じがちになります。文学賞の選評で「よく読めば、出来の悪い短篇が都合よく*連っているだけ」と言われたりもする。でも、『明治断頭台』っていうのはこれはもう成功例としか思えないので、これができるのだったら、連作短篇集って形そのものが成功しえない欠陥品ではないのだと確信できる。そんな勇気が出る一冊です。

出来の悪い短篇が都合よく
伊集院静「疾走する作家」（「オール讀物」二〇二〇年九・十月合併号）より。ただし文章の趣旨は、にもかかわらず**馳星周**『**少年と犬**』に関してはその懸念が当たらなかったというところにあります。以下、該当部分を引用します。
〝私は、連作短篇は長篇作品に対抗し得ないと思っている。それはいかにもひとつのテーマを巡って、それぞれ新しい状況を映したり、事件を起こしたり、一見どこか繋がっているように見せようとするが、よく読めば、出来の悪い短篇が都合よく連っているだけである。馳氏の作品に懸念を抱いたのは、そんな風潮もあったからだ。
ところが、その懸念は裏切られた。いや裏切りではなく、馳氏は懸念を百も承知で短篇を書くことを貫こうと、このテーマに対峙したのだろう。〟

■ジョン・ディクスン・カー『火刑法廷』——怪奇との融合——

　最後の五ページで永遠の名作になった、と言われる一作です。これは個人的な告白になってしまうかもしれませんが、ミステリに怪奇的なこと、オカルティックなことが出てくると「こけおどしだなあ」って感じてしまっていました。登場人物の誰一人として本当に呪いだとは思っていないのに呪いが云々されるのは、ややもすれば冗長だと思っていた。なにしろ本当に呪いだったら推理が不可能ですから、特別な工夫を施さない限り、そもそもミステリにならないわけです。ところが『火刑法廷』に出会って、*本の読み方、ミステリの読み方そのものが変わってしまいました。あれ、もしかしたらほんとに祟(たた)りか、呪いなのか……って疑う回路が、この『火刑法廷』一冊で、自分の中に出来てしまったんです。してみると罪深い一冊ですよ、これは。

　いやこれがですね、驚くべきことに、全篇にわたってダブルミーニングが仕込まれているんです。ある登場人物の言うこと、そのすべてが、二種類の解釈が可能なように作られている。疑いの心を生む種が蒔(ま)かれている、とでも言えるかもしれません。その種が芽吹いてしまったら、ごく普通の「サンドイッチ作ったから持ってってね」みたいな言葉でさえも、「あっ、これはもしかして……」って思ってしまう。それこそ、おばけに取りつかれてしまったようなものです。

　ミステリはやっぱり一通りの解釈しか許さない。二通り目の解釈があったらそれは余詰めであり、ミステリの失敗を意味します。ところが『火刑法廷』に

ところが『火刑法廷』に出会って　より正確には、「『火刑法廷』と小野不由美の某作に出会って」となります。

関しては、別の解釈がありうるというのが小説としての魅力を高めている。最後の五ページだって、作中で示唆されている解釈しか出来ないわけではない（真相に深く関係するのではっきり書くわけにはいかないのですが、小説全体をサイコサスペンスとして解釈し直すことが可能だと申し上げておきます）。いわば、ミステリというレイヤーの下に、もう一枚、怪奇という別のレイヤーが用意されているんです。こんなことが出来るものなのかと思いますね。

■ピエール・シニアック『ウサギ料理は殺しの味』――分類不可――

これまで紹介してきた十一作とはまた違った魅力のある作品です。強いて言うなら、ミッシングリンクものの系譜に入るかもしれないですが、それは無理に当てはめているのであって、本質的には何にも分類できない。そして滅茶苦茶に面白い。

暴走機関車を思わせる、ブラックユーモア溢（あふ）れる作品です。これはたぶん追随しようと思っても、「ああ、『ウサギ料理は殺しの味』をやったんだね」っていうだけで終わってしまう。だからこの小説のような衝撃を生みたいのであれば、これは思いつかなかった、よくこんな変なもの書いたねぇ、という作品を書いて、唯一無二にならなければならない。やっぱり作家としては憧れる境地です。

ミステリでは、いろんな人がいろんなことを試してます。ですが構造に手を加えるっていうのは難しいもので、それこそ、やってみたかったんだな、っていうだけのものになってしまうことが少なくない。そうなってしまうと、目新しさはあるんだけれども、時の壁を超えて読み継がれていくっていうのはなかなか難しい。だけどその挑戦っていうのは毎回、毎年誰かがやるし、自分もやりたいと思っている。私はここまで型について話してきました。ですが、型は、補助輪です。利用するものであって、固執するものではない。何にも似ていないものが次代の古典になっていくんです。次は何が出てくるのか。不安もありますが、やっぱり、楽しみなことです。

■アガサ・クリスティー『春にして君を離れ』――人間を描く――

今回、誌上に載せて頂くにあたって*、十三冊目を挙げようと考えました。ミステリにとって十三は縁起のいい数ですからね。となるとクリスティーから挙げたくなりますが、やっぱりこれは難しい。そもそも講演の際は、クリスティーはあまりに多くの型の代表例を生み出したので言及するとそれだけで時間がなくなってしまう、とお話ししたぐらいです。

ミッシングリンクについてお話しするなら『**オリエント急行の殺人**』になるでしょうし、クローズドサークルなら『**そして誰もいなくなった**』、スリーピングマーダーだったらその言葉のもとになった『スリーピング・マーダー』など、いくらでも挙げられます。『**ＡＢＣ殺人事件**』は、少し前までよく書かれたサイコサスペンス、シリアルキラーものの走りであると言うことも出来そうです。『アクロイド殺害事件』が後世に与えた影響に至っては、言わずもがな。

誌上に載せて頂くにあたって　「ミステリーズ！」に掲載して頂いた時の原文ママです。

まったく、どうしてこんなことができたんでしょうね……。

それでも今回の趣旨に基づいて一冊挙げるなら、私は『春にして君を離れ』を選びます。

『春にして君を離れ』を狭義のミステリだと言い張ることは強弁です。たしかにミステリ的な構造を持ってはいますが、主人公の推理を裏付けする証拠がなく、読者が推理する余地も小さいですからね。しかしこの小説から私は、ミステリにとって大切なことを学んだと考えています。

言い古されたことではありますが、ミステリは人間を駒として扱います。それはある程度、仕方がない。「甲という人間はAという刺激に対してはaという反応を返す」という前提の複合から、名探偵たちは犯人を絞り込んでいきます。実際の人間のようにたいした意味もなく嘘をつき、裏切り、忘れ、気まぐれを起こされては、謎解きが成立しませんから。

ですがそれは、ミステリ作家が人間を駒のように見てもいいという意味ではない。かのアガサ・クリスティーが、クリスティーという名前を離れれば恐るべき人間観察の書『春にして君を離れ』を書き得たように、ミステリ作家は、私は、人というものを見る哲学を自らの中に確立していかなければならない。でなければ、ものするミステリは結局浅いものに留まるでしょう。

いいものを書きたいですね。いいものを読むとつくづく、その思いが身に迫ります。

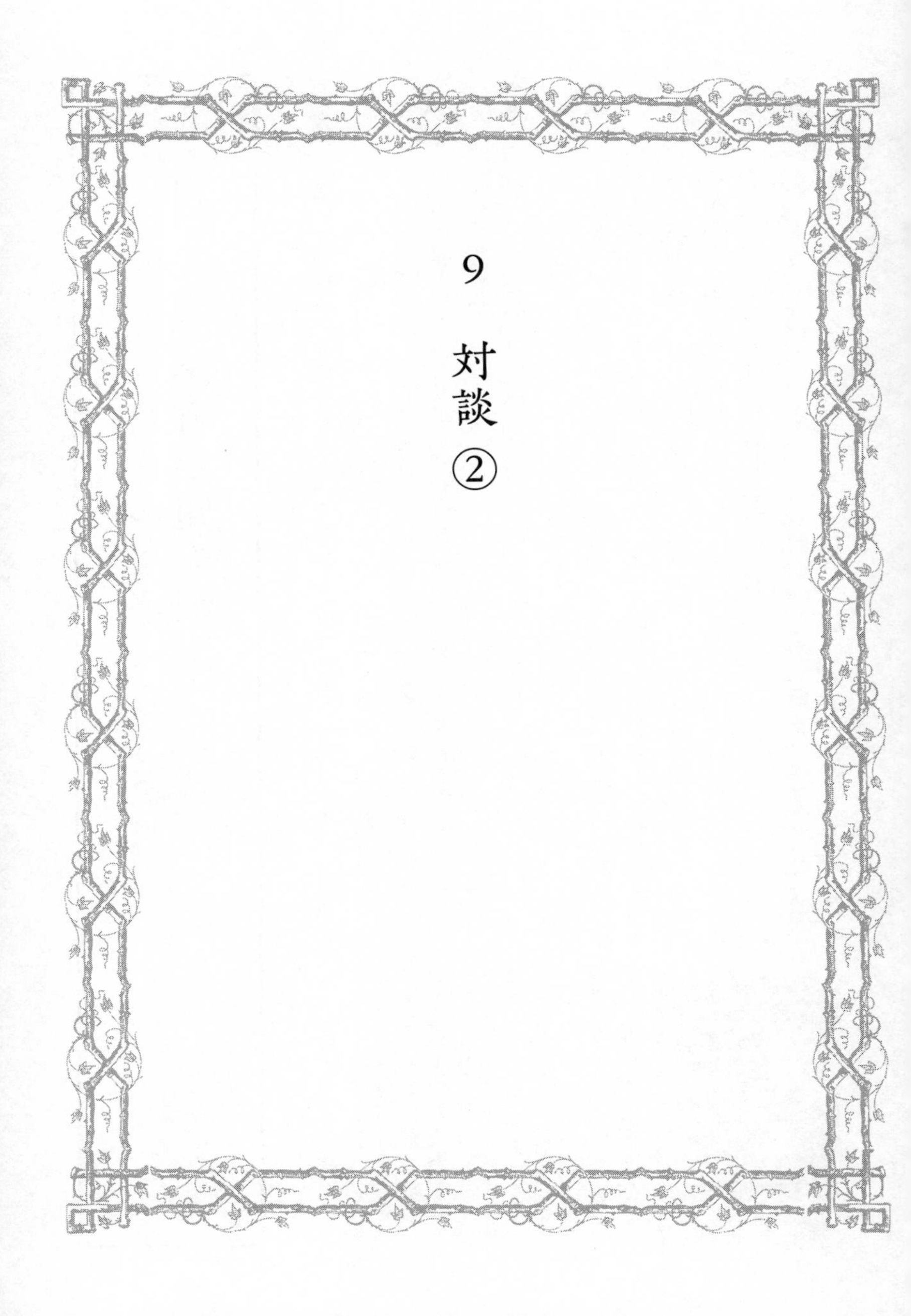

9 対談②

ミステリーにとって必要なものは何か？×有栖川有栖

有栖川　米澤さんはよい読書歴の方という印象があるんです。私は子供のころ、SFやミステリーのジャンルにいきなり飛びついたんです。幅を狭くして深く掘って。途中でさすがに「ちょっとよくないか」と思って横にも広げていった感じです。米澤さんは、最初からもっと幅があった感じですよね。

米澤　いえ、本棚にあったものを読んでいただけなんです。有栖川さんは最初からエラリー・クイーンだったんですか。

有栖川　お決まりのコースで、ホームズ、ルパン、少年探偵団と読んで、「中学生だし、そろそろ文庫本読むか」と手に取ったのがクイーンの『**オランダ靴の謎**』*でした。文庫は大人の本という感覚だったんです。小学生のときの愛読書は何でしたか？

米澤　夢中で読んでたのは『西遊記』とかでしたね。

有栖川　高度ですね、少年の読書としては（笑）。それは教養が深まりますよ。最初から読書の幅が広かったのが、現在お書きになっているものの世

『オランダ靴の謎』
エラリー・クイーン　中村有希訳　創元推理文庫。〝オランダ記念病院〟の創設者である大富豪の老婦人が、緊急手術の直前に針金で絞殺された。たまたま病院に居合わせた作家エラリーの指図で事件現場は保存され検証も進めるが、犯人の正体は皆目つかめない。やがて再び病院内で殺人が……！　犯人当てミステリーの最高峰として歴史に名を刻む〝国名シリーズ〟第三作。（編）

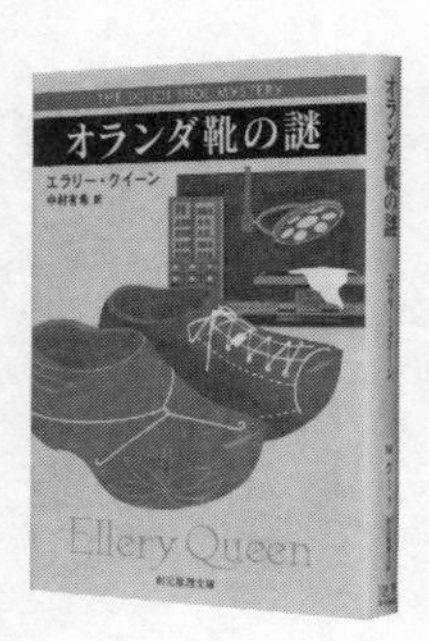

界の広がりとか、テーマの多彩さにつながっているように思いますね。私は狭さが災いしている。

米澤　あれほど教養深いものをお書きになるのに、とんでもない（笑）。有栖川さんは本格ミステリーを体現された方だと思っています。

新本格ムーブメントの「中」と「後」と

有栖川　米澤さんと私では二十近く歳が違うわけですから見てきた景色も違いますよね。創作を始めたのはいつごろですか。

米澤　十五歳くらいでした。

有栖川　で、大学ぐらいのときにホームページで作品を発表されたと。もうそこが未来人です。十五歳のころの私なんて、ちょんまげ結ってました（笑）。

米澤　有栖川さんは大学サークルの機関誌に書いておられたんですよね。

有栖川　そうです。二十人の部員が読んでくれる。二十人も読者がいるというのが当時は、「ありがたい、いい経験になる」と思いましたね。わりと本音で感想を言ってくれる人もいました。米澤さんはネットで不特定多数に読まれたわけですよね。

米澤　ネットでは、厳しいことを言ってくる人はあまりいなかったです。つまらなかったら黙って去っていくだけですから。

有栖川　「つまらない」って言われたら、もうプロに近づいているんでしょうね。「金払ったのに」とか言われだして（笑）。最初の本を出されたのはいくつのときでしたか。

米澤　本になったときはもう二十三歳でした。

有栖川　「もう」ってめちゃくちゃ早いですよ（笑）。私は二十九歳、かろうじて二十代でした。プロの書き手としては書こうと思ってたことをとりあえず吐き出して、いったん落ち着く時期が来るでしょう。とりあえずアイデアが一回りした、というような頃合い。若くしてデビューされるとそれが当然若い時期に来てしまうと思うんです。「あそこが曲がり角だったなあ」とかありますか。

米澤　曲がり角というのとは違うかもしれませんけど、書くもののタイプがちょっと変わってきたかな、と思うことはありました。ミステリーの内幕というか、ミステリー読者ならわかってくれるだろうというお約束を洒落のめすということを九作目でやったのですが……。

有栖川　『インシテミル』って、何作目でしたっけ。

米澤　あ、それです（笑）。

有栖川　あれは確かに節目ですよね。あの作品を読んで、私は新本格が完全に終わった気がしました。新本格というものを素材にして、新本格とは全然見えてくる景色が違うものを構築した作品だったと思うんです。そういうふうに題材にされるということ自体が前時代のものだということでしょう。単行本の帯に「見つかった。僕たちのミステリー」と書かれていて、「その『僕』に私は含まれない。これは『あなたたち』のミステリーだ」と思ったことを覚えています。別に古くなったから用済みということじゃなくて、それを使って踏み出す次の世代の作家の人が現れて、広く読まれる時代になったんだと。それで自分のミステリーの歴史に区切りが入ったんだと思いますね。

米澤　恐縮です。ただ、ジャンルそのものを総括しようという意識はなくて、「私はこういうものを読んできたんだ」という思いで書いたものだったんです。有栖川さんにはそうした区切りの時期はおありでしたか？

有栖川　私の場合はあまりはっきりしてないんです。『月光ゲーム』*でデビューして、二作目からもうアイデアのストックは使ってないんですよ。「学生時代のものがあるでしょう」と言われても、全然使える気がしなかった。小学生のときから作家になりたかったんですから、ストックはあるはずなんですよ。でも、いざ見てみると、全部怖くて使えたもんじゃない。「ステージで歌わせて、歌わせて」って言ったくせに「じゃあ」って言われたら怖くて歌の練習を一から始めましたみたいな感じで（笑）。デビュー直後から自転車操業です。

『月光ゲーム』
有栖川有栖　創元推理文庫。夏合宿のために矢吹山のキャンプ場へやってきた英都大学推理小説研究会の面々を、予想だにしない事態が待ち構えていた。矢吹山が噴火し、学生たちは一瞬にして陸の孤島と化したキャンプ場に閉じ込められてしまう。その極限状況の中、出没する殺人鬼。その魔の手にかかり、ひとり、またひとりとキャンプ仲間が殺されていく……。いったい犯人は誰なのか。（編）

シリーズキャラクターは歳を取らない

有栖川　私と米澤さんの共通点といえば、シリーズものを完結させていないということがありますね。〈火村英生〉シリーズは、環境が許せば、ずっと書いていきたいと思っていまして。最初から汎用性を考えて設計したキャラクターでしたから。死ぬまで書くのかもしれないし（笑）。だって、エラリー・クイーンもアガサ・クリスティーもディクスン・カーもみんなそうで、デビュー作と最後の作品で主人公が同じです。もしかすると、今はそれが普通じゃないのかもしれなくて、古典とか読んでない人には「デビュー作と最後の作品の主人公が同じなんて変態じゃない？」って言われるかもしれません（笑）。最終回を思いついたら書いてしまうかもしれないですけど、何本書くって宣言していないからなんでもできるし、いろいろ試しやすいシリーズです。新作の**『鍵の掛かった男』***はリアリティが高めですが、逆に「ここまで薄めてもいける」みたいなのもやってみたいですね。

米澤　火村シリーズは国名シリーズのイメージが強かったんですけども**『怪しい店』**を拝読したときに「ああ、なんか雰囲気が違う」と思ったものでした。

有栖川　だんだん長くはなっているんです。百五十枚ぐらいがちょうど書きや

『鍵の掛かった男』
有栖川有栖　幻冬舎文庫。中之島のホテルで梨田稔が死んだ。警察は自殺と断定。だが同ホテルが定宿の作家・影浦浪子は疑問を持った。影浦は死の謎の解明を推理作家の有栖川有栖と友人の火村英生に依頼。梨田とは何者なのか？　他殺なら犯人は？　物語は驚愕の結末を迎える。（編）

すい時期もあったりしましたけど、これからは長篇主体にしたいなと思っています。私は「このネタでおもしろがってもらいたいけど、そのためにはこんな状況を作らないといけない」ということが多くて、その説明に時間がかかります。

米澤　あとは、余詰めをつぶすのにとても神経を使われていて、それこそ「つじつまが合ってるからこれが真実だ」みたいに言い張ることは決してしないというイメージがあります。

有栖川　ありがとうございます。あの……〈古典部〉シリーズはどうされるんですか？（笑）

米澤　やっぱり卒業はさせてやりたいですね。学校を舞台にした話は時計の針を進めてあげるべきでしょうから。

有栖川　時計の針を進めないでいいキャラクターは変なことがいっぱい起きますね。「何年生まれ」だと言えないし、過去のない人間になってしまう。きれいな三部作とか憧れませんか。クイーンの〈悲劇〉シリーズみたいな。私はひそかに憧れています。

米澤　一応、東京創元社で書かせていただいているもの〈小市民〉シリーズが「春・夏・秋」と来ているので、冬で一段落しとくべきだよねという感じはしています。さすがに二年目の春に入ってはいかんだろうと（笑）。

有栖川　いや、ぜひ続篇を、と出版社には言われますよ（笑）。米澤さん、一

米澤　番好きな作家って、どなたですか。

有栖川　泡坂妻夫さんです。あとは連城三紀彦さん、陳舜臣さん、山田風太郎さん。

米澤　陳舜臣さんがなかなか渋い。作品では何が好きですか。

有栖川　『方壺園』と『玉嶺よふたたび』*、短篇だとやはり「青玉獅子香炉」ですね。〈陶展文〉シリーズも大好きです。あれは本当にトリックがおもしろいです（笑）。

米澤　ああ、（ジェスチャーで某作品のトリックをしながら）おもしろいようなおもしろくないようなトリックも出てくる陶展文（笑）。

有栖川　（同じくジェスチャーをしながら）ええ（笑）。ふたりで何をやってるんだか（笑）。

米澤　しぐさでわかるミステリーシリーズ（笑）。

ミステリーとは本来「大人の小説」だった

米澤　そういえば『鍵の掛かった男』は、ホテルが主舞台の作品でしたが、私の『王とサーカス』も、ホテルものといえばホテルものなんです。

有栖川　まさにそうでしたね。『鍵の掛かった男』の出発点は、昔は長期滞在者がたくさんいるようなホテルがあった、という小さな新聞記事を読んだことなんです。それで、舞台を現代にして「なぜかひとりで長期

*『玉嶺よふたたび』陳舜臣　双葉文庫。訪中視察団の一員として中国を訪れた東洋美術史専攻の入江は、二十五年ぶりに玉嶺へと向かう。抗日ゲリラの疑いのあった中国人の娘・映翔を愛し、不可解な別れを味わった思い出の地である。戦火の渦のなかに隠されたその悲恋の真相たる彼女の心境を今ようやく入江は知るのだった。（編）

米澤　滞在している客がいるが、理由がわからない、ということにすればミステリーらしい雰囲気になるな、その人はミステリーの世界の住人という感じだな」と。

『鍵の掛かった男』は、お書きになる前に現代の英国ミステリーを読んで参考にした、とうかがっていますが、どのへんの作家だったのでしょうか

有栖川　**P・D・ジェイムズ**、ルース・レンデル、もうちょっと柔らかい作風で、**パトリシア・モイーズ**、**アントニア・フレーザー**。男性作家だと**ロバート・バーナード**、**サイモン・ブレット**。本格の中でもそのへんは読み残しているという意識があったのと、今回は落ち着いた雰囲気の作品にしたかったんです。私が好きなタイプのミステリーは、やや乱暴な言い方をすると、「子供が出てこないもの」なんです。「ミステリー研究会の学生たちが孤島に行ったら密室殺人が起きました」というのは本来外道なんです。

米澤　おお（笑）。

有栖川　おまえが言うな、と言われるかもしれませんが（笑）。綾辻さんの『十角館の殺人』が素晴らしいのは「学生たちがうろうろするにもかかわらず本格になっている」からなんですよ。だって、自分が子供のときに憧れたのは、とにかく子供が排除されている大人の世界の物語でしたから。子供が出てくると興ざめなんです。自分が十六～十七歳

のときに「十八歳の若造がなんか一人前ぶってしゃべっている。しらけるなあ」とか思っていました（笑）。今挙げたイギリスのミステリーって、やっぱり子供は出てこないんです。大人オンリーで、かつ本格ミステリーというのを自分は読みたい、と思ったんですね。米澤さんの〈古典部〉シリーズは、日常の謎を書きたいというところから始まっているから高校生という感じだったんですか？

米澤　あれはもともと学生運動の話を書きたかったので、そこからの逆算ということで登場人物を設定したんです。日常の謎はもちろん大好きなミステリーではありましたが。ただ大好きだからそれにこだわって書き続けたというよりも、最初からいろいろなことに手を出しすぎると何をやる作家なのかよくわからなくなってしまう、という理由からでした。

ミステリーにとって本当に必要なものは何か

米澤　有栖川さんが以前、ミステリーはサプライズが重要と言われることがあるけれど、おもしろいのは論理のアクロバットのほうだとお書きになっていた記憶があります。

有栖川　そうですね、何回か書いています。これは米澤さんにもご意見をうかがいたいんです。私は、サプライズは目的じゃなくって生じてしまう

米澤　ものだと考えているんです。たとえば、犯人は誰か薄々見当がつくようなものでも、何を手がかりにして推理を詰めていくかというのを作者が一生懸命工夫して書くと、「あ、そこから来るんだ」というサプライズが発生する。

犯人当ての謎解きが難しいのは、今の読者は誰が犯人でも驚かないからかなと思っています。探偵が犯人だろうが読者が犯人だろうが、あんまり驚かない。ですがそこで奇手に走ると、袋小路に入っていきかねない。では、どこにミステリーのおもしろさを求めればいいかというと、もの珍しいことをやるのではなくて、やはり論理のアクロバットという解のほうなのではないかと。

有栖川　親しくしている綾辻行人さんは、世界が一八〇度ひっくりかえるようなものがミステリーとしての理想だとお考えになっているような気がします。私はそれが五度ずれるだけでも「そこで五度ずれるとは思わなかった」という驚きがあると思うほうで、どちらが正しいということではなく、純粋な作家性の違いかなと。米澤さんは私よりも格段に広い作風をお持ちですが、本格ということに絞ってお書きになるときに気にされていることはありますか？

米澤　広いかはわかりませんが、小説から遊離した答えが出てくるのは避けたいなとは思ってます。パズルのおもしろさが小説としての必然として現れてくるというのが理想ですね。本格ミステリーの仕掛けの部分って、実際にはそんなことやらないよと言われてしまえば、それまでだと思いますし、稚気といえば稚気なのでしょうが、それを大人の余裕で包み込んであげることで小説と馴染んでくるという気がします。

有栖川　もちろん、パズルが小説から遊離しているのを驚いてもらうという行き方もあるでしょうし、いま米澤さんがおっしゃったような小説と二通りあるということでしょうね。前者ばかりではちょっと困るという。

米澤　小説の中ではよくリアリティのレベルについて意識します。大掛かりな物理トリックを作品中で成立させるとすれば、そのために読者を異界に連れていってくれるというようなもののほうが好きですね。たとえば北山猛邦さんの作品のように。

有栖川　『折れた竜骨』*などはそういうコンセプトに近いのではないですか。あれも、「トリックのために異世界にしましたけど、作りがちょっと粗いですよ」だとダメでしょう。あれは普請が実によくできていた。

米澤　ありがとうございます（笑）。少し話が違うかもしれませんが、私はハッピーエンドの物語も読者としては嫌いではないんですが、書き手としては「人が死んでいるのに謎が解けたらすっきり終わる」というのも、なんか亡くなった人がかわいそうだなと思ってしまうんです。だから完全なハッピーエンドというのは今のところ書いてないかもしれません。たとえばチェスタトンのブラウン神父ものでは、謎が解決すると秩序が回復するどころか、逆にこの世の混沌が現れてくるとい

『折れた竜骨』上下
米澤穂信　創元推理文庫。ブリテン島からはるか東に浮かぶソロン諸島。その領主が何者かに命を狙われているという。アミーナは父の命を守るために立ち上がるが、凶事は起きてしまう。魔法使いたちが跋扈する世界で推理の力は無力なのか。（編）

うようなところがある。そこが好きでした。謎が解けても実際には何も解決しないというパターンの名作をふたつ思い出したんですが、ひとつは『シャム双子の秘密』*。クイーンによって謎は解かれますが、それによって危地を脱することはできない。もうひとつはカーの『火刑法廷』で、謎が解けたらその後からいちばんの謎が顔を出した、という話だと思います。

有栖川　わかります。ところで、米澤さんにとって本格ミステリーって、どういう位置づけですか。いくつもあるご自分の守備範囲の中のひとつという位置づけなのか、それがたくさんあるなかでも、どちらかといえば真ん中寄りという感じなのか。

米澤　出発点だし、必ずそこに帰っていく場所だと思います。いちばん大事にしたい部分で、どんなに本格っぽくない雰囲気で書いたものだとしても、できるかぎり余詰めに配慮したり、推理を保証する証拠が後からでも出てきたりとか。そういう手順は必ず守ってはいるつもりです。

有栖川　本格好きはやっぱりそこに現れますね。「そこまで言わなくてもいいのにひと言多いよ。やっぱり根が本格なんですね」とか言われませんか（笑）。

米澤　有栖川さんに本格者認定していただけて光栄です（笑）。

有栖川　私は米澤さんほど守備範囲が広くないものですから、これからもあからさまな本格を書いて「こんなのやってます」みたいにやっていきた

『シャム双子の秘密』
エラリー・クイーン　越前敏弥・北田絵里子訳　角川文庫。カナダでの休暇からもどる途中、山火事に遭遇したクイーン父子。身動きが取れなくなったふたりが見付けたのは、薄気味悪い雰囲気が漂う屋敷だった。主人であるゼイヴィア博士の好意で、泊まらせてもらえることになるが、翌朝、書斎で博士の射殺体が発見される……。（編）

いですね。「なに？　文句あんの。ああ、そう」って開き直って。本格以外のものにも手を出しながら。

（取材・構成：杉江松恋）

創作と自分　×朝井リョウ

●それぞれの印象について

――お二人は今日が初対面ですが、岐阜県のご出身という共通点もありますね。

朝井　私は美濃(みの)地方出身なので、岐阜らしいお話は米澤さんのほうがお持ちかと。

米澤　いえ、もともと岐阜という街があるのは美濃ですから。私は北の飛驒(ひだ)の出身ですが、美濃と飛驒は旧国では違う国だったんですよね。廃藩置県の時に飛驒はあちこちにくっつけられて最終的に美濃と一緒になり、岐阜県ができたという。

朝井　そうなんですね。世間が抱いている岐阜のイメージは、合掌造りなどがある飛驒地方に集中している印象でした。

――お互いのことは、どのような印象を抱かれていましたか。

朝井　私が抱いていた米澤さんのイメージは、大きく三つあります。ひとつめは、これから本を読もうという十代の方々にも、たくさんミステリを読んできた大人の本読みの方々にも、ファンがたくさんいる。どちらからも好かれているのは稀有だと思います。ふたつめは、「信頼と実績の米澤」（笑）。新刊が出た時に「絶対に楽しませてもらえる」と安心して本を開くことができます。三つめは、「ミステリの書き手としてジャンルを発展させ繋いでいくぞ」という運動があるとしたら、その真ん中にいらっしゃるのが米澤さんだな、と。

米澤　ありがとうございます。確かに繋ぐというのはひとつの大きなテーマですね。最前線で書き続けたい気持ちもあるけれど、おびやかされるような次の潮流が出てきてほしいとも思いますし。

朝井　米澤さんの作品は、古き良きミステリを期待して読んで、ちゃんとそのツボを気持ちよく押してもらえる気がします。

米澤　道具立てではあまり古いものは使っていないんですけれど、「謎と解決」という、ミステリの面白いところを押さえられたらいいなと思って書いています。

朝井　でもミステリは結構制約があるから、長く書いていると「あ、この条件で成り立つ状況は前にも書いた」となりませんか。

米澤　ミステリはコードの文学だという人もいますね。コードの数は限られるけれど、それを組み合わせて生まれるメロディは無数にある。コードを

朝井　知った上で、それを押さえていくのか破調にするのか考えていこうと思っています。

米澤　ああ、米澤さんは特に短篇で、それ以外ないだろう適切な順番で必要な情報が顔を出していくイメージがありますが、それこそ曲が成立する最小限のコードを最重要な順番で押さえているんですね。

朝井　嬉しいことを言ってくださいますね。情報を出す順番はお話を作る上ですごく大事です。プロットを作る際に事象A、事象B、事象Cが起きると決めていても、順番がABCとACBだと全然印象が違う。ここを無神経に並べると話がつまらなくなる。それは朝井さんが書かれている現代文学でも同じですよね。朝井さんの小説でも、時系列で進んでいると思ったらふっと過去に沈み込んでいったり……。

米澤　ウッ。デビューした時にすでに本棚に本が並んでいる方に自分の何かが読まれているのは、改めてすごく怖いです（笑）。

朝井　（笑）。私が朝井さんに抱いていたイメージをふたつ挙げるなら、ひとつは、朝井さんの小説を手にする時は臨戦態勢に入るということ。たぶん刺してくるだろうなという思いがあるので、これから朝井リョウを読むという、儀式感を持って手にします。

米澤　（会場に向けて）聞きました〜？　たっぷり自慢します！

朝井　もうひとつは生命力が強い作家だということです。健康そうだというだけでなく、作家として物を見る目がいいし、聞こえないものを聞き取る耳があり、〝今〟を嗅ぎ取る嗅覚にも優れている。それだけでなく、書評を拝読したら、賞味する舌までよかったのか、と思いました。

朝井　自分の書評が書き手の方の目に触れるということをまったくイメージしていなかったことに気づいてドキドキしています。

米澤　作家としての感覚が優れていることに加えて、バイタリティというか、前に進んでいく欲と力もある。両方が優れているのは作家の命の強さですから、まぶしいです。

●小説のなかに〝自分〟はいるか

朝井　今のお言葉であと十年くらいは頑張れます。確かに、私は刺しにいくつもりで書いているところがあって、それは悩みでもあるんです。読者の方がいて仕事が成り立っているのに、本を手に取ってもらう方を傷つけられないかな、とか思いながら書いているところがある。でも、この先この気持ちで走り続けられるのは長くないんじゃないかという気がするんです。

米澤　刺すというのは、個人的な人間や心の内というより、世の中や社会を、ですよね？　『何者』*も怒りに満ちていますし。

朝井　はい。私、怒りをモチベーションにして書いているところがあります。

米澤　朝井さんは自分で怒りを感じて、それを小説に昇華できる方ですよね。

『何者』
朝井リョウ　新潮文庫。就活の情報交換をきっかけに集まった、拓人、光太郎、瑞月、理香、隆良。自分を生き抜くために必要なことは、何なのか。この世界を組み替える力は、どこから生まれ来るのか。就活大学生の自意識をリアルにあぶりだす長篇小説。直木賞受賞作。（編）

世の中の風潮に一言申してやろうという感覚だと説教になりますが、そうではなくて。

朝井　一言申してやりたいなら、オピニオン雑誌の取材を受ければいいですもんね。

米澤　そうなんです、小説は小説であって、演説でも主張でもないんですよね。「これはよくないと思います！」と言いたい不満があるなら、それを直接主張すればいい。

朝井　今テレビのコメンテーターの依頼がとても多くて、演説や主張に向いていると思われていると感じます。そこで明確に言えるなら小説書いてないんですけどね。

米澤　今日は小説家になりたいと思っている方もいらしていると思いますが、自分の意見を主張するために小説を書こうと思っているなら、それはたぶん、他の手段のほうが伝わると思います。それに、説教したり、私が教えてやるんだ、という態度で書かれた小説って、単純に面白くないものが多いですね。面白さに昇華するためには、世の中に向き合って、それを自分の内に取り込んで、自分の怒りという形で出す朝井さんのようなプロセスが絶対に必要でしょう。

朝井　作品よりも自分が前に出そうに、というか正直出てしまっているものもあると思うので、反省です。私は米澤さんの『儚い羊たちの祝宴』が好きなんですが、あの中にはどこにも米澤さんがいないですよね。

米澤　ああ、いないですね。

朝井　どの短篇も、時代も場所もあまり分からないように書かれているのに、登場人物は現実に生きている人みたいに感じられる。小説としての強度みたいなものをすごく感じます。自分が前に出そうになる時に「この感じができれば」と読み返します。

米澤　恐縮です。それでも「この小説の登場人物の中で誰があなたですか」とはよく訊かれますよね。朝井さんなんてもっと訊かれるでしょう？

●それでも書く、という気持ち

朝井　大前提として、「この小説の主人公は朝井さんですが」って言われたりします。米澤さんは意識的に登場人物と自分を重ねないようにしているんですか。

米澤　私の場合、小説の中に自分がいる必要があまりないと思っているんです。恩田陸先生の『三月は深き紅(くれない)の淵を』*の中に、「どこかに小説のなる木かなんかがあって、みんなそこからむしりとってきてるんじゃないか」という文章があって、すごく共感します。自分は五十年後に生きているか分からないですが、お話はそれよりも長く命を保ってほしい。そこに自分というのは、要らないんじゃないかという気がします。朝井さんは、「主人公は朝井さんだ」と大前提にされて、実際はどうですか。

『三月は深き紅の淵を』
恩田陸　講談社文庫。鮫島巧一は趣味が読書という理由で、会社の会長の別宅に招待を受けた。彼を待ち受けていた好事家たちから聞かされたのは、その屋敷内にあるはずだが、十年以上探しても見つからない稀覯本『三月は深き紅の淵を』の話。たった一人にたった一晩だけ貸すことが許された本をめぐる珠玉のミステリー。（編）

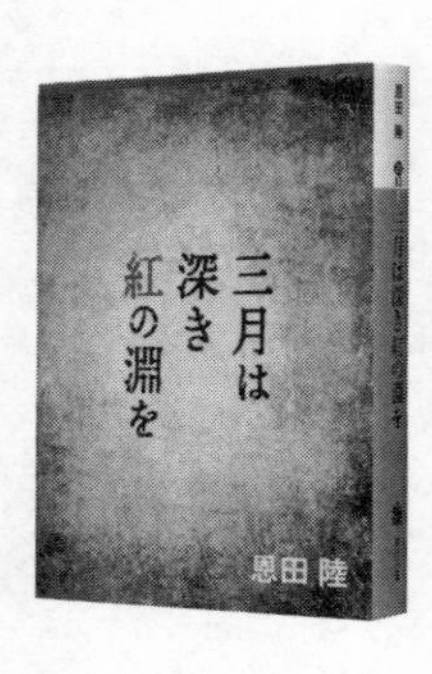

朝井　すべて自分ってことはないんですが、ゼロってこともなくて、多少にじみ出ているところはあると思います。米澤さんは最初から自分を隠すことができましたか？

米澤　私ももちろんにじみ出るところはあるし、中立無垢(むく)な水のようにして書くことにはたして意味があるのかなと思います。でも最初の一冊目から、主人公の探偵役は自分とは全然違うと思っていました。私は探偵はできないですから。

朝井　では、『王とサーカス』はどうですか。記者の太刀洗万智(たちあらいまち)が主人公ですよね。小説家が書き手や伝える側の人間を主人公に書く時って、何かが問われると思っていて。太刀洗という人物を生んだのはどういう心境だったのかなと思います。

米澤　あれはジャーナリストの側ではなく、見ている側が自分ですね。配信されたニュースで縁もゆかりもない土地で起きた出来事を見て「ひどいね」と言っている自分ってなんなんだろう、遠くの出来事を楽しんでいると言われても仕方がないだろう、と思ったところが出発点です。

朝井　そうだったんですか。私は勝手に太刀洗と米澤さんを重ねていました。小説を書くとどうしても、何かをサーカスのような見世物にすることから逃れられない、ということは私も考えます。私は刺そうと思って小説を書く時、必ず最後にその刃が自分を刺すことが大事だと思っているので、この人もそういう気持ちなのかもと思う作品に出合うと勝手に心の中でハグしてしまうんです（笑）。『王とサーカス』もそうでした。未読の方はごめんなさい、ちょっとだけお話しさせていただくと、異国の事件に立ち会った太刀洗は記者としてどう書くか悩みますよね。絶対中立ではいられないから、書くことで何か偏ったことを伝えてしまうかもしれないけれど、でも書かないことも偏った情報を伝えてしまうことになると考える。そして、サーカスの一員にされた人間に「どうして書くのか」と訊かれて、「できるだけ気をつけて書く」っていう、もうなけなしの、ほんのちっぽけな、答えを出すんですよね。問い詰めた側も納得するのでなく呆れている。そこがもう、すごい「真実――！！」って思ったんです。なんて真摯な作品だろう、って。

米澤　そこのところを拾っていただけたのはすごく嬉しいです。ずっと記憶に残っている言葉にマックス・ウェーバーの「それにもかかわらず」というのがあるんです。自分がやろうとしていることに対して、世の中に通じなかったとしても、すべてが上手くいかなかったとしても、それにもかかわらずやると思ってやる、という。

朝井　その言葉に出合ったのはいつくらいだったのですか。

米澤　大学生の時でした。でもそれが、自分の食いしばりの素になっていったのは、作家を続けているうちに徐々に、ですね。

朝井　私はたまに心が折れそうになります。小説を書いていて、何になるんだろうって。

米澤　偉そうな話になりますが、小説って一人が書いてひとつの頂上が出来上がるというよりは、いろんな裾野があって中腹があって、いろんな作品が積みあがってその上にふっと頂上が現れる気がします。できればその頂上のものを自分が書きたいですが、そうでなくても、自分が書いたものが裾野なり中腹なりどこかになれたのであれば、まあ以て瞑すべしかなと思います。

朝井　すごく分かります。**三浦しをん**さんの『**ののはな通信**』*を読んだ時に、『王とサーカス』とは全然出発点が違うんですが、ひとつの山を別のルートから登っている感覚があって、それが快感でした。

米澤　登山は大勢でチームを作りみんな少しずつ荷物を持って登り、最後にピークアタックするのは一人か二人ということもあります。朝井さんはそのピークアタッカーになるんじゃないかと。

朝井　いやいやいや。でも今後、みんなでいろんなルートを探っていると思ったら、「それにもかかわらず」と思えなくなりそうな時に、背筋が伸びそうです。

米澤　山も、いろんな山があるんでしょうね。僕はミステリの山を登り、朝井さんは朝井さんの山を登っているなと思います。

*『ののはな通信』
三浦しをん　角川文庫。ののとはな。横浜の高校に通う二人の少女は、性格が正反対の親友同士。しかし、ののはなに友達以上の気持ちを抱いていた。幼い恋から始まる物語は、やがて大人となった二人の人生へと繋がって……。（編）

●スランプに陥ったとき

朝井 米澤さんは、最初は日常の謎の青春ミステリシリーズを書き、その後、作品世界を広げていかれましたよね。意識的に広げていったのですか。

米澤 もともとは気が多くていろんなことが書きたいんです。でもデビュー当時、編集者さんから「昨日までミステリ作家と思っていた人が今日はSFを書き、明日はファンタジーを書くのは読者にとって嬉しいものではない」と言われました。ですから学園ミステリでデビューしたということで、しばらくはそういうものを書き、十作目くらいから少しギアを意識的に変えました。

朝井 書きたいものを書くのか、読者が読みたいと思っているものを差し出すのか……それは大きな問題ですよね……。

――朝井さん、最近心が揺れてます？

朝井 そうなんですよ。今、長篇を三五〇枚くらい書いたところで止まっているんです。後戻りもできない、したくない枚数なんです。米澤さんにもそういう時期があったのか、個人的におうかがいしたいです。

米澤 これはきつかったなと思うスランプは三回ありましたよ。ひとつは『ボトルネック』という小説の時です。当時二十八か九歳で、思春期のひりひりしたものを書くラストチャンスかもしれないと言いつつ、実はもうひりつく感覚は自分の中にないかもしれない気がして。残り火をかき集めて力業で書くしかなかった。切れ味鋭いものを書きたかったのが、鈍器で殴るような小説になりましたが、それでも書き切ったなというのがありました。

朝井　まったく今の自分と同じ状況なのでびっくりしました。今二十九歳で、少年の話で筆が止まっていて、自分の中にあるもので書けてきたこれまでの歴史が終わった感じがしているんです。

米澤　もうひとつは『王とサーカス』の時で、これはプロット上の事故です。使うつもりでいたトリックが実際には不可能と分かったんですよね。これはスランプというより、プロットを再構築するのに時間がかかったということです。もうひとつは、今、朝井さんは三五〇枚で止まったということでしたが、私は四〇〇枚書いたものが止まってしまって……。

朝井　わー、負けた……？（会場笑）もう、戻りたくないですか？

米澤　いや、その原稿は捨てました。

朝井　まじですか!!

米澤　ボツにした文章を含めると八〇〇枚くらいありましたが、これは駄目だ、力業で完成させられるものでもないだろう、と。編集者の方にも見ていただいて決めました。

朝井　編集さんを信用されているんですね。私は今まで編集さんに相談することが下手だったんです。でも、私は時系列ミスを多発するので、最近は頼って年表とか作ってもらったりするようになりました。

米澤　助けを乞えるのも技のひとつかなと、思います。もともと編集や装丁や流通などいろんな人を頼っているわけですし。

朝井　最近、編集者に思うのは、血も涙もない売り方を提案してくれないかなって。自分は小説を書く時は余計なことを考えたくないんです。その分編集者のほうから、どういう売り方があるか提案してきてくれると嬉しいです。一手目からただ「いいものは売れますから」って祈りを捧げる方だと相談ができない。祈りは百手目でいいのに。

米澤　確かに小説を書いている間は売り方のことなど考えないですよね。なんなら読者の顔も浮かんでいない。

朝井　意外です。もう少し浮かんでいるのかと思っていました。

米澤　書く前に、こういうのを待っている読者がいるだろうと考えるし、書いた後はより多くの人に届けるためにはどうしたらいいか考えますが、書いている間は自分と小説しかないというか。書いている最中に「こう書いたら読者は喜ぶんじゃないか」などと考えると、文章が曲がる気がします。

●他人の小説を評すること

朝井　そうですよね。曲がるし、変わっちゃう。私はデビュー前の投稿してい

米澤　た頃が、一番余計なことを考えていたと思います。この選考委員にこういうふうに思ってもらいたい、とか。米澤さんは「ミステリーズ！新人賞」の選考委員もされていますが、何を思いながら選考していますか？

朝井　応募作の出来が第一ですが、今後その人が作家としてやっていけるのか、先のこともふっと頭をよぎりますね。

米澤　作品はどういうところで、「これはいいぞ」と思いますか。ミステリの場合はトリックがきちんと成立するということもあると思いますが、それ以外のところだと。

朝井　上手く説明できませんね……。プロの作品を読んでいる時にも感じるんですが、すごくスピリチュアルなことを言いますね。魔法がかかっているものってあるんですよ。

米澤　ああ、すごくいい言葉！

朝井　上手いけれど魔法がかかっていないもの、魔法がかかっているけれど駄目ってものもあるんですけれど。

米澤　あ、魔法があっても駄目なものも。

朝井　私はこれを書くんだという、尋常ならざるものが宿っているけれど、「これだと犯人はこうならないよね」という時はやはり推せません。

米澤　現代文学だと、魔法さえかかっていればＯＫ、というのはありそうです。

朝井　魔法がかかっていて力が足りない人は、本人の心が一回で折れなければまた最終選考に作品が残ったりするんです。選考委員が選評で「この人は次回を楽しみにしている」と書いた時は、本当に楽しみにしていると思っていただければ。

朝井 評するのって難しいですよね。書評委員をやってみて、面白いからと言って書評が書けるわけではないと気づきました。

米澤 それは興味がある話ですね。

朝井 起承転結も完璧で全部のツボを押さえた作品って、書評で言及するところがないんですよね。逆に展開に「ん？」と思っても、今の社会を映すものすごい一行があったりすると、それだけで書評が書けるんです。それでもミステリは本当に難しくて、トリックを書くわけにはいかないので、全然書評で取り上げられなくて。もうひとつ思うのは、「この人を褒めたことで書店の面積をとられたくない」との思いから書評を書きたくないっていう、人間的に最低な……（会場大爆笑）。今後、もしも何かの選考委員になったら、「こいつ自分のライバルになるな」と思った人を褒められるか不安です。

米澤 いい子ぶっていると思われる、と思いながら言いますが、自分が推してデビューした人の本が出ると、すごく嬉しいですよ。それが面白いと、もう最高ですよ。

朝井 えー……すごくいい話……。

米澤 あはは、目が信じていませんね。ここで題名は言いませんが、「ミステリーズ！新人賞」で受賞された方がお二人、本を出されたんです。短

『サーチライトと誘蛾灯』
櫻田智也　創元推理文庫。奇妙な来訪者があった夜の公園で起きた変死事件や、〈ナナフシ〉というバーの常連客を襲った悲劇の謎を、ブラウン神父や亜愛一郎に続く、令和の〝とぼけた切れ者〟名探偵が鮮やかに解き明かす。（編）

篇の賞なので、選考の時に「続きが読みたい」「別の作品も読みたい」と思ったんですね。それで、受賞作を含めた連作集が出た時に「読めた！　面白かった！　ありがとう！」と。

――せっかくですから、ぜひその受賞者名と書名を教えてください。

米澤　ああ、**櫻田智也**さんの**『サーチライトと誘蛾灯』***と、**浅ノ宮遼**さんの**『片翼の折鶴』***です。

朝井　そうか、読んで面白かったのなら、それを推した自分に返ってきますもんね。

米澤　そうですね、それを推した選択は間違ってなかったと思えますから。

朝井　いつか選考委員になる機会があったら、未来の自分はそうであってほしい（笑）。

（司会・構成：瀧井朝世）

「米澤穂信＆朝井リョウ」トークショー（二〇一八年十月二十八日）
主催／公益財団法人山形県生涯学習文化財団＆山形小説家・ライター講座、後援／ピクシブ株式会社　於山形市文翔館

『片翼の折鶴』
浅ノ宮遼　文庫で**『臨床探偵と消えた脳病変』**と改題。医科大学の脳外科臨床講義初日、初老の講師は意外な課題を学生たちに投げかけた。患者の脳にあった病変が消えてしまった、その理由は？　現役医師がソリッドな謎解きで贈る、〝臨床探偵〟西丸豊の推理。（編）

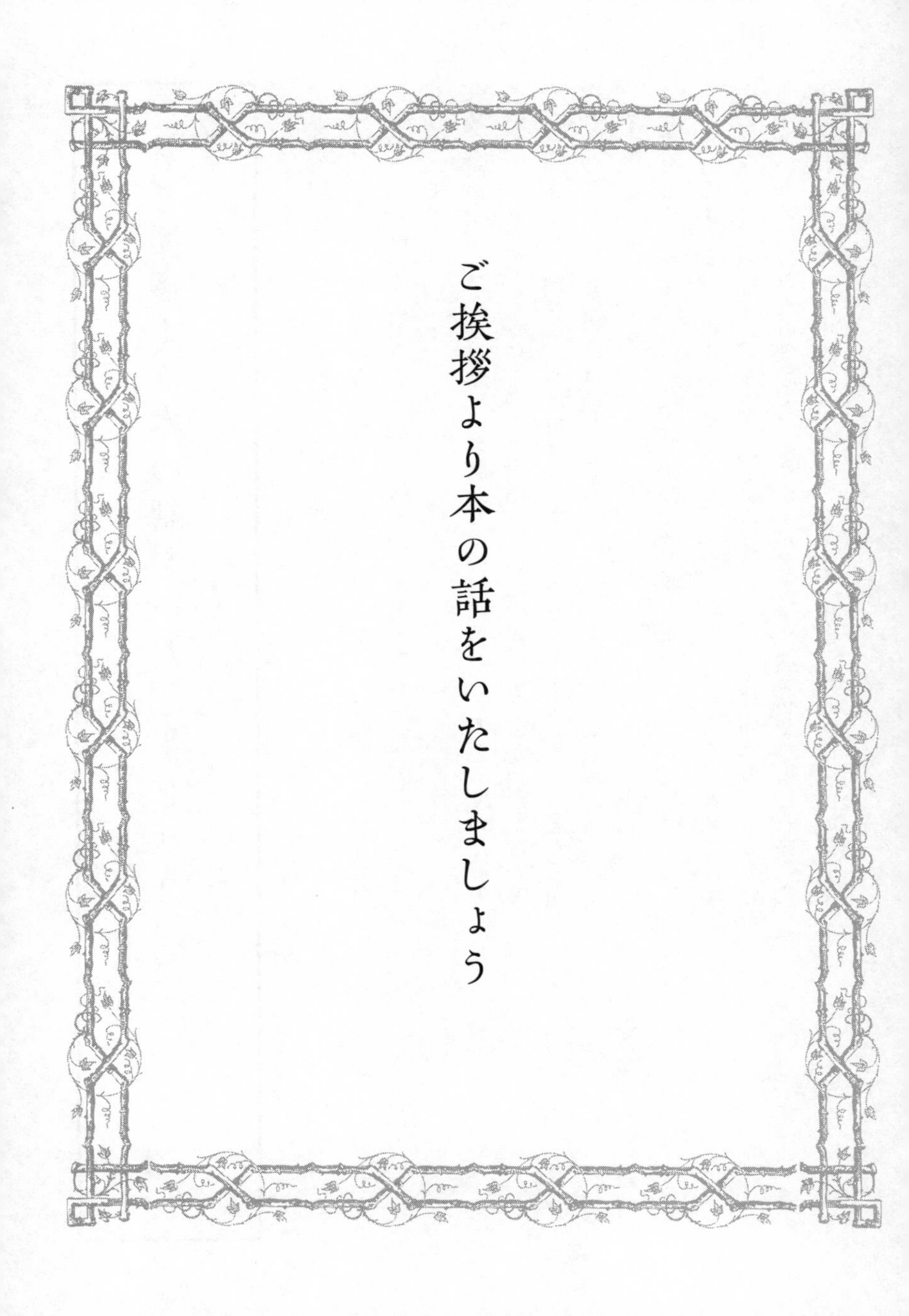

ご挨拶より本の話をいたしましょう

ご挨拶より本の話をいたしましょう

本書を読んでくださってありがとうございました。

読書という個人的な営為の記録がこうして一冊となり、上梓されてしまったことの戸惑いはいまだ消えませんが、何とかこうして巻末に辿り着いて、ほっとしています。

ある講演会でミステリについてお話しした後、同行してくださっていた編集者さんが、私が楽しそうに本のことを話していたのが何よりよかったと言ってくださいました。同様に、米澤はなんだか楽しそうに読んでいたなと思って頂ければ、これに過ぎる喜びはありません。

さて。

巻末のご挨拶をすべく頂いたこの紙幅ではありますが、くだくだしいことを申し上げるよりも、この本らしくミステリの話をいたしましょう。巻頭では国内のミステリについて長短十篇ずつを挙げました。小説に国内も海外もない——というのはひとつの理想ではありますが、実際にはなかなか難しいものです。それに、ドイツの小説にはドイツの空気が、中国の小説には中国の雰囲気が、アメリカの小説にはアメリカらしさがあることは、私にはさほど悪いこととも思えず、であれば日本の小説と海外の小説に上下ではない差異があることは、むしろ喜ぶべきことだとも思えます。

というわけで、ミステリを十冊挙げるにしても国内と海外をいっしょにするのは少々乱暴と思えましたので、別に分けておりました。その後半をご紹介いたします。

①『最上階の殺人』アントニイ・バークリー

マンションの最上階、フラットに住んでいた女性が殺害され、裏庭に面した窓からはロープが垂れ下がっていた。警察は犯行の手口から早くも犯人を絞り込むが、名探偵を自らもって任じる作家ロジャー・シェリンガムはその判断に疑問を持つ。シェリンガムは事件のあったマンションを訪れて被害者の姪に接触するが、彼女は図抜けた、特異な人物だった。彼女を秘書として雇い入れ、シェリンガムは本格的に捜査を開始する。

ユーモアミステリというジャンルがありますが、おかしなことです、殺人をもっぱらとするミステリがユーモアと結びつくなんて。……などと不思議がって見せるのも少々わざとらしい話で、死と笑いが仲良しであることは、むしろ常識に属するかもしれません。

私も子供の頃はずいぶんいろいろなユーモアミステリ*を読んで、笑い転げた

いろいろなユーモアミステリ しかしこうして思い返してみると、いったい何を読んだのか書名が思い出せません。ひとつ確実なのは赤川次郎(たぶん〈三姉妹探偵団〉シリーズの何かだったと思います)で、あまりに笑ったので、図書館で除籍になっていた赤川次郎を見つけた時、喜んでもらってきました。きっとこれもおかしいんだろうと思って読んだのが、『ポイズン 毒 POISON』。読後しばらくは、物を食べることが怖かったものです。

ものでした。いま思うと、あれが箸が転げても可笑しい年頃というやつだったのでしょう。しかし成長するにつれ、私はそれほど笑わなくなっていきました。ことに、ミステリで笑ったことというのは、数えるほどしかありません。

そしてこの『最上階の殺人』こそは、私が長じてからのち、最も笑ったミステリなのです。

この、外形的には特に数寄を凝らしたふうでもないミステリをどうしてこれほど堪能したのか、物語の展開を明かすのはやめておきましょう。ただ言えるのは、そもそも私は、ロジャー・シェリンガムが好きなのです。友達になりたいわけではないですが……いやそれどころか、お近づきになりたいとさえ思わない*のですが、彼は名探偵として、得難い性質を持っています。彼は、失敗するのです。

おそらく著者バークリーはこの名探偵に、成功率五十パーセント*という目標値を掲げたのではないでしょうか。彼は自信満々で捜査に乗り出し、その場を仕切り、観察し聞き込みをし、果断なのか早とちりなのかわからない判断を下し、犯人を指摘したり、指摘し損ねたりします。成功するかどうかわからない名探偵がこれほどスリリングな存在だとは、ちょっと想像もしませんでした。

バークリーは主として戦間期（一九一九～三九）に活躍した作家で、その創作姿勢は『第二の銃声』の序文で知られています。彼はこう書きます。「探偵小説は（中略）読者を数学的であることによって惹きつける小説ではなく、心理学的であることによって惹きつける小説へと発展しつつある」「問題は誰が

お近づきになりたいとさえ思わない
名探偵はしばしば傍若無人です。そしてシェリンガムの傍若無人レベルは最高ランクに位置します。

成功率五十パーセント
厳密に五十パーセントという数字を算出したわけではなく、当たったり外れたりする、という程度の意味です。部分的成功という小説もありましたから、正確な成功率をはじき出すのは難しいかもしれません。

浴室の老人を殺したかではなく、いったいいかなる作用がほかならぬX氏をして、浴室の老人を殺さしめたかになるだろう」（西崎憲訳）。つまり彼は、今後のミステリは犯罪パズルだけではなく、小説的豊かさを必要とすると主張*したのです。その予見はおそらく、アガサ・クリスティーが世界一のベストセラー作家になることによって、的中しています。そして彼自身が『最上階の殺人』でミステリに小説的豊かさをもたらすために選んだ要素は、ユーモアでした。それが文学的冒険として成功だったかどうかはわかりません。ただ私は、この小説を笑って読んだ思い出を大事にしていますし、好きなミステリを十冊挙げることになったら、これを忍ばせるのです。

②**『杉の柩』**アガサ・クリスティー

私が初めて読んだミステリは児童向けにリライトされたポーの**「黄金虫」**だったと思いますが、一冊の本として自分から手に取ったのはクリスティーの『なぜ、エヴァンズに頼まなかったのか？』でした。「なぜ」という題名に、どうしてだろうと思ったのです。

クリスティーのすさまじさは、いまさら言うまでもないでしょう。密室ものやアリバイ崩しなど、多種多様なミステリのサブジャンルを代表する小説を書くのはどんなに偉大な作家にとっても容易（たやす）いことではありませんが、にもかかわらずクリスティーは「クローズドサークル」「叙述トリック」「ミッシングリンク」「回想の殺人」については、間違いなく代表例*を書いています。薬物に

小説的豊かさを必要とすると主張
いちおう付け足しますと、彼は同じ文章の中で、「純粋な推理への興味は内在し続けるはず」だとも言っています。パズル要素はなくなるべきだと主張したわけではありません。

代表例
具体的な題名はP．２９２をご参照ください。

対する専門知識*を生かし、ミステリ作家の中でも図抜けてバリエーション豊かな毒物*を作中で用いることでも知られています。ひとたびミステリを離れれば『春にして君を離れ』という、人生において取り返しのつかないものについての心胆寒からしめる傑作を書きました。超人です。

誰もが認める傑作群は殿堂入りとして、私自身が好きなものをと考えると、すぐに思い浮かぶのは『パディントン発4時50分』、『鏡は横にひび割れて』（殿堂入りかもしれません）、それからこれはあまり同意を得られたことがないのですが、『殺人は容易だ』が密かに好き。とはいえ実は未読もたっぷりあるわけで、数年後に同じことについて書いたら、ぜんぜん違うことを言いそうです。ですがきっと、『杉の柩』を愛することは変わらないでしょう。それはこんな小説です。

婚約中のロディーとエレノアの前に、薔薇のように美しいメアリイが現れた。ロディーはたちまち心を奪われ、エレノアとの婚約は解消される。エレノアは、超然としている、よそよそしいと言われる冷ややかな態度の下で、深く悲しんでいた。彼女は幼馴染のロディーを、心から愛していたのだ。そしてある日、メアリイが死ぬ。エレノアが作ったサンドイッチを食べた直後に。逮捕と捜査が行われ、裁判が始まる——。

そんなことに感心したのかと呆れるなかれ、私はまずこの小説の外形が好きです。逮捕、捜査、裁判。そうか、当然それでいいわけだ、とたいへん納得しました。

専門知識
第一次世界大戦中に英国の保養地にある病院で看護師として働き、その病院に新しい調剤室ができると、そこで働くために調剤師の資格を取得しています。

バリエーション豊かな毒物
p.252でも紹介していますが、『アガサ・クリスティーと14の毒薬』（キャサリン・ハーカップ　長野きよみ訳）は、クリスティーが作中でどんな毒をどのように使ったか、そして実際の毒の効果はどのようなものであったのかについて書かれた本です。それぞれの事件について適切な毒を選んだり、（おそらくは）小説的美観のために効果の一部を描写していなかったりしていることがわかり、極めて興味深いです。

ミステリにおいてある推理が真実であることを担保するのは論理性ですが、気まぐれと偶然と作為に満ちたこの世で無謬（むびゅう）の推理というのはあり得ず、名探偵が真実を言い当てられるのは神（作者）の加護があるからに過ぎない……という問題に対し、無謬があり得ないのは現実でも同じことで、だからこそ我々は司法制度を持ち、真実を社会的に推定*するのだということを思い出したのです。裁判ものを読むのは、別に初めてというわけでもなかったのですが。

エレノアには動機があり、機会があり、手段があり、さらに言えば間違いなく殺意までもがありました。全てが揃っていてなお、彼女の無罪を立証することは出来るのか。不可能とも思える難事に被告の死を懸けて挑む、サスペンスがたまりません。罪に落とされてなお男のことを思い続ける被告のいじらしさも、その被告を何としても救おうとする第三者のまっすぐな思いも、胸に沁みます。クリスティーはよく恋も書きましたが、『杉の柩』の恋はひときわ、いいですね。登場人物のしあわせを祈りたくなってしまいます。

③『**血の収穫**』ダシール・ハメット

ある鉱山町で労働争議が発生し、鉱山会社は労働組合を弾圧するためにギャングを雇ったが、そのギャングが居座ってしまったことで町は荒廃する。鉱山会社の社長は、コンティネンタル探偵社の探偵である主人公にギャングの一掃*を依頼する——。

小説のジャンル分けが誰の役に立つのかというと、第一には読者、第二に書

社会的に推定
当然ながら、裁判を経れば常に真実が明らかになるというわけではありません。出来るのはせいぜい最善を尽くすことだけで、そこに、リーガルサスペンスが書かれる余地があるのです。クリスティーなら『**検察側の証人**』、そこからはやはり**小泉喜美子**『**弁護側の証人**』を連想します。最近復刊なった**大岡昇平**『**事件**』も、非常に面白いリーガルサスペンスでした。

店員、第三に出版社ではないかと思っています。ある小説を読んで好きになり、「こういうもの」をまた読みたいと思って探すとき、そしてそういう読者を誘導する時に役に立つのが、ジャンルという考え方です。作家にとっては……どうでしょうか。書きたい（ないし「書ける」ないし「書くべき」）と思って書いたものが特定のジャンルに回収されることはあっても、あるジャンルに加わることを望んで小説を書くということは、それほど一般的ではないように思うのですが。

なぜこんな話を書いたのかというと、ほかでもない、『血の収穫』があまりに特異な話で、本当にこれを「ハードボイルド」というジャンルに括っていいのかわからなかったからです。この本を初めて読んだとき、私のハードボイルドに対する知識はまったくお粗末で、「金まわりに困っている割に依頼人が来ると何だかんだ理屈をつけて仕事を断ってしまう変わった人たちが出てくる小説」だと思っていました。そして手に取った『血の収穫』は、どんな小説だったか。……驚きました。

『血の収穫』はその題名に違わず、血で血を洗い、数ページごとに人が死んでいく凄まじい小説でした。ですが私が驚いたのは、そこではありません。ガンファイアと死が横溢するのと同じだけ、この小説は推理に満ち溢れていたのです。小説の冒頭部で依頼人が殺されると、主人公はそれが誰の仕業かを捜査して推理し、そして、あっという間に解決してしまいます。この冒頭の殺人事件は、小説全体にとって登場人物紹介程度の意味しか持たないのです。それから

ギャングの一掃
ホームズ譚の『恐怖の谷』と類似しています。『恐怖の谷』の事件が解決した後、解決した探偵が町に居座って収奪を始めたとすれば（そして町の有力者がいまや邪魔者になった探偵の排除を企てたとすれば）、『血の収穫』の設定になります。これは、この二作が共に、モリー・マグワイアズの事件をモデルにしているからでしょう。モリー・マグワイアズはペンシルヴェニアの炭鉱地帯に存在するとされた秘密結社で、ピンカートン探偵社の介入によって大量の逮捕者、刑死者を出しました。モリー・マグワイアズは本当にピンカートン探偵社が主張するような犯罪者集団であったのか、そもそもモリー・マグワイアズは実在したのか、現在でも議論があります。

も幾多の事件が起きます。死人が出るものもあれば、出ないものもある。推理に次ぐ推理が行われる。のですが、それは、真相をいち早く突き止めることでどうしたら自らにとって最も有利であるかを考えるためです。つまりこの小説において「推理」は、銃による脅迫や権力による恫喝、手下の動員、殺人などと同じく、自分の都合のいいように事を運ぶための手段に過ぎないのです。

これほど推理が釣瓶（つるべ）打ちにされ、そしてそれらが使い捨てられていく小説は読んだことがなく、こんな特殊な小説がジャンルに回収される（つまり「こういうもの」のひとかたまりの一部になる）なんてことが、本当にあるのかと私は疑ったのです。

ハードボイルドは謎解き小説の一つのあり方である*と知るのは、『夜明けの睡魔』で瀬戸川猛資氏がロス・マクドナルドについて語った言葉を読んでからのことになります。それでもまだ、『血の収穫』をハードボイルドの一言で片づけられるのかどうか、私はよくわからずにいるのです。

④『ウィンブルドン』ラッセル・ブラッドン

世の中には「こんなのを思いついたら、もう勝ったも同然」と言いたくなる小説があります。そういうものに出会うと、アイディア一本！　と旗を挙げて一本勝ちにしたくなる。けれど、本当に優れたミステリは、それだけで充分に価値があるように思える着想を磨きに磨いて、歴史に名を遺すのです。

私はかつてある小説を書こうとした時、それなりに優れた着想を得たと思い

謎解き小説の一つのあり方
瀬戸川猛資氏が書いたのは、あくまでロス・マクドナルドが極めて優れた本格ミステリ作家だということであり、ハードボイルドが謎解きであるとは書かれていません。ただ私は瀬戸川先生の文章を読んで、ハードボイルドとされている小説も謎解きの観点から読み解けるという視点を教わったのです。

ました。ですが小説が出来上がった時、担当編集者さんは「この小説はもっと面白くないと嘘だ」と言いました。小説を書く自分に油断や慢心があったとは思いません。つまり、当時の私の能力は、着想に対して充分ではなかったのでしょう。ことほどさように、着想だけで普遍に到達するのは難しい。あの奇想天外なアイディアで書かれた『大誘拐』だって、アイディア一本！　とのみ評価しては、見識を疑われることでしょう。

『ウィンブルドン』がどれほどすばらしい小説か、言葉を尽くしても尽くし過ぎということはありません。それはこんな小説です。

二人のテニス選手*がウィンブルドン選手権の決勝で対決する。その決勝戦の裏で、警察に脅迫状が届く。決勝戦が決着するまでに国宝のダイアモンドを引き渡さなければ、試合の勝者と、貴賓席で観戦している英国女王を撃つ、というものであった。誰がどこから狙っているのか必死の捜査が始まるが、タイムリミットは、試合の経過次第である――。

これだけで、充分に面白い。満点です。「勝ったも同然」と言いたくなります。

ですが、このあらすじは、本書の魅力の百分の一も伝えていないのです！『ウィンブルドン』の魅力は、ウィンブルドンのセンターコートで決勝を戦う二人のテニスプレイヤーの、友情でありライバル意識であり、信頼であり不信であり、師と弟子、親と子に似てさえいる一言では言い表せない結びつきにあります。オーストラリアのゲイリー・キングとソ連のツァラプキンが、ある試

テニス選手
スポーツとミステリの関係は複雑なものです。スポーツは（たいてい）動的なものですが、ミステリは静的だからでしょう。スポーツ中にミステリが進行するという趣向は、至難の業と言えます――選手はプレイグラウンドにいるわけですから、捜査がしづらいんですよね。その点、テニスは何時間もかかることが珍しくありませんし、インターバルもありますから、ミステリと組み合わせるには適していたのでしょう。スポーツを扱ったミステリでは、**本城雅人**の『**誉れ高き勇敢なブルーよ**』が好きです。秘密裡にサッカー日本代表の監督を選ぶ、コンゲームです。

合でぶつかる。キングはほとんど感情を表に出さないが、その表情の下には情熱が燃え滾（たぎ）っている。一方のツァラプキンは国家に育てられた、テニスができる子供のような男です。だが時が来て、ツァラプキンが亡命を決意すると、キングは、別にそうしてくれと頼まれたわけでもないのに、ツァラプキンを命懸けで守りました。二人のテニスプレイヤーの間にあるものを、本当に、何と表現すればいいのでしょうか。

あの脅迫が行われるのは、ウィンブルドンのセンターコートというもっとも栄光に包まれた舞台で二人が対峙する時です。私はミステリを読んでいて、犯人に対して怒りを抱くということは滅多にありません。なんといっても犯人がいないとミステリは始まりませんし、探偵と犯人のフェアプレイがミステリの基本です。ゲームが終わればノーサイドというのがフェアプレイというものです。しかし『ウィンブルドン』だけは違った。私はこの犯罪を憎みました。事件なんか起きなくてもよかった。事件が起きなければこの本はミステリとは言えず、よってここで挙げることも出来なくなったでしょうが、それでもよかった。キングとツァラプキン、二人はただテニスをしたかったのに、国家や政治体制の差さえ乗り越えて、とうとう二人それぞれがそれぞれの戦いを勝ち抜いて輝かしいウィンブルドンのセンターコートに辿り着いたのに、何が脅迫だ、何がダイアモンドだ、ヨソでやれヨソで！　と思ったのです。

しかし事件は起きてしまいました。ゆえにこの小説はミステリであり、私はそれをここで挙げます。この小説は、至宝です。

⑤『キングの身代金』エド・マクベイン

物理学や哲学の分野で見かける思考実験*というものが、割に好きです。哲学的ゾンビ*や中国語の部屋*、マクスウェルの悪魔*や、もちろんシュレーディンガーの猫*も好きです。たったひとつの技術的なブレイクスルーが世の中を大きく変えていくというようなSFも、あるいは思考実験の一種と言えるかもしれません。一方でミステリの分野では、思考実験に当てはまるものは、それほど多くは思いつきません。そして、その数少ない作例が、この『キングの身代金』です。

ダグラス・キングは製靴会社の重役で、ある経緯があって、自分が勤める会社の乗っ取りを企んでいる。彼は家屋敷を含む全財産をはたいて資金を調達し、あとは交渉相手に小切手を渡すだけで会社が手に入るというところまで漕ぎつけた。しかし、その運命の日の直前に、お前の息子を誘拐したという電話がかかってくる。無事に返してほしければ金を払え……身代金の要求額は、彼がかき集めた資金の三分の二にあたる莫大な額だった。息子か、人生をかけて集めた金か。キングは一瞬たりとも迷わず、身代金を払うことを決める。

だが、犯人はミスを犯した。彼らが誘拐したのはキングの息子ではなく、キングが雇っている運転手の息子だったのだ。それがわかっても、犯人は要求を取り下げようとはしない（ここが、この小説の天才的な点です）。キングは、他人の息子のために金を出せるのか。

思考実験
思考実験は、何かについて深く考えたり批判したりするために行われます。以下に註釈するのは思考実験のうわべであり、本当に大事なのは、それによって何が考えられるかです。

哲学的ゾンビ
外的刺激に対しては人間と同じように喜怒哀楽の反応をするが、その内面には自らの意識というものを持っていない存在。

中国語の部屋
部屋の中に中国語の辞書があり、中国語がわからない人がいる。部屋に中国語の文章を投げ込むと、正確に翻訳されて返される（中の人はそれが「翻訳」であることも知らない）。部屋の外からは、「室内には中国語を理解する人がいる」ように見える。

マクスウェルの悪魔
部屋に充満した分子の速度を見分けられる存在が、速い分子が飛んできた時だけ隣室への扉を開ける。するとやがて「速い分子の部屋」と「遅い分子の部屋」ができる。これは永久機関の実現を意味する。

おそろしい問いです。キングは、その名に反して、別に王族の生まれというわけではありません。乗っ取りのために用意した金は、彼自身が自分の人生を犠牲にして手に入れてきたものです。キングはただ金しか見えていないような、単純な人間ではありません。彼は、誘拐されたのが自分の息子だと思っていた間は、金を惜しむそぶりも見せませんでした。しかし事実を知れば、心は揺れます。*揺れざるを得ないでしょう。

多くの人が、決めかねるキングを非難します。罪のない子供のかけがえのない命に比べて、金がなんだ。人間ならばもちろん出してしかるべきだ、と。キングの妻も、秘書も、事件を担当する警官までもが（それぞれの思惑あっての事ではありますが）キングを倫理的に攻撃したり、嫌味を言ったりします。ですが……彼らは、全財産の三分の二をキングの前に積んで、これを身代金の足しにしてくれとは言いません。たった一人、知り合いが千ドル出そうと言ってきましたが、それに対してキングはこう言います――「千ドルなんて、あり金の一部ですまさず（中略）貯金を全部出してくれないと、子供が殺されるといってやろうじゃないか」。キングの言い分は不当です。全額出せと言うのはひどい。三分の二と言うべきでしょう。

誰かのためにほんの少しでも自分を傷つけるのは、とても難しいことです。傷つくのがほんの少しでないなら、そうするには意志以上の何かが必要になる。キングの葛藤には普遍性があります。小説の最後でキングがどのような決断を下したか、私はよく憶えていません。何度読んでも忘れてしまいます。

シュレーディンガーの猫
有名かつ紙幅がないので、略！

心は揺れます
同種の問いが提示される小説に、スタンリイ・エリンの「**決断の時**」があります。『キングの身代金』で主人公の決断に託されているのは子供の命ですが、「決断の時」では、年老いたマジシャンの命です。もし、子供の命のためならば財産をなげうつが、老人のためには出せないと考えるとすれば、それは命の価値に軽重をつけることを意味します。それでいいのかは……ちょっと考えものです。

それはおそらく、この思考実験に対する最適解を、自分自身で見つけ出し得ていないからなのでしょう。

⑥『沙蘭の迷路』ロバート・ファン・ヒューリック

人にはそれぞれ好物というのがあって、それはもう理屈の問題ではありません。以前、とある編集者さんが、なまはげか復員兵の出てくる小説が好きだと言っているのを聞いたことがあります。それが何故なのか、尋ねればある程度の答えは返って来たのでしょうが、たぶんそのとき言葉になったものは理由のほんの一部で、当の編集者さん自身が自分の説明に首を傾げただろうと私は信じています。

ロバート・ファン・ヒューリックの〈狄判事(ディー)〉シリーズが、好きでたまりません。エリス・ピーターズの〈修道士カドフェル〉*シリーズと双璧を成して好きです。それがなぜなのか探るため、両者の共通点を挙げることは簡単です――どちらも歴史ミステリですから。ですがもちろん、「歴史ミステリ」の六文字では括り切れない部分に本当の理由がある。言い尽くせないことを承知でそれでも言語化を試みるなら、それはおそらく「敬意」ということではないでしょうか。私は、過去への敬意、異なる文化への敬意が満ちている空間が好きです。別の言い方をするなら、「いま、ここ」は一過性のものに過ぎないと知ることが、好きなのです。

そんなしかつめらしい話は置いても、『沙蘭の迷路』はずばぬけて面白い小

修道士カドフェル
シュルーズベリの修道士カドフェルは、十字軍騎士として従軍し、帰ってきた男です。彼は修道院で薬草園を担当していて、東方で何があったのかは、あまり語ろうとしません。悟りきっているわけでも、修道院の規則に忠実なわけでもありませんが、彼の言葉や行動には、人にとって何が大切なのかを知っている者の重みがあります。

説です。唐王朝の役人狄仁傑（ディーレンチエ）は、おそらく左遷され、国の西辺の県知事*を任じられます。その狄判事が直面する問題は以下のとおり。

1　土豪が代々の知事を買収しており、県を壟断（ろうだん）している
2　土豪の収奪のため、良民の一部が盗賊に身を落としている
3　異民族に殺されたはずの以前の知事が、暗殺されていた疑いがある
3　良民の娘が行方不明になっている
4　地元の寺僧が、黄金の仏像が奪われたと訴えている
5　この地に隠棲している元将軍の命が狙われている疑いがある
6　「知事に見せよ」という遺言と共に遺された一幅の絵が持ち込まれる
7　（伏せておこう……）

どれひとつとっても長篇を支えるに足る問題が相次いで持ち上がり、狄判事はそれらに粘り強く取り組みます。つまり本作は多重プロットの小説*と言えるでしょう。事件のうちいくつかは狄判事によって即座に解決されますが、ほとんどの事件は入り組み、思いがけない展開を見せることになります。一方では密室殺人が発生し、他方では顔を隠した謎の男が捜査線上に浮かび上がってくる。そしてこの都市で起きた事件はどれも、かつて町はずれに作られた巨大な迷路へと行きつく。なんともしびれるプロットではありませんか！

そしてこの入念なすじ立てにも並んで、私は〈狄判事〉シリーズの登場人物たちにも強く惹かれます。狄判事に仕える馬栄（マーロン）は腕っぷしが強く斗酒なお辞せず、元盗賊という豪傑肌ですが、判事には心服しています。喬泰（チャオタイ）も元盗賊です

国の西辺の県知事
「城塞都市の市長」ぐらいのイメージ。ただし行政だけでなく司法も管轄するため、狄判事と呼ばれる。狄判事は実在の人物ですが、名裁判官として伝説の人物と化しています。日本における大岡越前の立ち位置を想像して頂ければ近いでしょう。

多重プロットの小説
こうしたタイプの小説を指すモジュラー型という言葉がありますが、『沙蘭の迷路』がモジュラー型と言えるのかどうか私にはわかりません。モジュラーというのはモジュールの集合で成り立つ完成品のことで、モジュールという言葉には規格化され互換性のある既製品というイメージがあるからです。狄判事が直面する事件はどれもあまりに特異で、モジュールとは思えません。

が、どうもさらに遡(さかのぼ)れば軍人だったのではと思われる翳(かげ)がある。元詐欺師の陶侃(タオガン)は、尾行変装なんでもござれ、裏社会の事情通でもありますが、やはり判事に対しては決して嘘をつきません。そして狄判事は、事件に取り組む順序をつけることはしても、その軽重にかかわらず政庁の全力を挙げて取り組み、苛烈さと慈悲深さを兼ね備えています。そう、彼らは、いかにも中国の物語に出て来そうな造形*をしているのです。

つまりオランダ人の外交官ロバート・ファン・ヒューリックは、中国文化への深い理解に基づき、敬意と愛情をこめてこの本を書いたことが、登場人物の描き方ひとつからも窺えます。その姿勢こそが、私がこのシリーズにたまらなく惹かれる理由の根幹を成しているのかもしれません。

⑦『クローディアの秘密』E・L・カニグズバーグ

クローディアは家出を決意する。彼女はその相棒に、三人いる弟の真ん中のジェイミーを選んだ――なぜならジェイミーは小遣いをため込んでいるからだ。賢明なるクローディアが選んだ隠れ家は、なんと、ニューヨークのメトロポリタン美術館。クローディアとジェイミーはメトロポリタン美術館の中で眠り、時には水浴びをする（美術館の敷地内に噴水があるのだ）。昼間は来場者に交じって美術品を見てまわる。そして彼女らは、イタリアルネサンスの部屋で、天使の彫像に出会った。美しくて優美で、それだけならメトロポリタン美術館にはほかにもあるのだけれど、その彫像は特別だった。二人は置き忘れられた

中国の物語に出て来そうな造形
たとえば馬栄は『水滸伝』の「黒旋風の李逵」を思わせます。ただ、ヨーロッパの読者に向けて書かれたためか、李逵ほどたやすく人を殺しはしません。

新聞から、この彫像がミケランジェロの作品ではないかと考えられていることを知る。同時に、そう証明されているわけではないことも……。

美術を扱ったミステリは数多くあります。およそ美術は結果だけが残り、その創作方法（HOW）や創作意図（WHY）や創作時期（WHEN）、時には創作者（WHO）さえもが謎に包まれるため、ミステリとの相性*がいいのでしょう。私がそういうものに初めて接したのは、泡坂妻夫の短篇「椛山訪雪図（かざんほうせつず）*」でした。それから北森鴻『狐罠（きつねわな）*』で仰天し、**黒川博行『離れ折紙』***を夢中で読み……そして後になって、自分がそれらよりも先に、すばらしい美術ミステリに触れていたことに気がつきました。それが『クローディアの秘密』です。

クローディアとジェイミーは、彫像の秘密を知ろうとします。それが本当にミケランジェロの作品かどうか、何とかして知ることを渇望します。何故か？ クローディアは賢明なので、一生を美術館で過ごすわけにはいかないことを知っています。いつかは帰らなくてはならない。けれどこの家出は、夏のキャンプのように、行って帰ってきただけのものであってはならない。前と同じ自分のまま、前と同じ生活に戻っていくのなら、何のための家出だったのか。何かが、家出の前の自分とは違っていなければならない。その何かを与えてくれるものこそがこの天使の彫像だと、クローディアは知っていたからです。

『クローディアの秘密』は、とてもすてきなジュブナイルです。クローディアとジェイミーの冒険に、かつて私は胸を躍らせました（それ以来、いつかメトロポリタン美術館に行くのだ、という夢を持っています）。二人の心理の描き

ミステリとの相性
WHEREは創作場所というより、絵のモデルになった場所はどこか、などという形で問われることが多いように思います。

「椛山訪雪図」
短篇ミステリの大傑作。一幅の絵「椛山訪雪図」の秘密が、殺人を暴く。美しすぎる物語で、長篇の項目で『乱れからくり』を挙げていなければ、確実にこれを挙げていました。

『狐罠』
骨董業界を舞台にしたコンゲーム。まんまと贋物をつかまされた骨董商・宇佐見陶子は、そのお礼として、相手につかませるための贋作を作り始める。〈旗師・冬狐堂〉シリーズとして続刊も出ましたが、この第一作は後の作に比べて、ダーティーです。

『離れ折紙』
美術品を巡る、丁々発止の騙し合い。美術ミステリの王道ながら、主役級に美術館という「プロ中のプロ」を加えることで、一味違った読み味を生じさせています。

方は瑞々しく、かつ穿(うが)っている。だがそれだけでは足りません。ただの「すてきな物語」が「特別な物語」になるためには、世界の秘密が必要なのです。

物語の後半、クローディアは帰宅するか、それとも家に帰るための最後の数ドルを犠牲にして天使の秘密を追い続けるか、選択を迫られます。これほど切実に謎を解く必要に迫られた探偵がいたでしょうか。彼女は、納得のいかないことに直面した時に歯を食いしばって一歩を踏み出す人生を生きるか、それとも、まあ出来ることはやったと背を向ける人生を生きるか、その最初の岐路として謎に挑むのです。彼女は手掛かりを持っている老人に、手持ちの材料全てを懸けて取引を持ち掛けます。私はこの、捜査と交渉の場面がほんとうに好きです。クローディアに向かい合うこの老人のようになりたい、と願うほどに。『クローディアの秘密』は、すぐれた美術ミステリです。そして同時に、ひとつの魂がおとなになることについての、傑出したジュブナイルなのです。

⑧『ムントゥリャサ通りで』ミルチャ・エリアーデ

この本は私にとって、モノリス*のようなものです。なぜ私の本棚にあるのかわかりません。いつの間にかそこにあって、なぜか読んでいました。これはおそろしい本です。幻想と現実がお互いを打ちのめそうとする過程を描いた小説と言えば、部分的には当たっているかもしれません。

ルーマニア*のある都市（書かれていないが、おそらくブカレストでしょう）*を、一人の老人が歩いている。彼はその通りの一角に住む、内務省の少佐に会

モノリス
monolithを辞書で引くと、「建築・彫刻用の一枚岩。石柱、オベリスク、記念碑（像）」と出てきます。そ、そうだったのか。本文でイメージしていたのは、映画「2001年宇宙の旅」に登場するものです。背の高い、長方形の、なんだかわからない謎のものと言いたかったのです。

ルーマニア
それもおそらく、チャウシェスク政権下のルーマニアです。チャウシェスクは独裁体制を敷き、秘密警察を利用して、国民を監視していました。このような社会では、有力者といえども決して安全ではありません。作中でも、相当な有力者と思しき人物が不意に退場します。——失脚し、粛清されたのでしょう。

いに来たのだ。だが少佐は老人のことを知らない。老人は言う。「まだ思い出しませんか？　ムントゥリャサ通りを？」と。そしてそこから、どこまでも遡りどこまでも広がる、果てしない物語が始まる。登場人物たちは互いに関連し、その関連を解きほぐすためには共通の友人である第三者について話さねばならず、その第三者について説明するためにはその祖父を救った貴族の話をする必要があり……。老人の話は次第に幻想に踏み込んでいく。呪いや宿命の物語が語られる。その老人の話に、多くの人間が耳を傾ける。保安警察、内務省次官、そして大臣までが、際限なく続く老人の物語を聞く。何百ページという供述書を書かせ、それを読む。

私はこの小説を読む中で、幻想について書く時の作法を一つ学びました。不思議について書くとき、文章は明晰でなくてはならない。文章をぼやけさせ、語り手の認識を混乱させ、その曖昧さの中で不思議を語るのではなく、何がどこにあって誰の前で何が起きたのか、すべてが明白に書かれていなくてはならない。何もかもはっきりと書かれているのに*起きている事だけが不思議である、そうした幻想こそが魅力的なのだ、と。もっともこれは私の認識で、また別の見方があるだろうとは思います。

ここで、老人が語る物語の迷宮を解説することはしません。『ムントゥリャサ通りで』とは読者までもがその迷宮に迷い込んでいく小説であり、語られる物語の筋立てを明かすことはミステリの種を割るに等しいからです。ですが、魅力的な物語がどこまでも続く小説は、それだけでは、ミステリとは言えませ

何もかもはっきりと書かれている
まったくの余談で恐縮ですが、昔、あるミステリを書いた時、編集者さんが首を傾げて、こういう趣旨のことをおっしゃいました。
「これでは、よくわかりません。たとえるなら、密室ミステリなのにドアが内開きか外開きか、ドアについているのがノブなのかレバーなのか、窓はどちら向きに幾つあってどういうふうに開くのか、他に開口部はないのか、書かれていないようなものです。読者は謎を解きようがないですし、小説の中で謎が解かれても、面白いと思うことが出来ません」
それ以来私はミステリを書くとき、「これは窓について書いてない密室になっていないかな」と気をつけています。

ん。私がこの本を、自分が好きなミステリの一冊として挙げるのには、きちんと理由があります。

ここまでの文章を読んで、もしかしたら疑問に思われた読者もいらっしゃるかもしれません。……老人が語る幻想の昔話は、なぜ聞かれるのでしょうか。老人に話を促す人間はみな、暇人ではありません。それどころか、おそろしく勤勉に国民を監視し続けるタイプの国家の、政府側の人間です。小説が進めば進むほど、物語が分岐し遡り拡散するほど、読む者の胸には重い疑問がつのっていきます。なぜ彼らは老人に語らせるのか。物語を聞き、書かせ、読むのか？ その語られざる問いこそが、この小説をミステリにしているのです。

現実を圧倒するかに見えていた幻想は、次第に、そのきらめきを失っていきます。政府の人間は、言葉少なに物語を促します。もっと話しなさい。脇道に逸れず、話し続けなさい、と。なぜ、何のためにという問いは膨らんでいき、そして読者は小説の最後に、現実が物語を食いつくしていく様を見るのです。*それはなんと残酷な「解決」であることか。

幻想とミステリは相性がいいと言われますし、現に、その相性のよさを証明した小説も挙げることができます。しかし『ムントゥリャサ通りで』を読むと、やはり両者は違うものなのだと思わざるを得ません。幻想は非合理の側であり、ミステリはやはりどこまでも合理の側なのだ、と。

現実が物語を食いつくして
このように『ムントゥリャサ通りで』を読むとき、外形はまったく異なっているのに、山田風太郎『明治断頭台』と通底するものがあることに気づきます。

⑨『失踪当時の服装は』ヒラリー・ウォー

一九五〇年、アメリカ東海岸。カレッジの一年生が突如として失踪し、警察が捜査に乗り出す。警察署長*はあらゆる可能性を視野に入れ（現場近くの湖にボートを出し、失踪者が妊娠していた可能性をチェックし、駆け落ちの相手はいなかったか聞き込みをし……）、失踪者を見つけ出そうとする。「人が一人いなくなった」というだけの雲をつかむような状況から、警察は手広く情報を収集し、失踪者を捜し続ける。電話で寄せられた情報を確認し、失踪者の家族と話をして、現場を何度もチェックする。

瀬戸川猛資氏の『夜明けの睡魔』ではウォーに一項が割かれ、「忘れられた作家」と題されています。面白いのは瀬戸川氏がウォーについて、この作家が書くものは警察小説だという見方を否定し、「警察官が主人公の名探偵小説」と書いていることです。私などが言うのもおこがましいことですが、少なくとも『失踪当時の服装は』について言うなら、まったく同感です。これは名探偵の小説であり、同時に、警察小説ではありません……おそらくは。

この小説の主人公である警察署長は、温かみのある人間ではありません。失踪者の家族から、あの男は失踪した娘を人間として見ていないと言われてしまう男です。ですが彼が温和であるか冷酷であるかは、事態にあまり関係がないのです。彼が成すべきことはただ一つ、失踪した娘を捜すこと。そのためなら打てる手はすべて打ち、ほとんどゼロの可能性も裏を取り、部下を叱咤（しった）し、仮説を立て、その仮説を取り消し、現場に残されていた日記を何度でも読み返し、電話機の前で報告を待ち続けます。彼は言います。

警察署長
日本とアメリカとでは警察制度がずいぶん違いますから、警察署長というのがどのような立ち位置なのか、いまひとつ感覚的につかめません。日本では、署長が直接捜査の指揮を執るというのは、なかなか考えにくいことです。ただ彼が何であれ、彼の目的はわかっています。――失踪者を見つけだすことです。

「ああ、わたしは不快な人間だ。最低のげす野郎だ。しかし、絶対にミッチェル嬢を見つけだしてみせる」

正直に告白しますが、私は、胸を打たれました。この警察署長は通常の捜査手順を追っているだけと言えば言えるのでしょうが、その行動の奥底には不屈の闘志がある。そしてその闘志の奥底には使命感があり、そのさらに奥には間違いなく、正義*がある。彼は失踪者の家族に好かれていないし、部下からさほど敬愛されているわけでもありません。なぜなら警察署長の仕事は、好かれることではないからです。ただ、彼はなんでもやる。もし裸で踊れば失踪者の手がかりが摑めるというのなら、迷わず踊るでしょう。

それゆえにこそ、この小説は警察小説ではないのです。なぜなら――洋の東西を問わず一般的に言って、重要人物の娘というわけでもないティーンエージャーが学校から姿を消したからといって、おそらく、警察は総力を挙げてその行方を捜したりはしないからです（「おそらく」と書いたのは、作中の舞台である一九五〇年代のアメリカでは、もしかしたら、そうではなかったかもしれないからです。ですが……やはりおそらく、事件性があることをうかがわせる証拠でも出ない限りは、そんなことはしなかったでしょう）。これはヒーローの小説です。そしてミステリにおいてヒーローと言えば、名探偵と相場が決まっている。

もしかしたら、警察は失踪人捜査に捜査官を総動員したりはしないがために、後に勃興（ぼっこう）した私立探偵小説*では、民間人の探偵たちがいつも失踪人を捜してい

正義
普遍的価値を声高に叫ぶミステリというのは、あまり見かけません。たぶん出版に至らないのでしょう。ミステリは倫理の教科書ではありませんから、当然ではあります。ただ同時に、普遍的価値がどこかにほんの少し、長い長い小説の中でたった一言ちらりと顔をのぞかせるだけで、小説の様相が変わることがあります。こいつ、涼しい顔の下でこんなこと考えていたのかと知る瞬間は、悪いものではありません。……まあ、ただの趣味で事件に首を突っ込んでくる傍若無人な名探偵（ロジャー・シェリンガムとか）も、好きではありますが！

たのかもしれません。ですがこの推測が正しいかどうかを検証するためには、アメリカの警察とその歴史に関する広汎な知識が必要になるでしょう。私には荷が重い。私はただこの『失踪当時の服装は』を折に触れて読み返し、そこに描かれた不屈さを好もしく見つめるばかりなのです。

⑩『シャーロック・ホームズの冒険』サー・アーサー・コナン・ドイル

映画、ゲーム、テレビドラマ、あらゆるホームズを浴びすぎて、もはや何が本当のシャーロック・ホームズだったのか、ちょっとわからなくなってきました。と同時に、自分はこんなにホームズが好きだったんだなと気づくことも多々あります。

ガイ・リッチー版のホームズは「違う！」という人も多かったけれど、私は、なるほどこういう解釈もあるのかと感心しました。グラナダTV版を愛しているとたしかに落差の大きさに面食らうけれど、ホームズはプロボクサーの引退試合*でリングに上ったり、ステッキを頼りに暴漢と渡り合って重傷を負うぐらいなのだから、ワイルドさを前面に出した造形というのも一理なくはないと思ったのです。もっともあのロバート・ダウニー・Jr.演じるホームズが薔薇を片手に「われわれも花を見て、そこから多くの希望をひきだしうるのだ」*と言うところを想像できないのは、確かではありますが……。近年好きだったのは「Mr.ホームズ　名探偵最後の事件」、年老いて衰えたホームズは見たくないという気持ちもないではなかったですが、あの映画はワトスン博士の描き方が本当

私立探偵小説
マイクル・Z・リューインは、朝にはオレンジジュースを飲む私立探偵アルバート・サムスンを生み出しました。シリーズ四作目、**『沈黙のセールスマン』**が、本当にいいのです。弟が薬品会社の研究所で爆発事故に遭ったのだが、面会謝絶で会わせてもらえない。様子を見てきてほしいという依頼が来るのですが、どうも話の細部がおかしい……。興味をそそる、面白い設定です。しかし、ずばぬけて面白いとまでは言えない。小説の始まりはとても静かなのです。進行も静かだ。——なのにどうして、こんなに面白いのか！
おそらくはサムスンの、読者のほんの半歩先を行く知性や、捜査を決して諦めない粘り強さ、即興の工夫で困難を乗り越えていく知恵が、読む者を彼のペースに巻き込んでいくからではあるのでしょう。しかしそれだけでは言い尽くせない。〈アルバート・サムスン〉シリーズの面白さの謎を解くことは、私にとって一つの課題です。このシリーズはまた、宮部みゆき先生の〈杉村三郎〉シリーズに影響を与えたことでも知られています。

に良くて、胸が詰まりました。
　ホームズは後年によく言われた「神のような名探偵」ではありません。事件を解決するためには充分な情報を必要とするし、そのためには変装し、嘘もつき、場合によっては犯罪も辞さない。心理的盲点を衝いた事件には人並みに頭を悩ませて、自分のことを「ここからチャリング・クロスあたりまで*蹴とばされたって、文句は言えないくらいだよ」と言ったりもします（おかげで私にとって「チャリング・クロス」とは、蹴飛ばされたホームズが着地する場所というイメージになっています）。難事件を解決した際には、芝居がかった演出で依頼人をびっくりさせることが好きだったりもしますし、難事件が舞い込んだ昂奮に深夜三時にワトスン博士を叩き起こして汽車に飛び乗って、ようやく現地に着いたと思ったら、「こちらの仕事はあらかた*終わったみたいなものでして」と言われてしまったりもする（冷静に考えればひどい話ですよ、これは）。それらすべてが好きです。ホームズのことを理想的なイギリス紳士で氷のように冷静で完璧な推理機械であるかのように言われると、そういう紳士は朝一番に豚肉に銛*を投げつける実験はしないと言いたくなります。ホームズは、変わり者なのです（……と私は思っているのですが、ヴィクトリア朝のロンドンにはもしかしたら、プロボクサーを相手にリングに上り、朝一番に豚肉に向けて銛を投げる紳士が大勢いたのかもしれません。だとしたら私の謬見です）。
　ホームズ自身の魅力についてばかり書いてしまうけれど、ミステリとしての魅力も言うまでもなく素晴らしく、何か新手を思いついたつもりでも、考えて

プロボクサーの引退試合で
『四人の署名』より。プロを相手に三ラウンド互角に打ち合ったとありますが、四ラウンド以降は打ち込まれたのか、三ラウンド制だったのかはわかりません。

ステッキを頼りに
「高名の依頼人」より。

われわれも花を見て
「海軍条約事件」より。引用文は深町眞理子訳。世の中は「必要なもの」から成り立っているが、薔薇の美しさや香りは「余分なもの」であり、そうしたものを生み出し得るのは神だけである……という文意です。

チャリング・クロスあたりまで
「くちびるのねじれた男」より。引用文は深町眞理子訳。チャリング・クロスは当時のロンドンの中心地だそうですから、日本で言うなら「ここから丸の内あたりまで」ぐらいの感覚でしょうか。

みればこれはホームズ譚のどれそれのアレンジだなと思い至ることは少なくありません。それにしても見事なのが、手掛かりの出し方の上手さです。だいたいミステリの手掛かりというのは小説から分離しがちなのですが、ホームズ譚で手掛かりの部分だけが不自然に浮き上がって見えるということはほとんどないのです。

とはいえ、おおよそ好きなミステリを挙げよという場所で『シャーロック・ホームズの冒険』を挙げるのは、ぬけぬけとした感じを免れません。それは知っているから、ほかには？　と聞かれてしまいそうです。けれど自分の本棚を眺め、これが好きだった、これは思い出深いと記憶に浸りながら背表紙を見ていくとき、ホームズを除くことは、私にとっては衒い(てら)でした。

実は私は長い間、ホームズ譚を持っていませんでした。図書館にあったり実家にあったりで、自分の持ち物としてのホームズを買う必要を感じていなかったのです。『シャーロック・ホームズの冒険』が自分の本棚に加わった時期を、私ははっきりと書くことができます。二〇〇一年のことでした。

私はそれを、初めての印税で買ったのです。

ここまで国内の長篇、国内の短篇、海外の長篇について十作ずつ挙げてきました。すると次は海外の短篇を挙げるのが順序というものですが、それには少し困難があります。というのも、私は『世界推理短編傑作集』を自分の手本と

こちらの仕事はあらかた「アビー荘園」より。引用文は深町眞理子訳。まあ、この場合本当にひどいのは、負傷した被害者が犯人を目撃しているかどうか確認もせず、深夜にホームズを呼びつけた警察官なのですが……。

朝一番に豚肉に銛を「ブラック・ピーター」より。

していて、ふつうに好きな海外ミステリ短篇を選べば優に半数はここから選ぶことになるのが目に見えているからです。江戸川乱歩が編んだアンソロジーに過半を負うわけにはいかないのではと、ためらわざるを得ません。そこで、どれひとつとして捨てるところなき『世界推理短編傑作集』から、どなたかの参考にはなるものと信じて、私が特に好むものを十作挙げます。そしてそれとはまた別に、十作挙げることにいたしましょう。選んだ理由は後者についてのみ書くことにいたします。なにしろ……あんまり、長くなりますので。

『世界推理短編傑作集』より

アンナ・キャサリン・グリーン「医師とその妻と時計」
V・L・ホワイトチャーチ「ギルバート・マレル卿の絵」
イーデン・フィルポッツ「三死人」
トマス・バーク「オッターモール氏の手」
アーヴィン・S・コッブ「信・望・愛」
ロナルド・A・ノックス「密室の行者」
ドロシー・L・セイヤーズ「疑惑」
H・C・ベイリー「黄色いなめくじ」
マージェリー・アリンガム「ボーダーライン事件」
ベン・ヘクト「十五人の殺人者たち」

①「演説」ロード・ダンセイニ*

ヨーロッパは不安定で、その平和を維持するためには細心の注意を払わなければならなかった。そんな情勢下で、ある議員がイギリス下院で演説することになる。この議員が何を演説するかは見え透いているが、その演説はオーストリアを、ドイツを、ロシアを刺激し、戦争を引き起こすだろう。何者かが、その演説を阻止すると宣言した。たとえ暴力に訴えてでも……。議員の身辺には最高の警備態勢が敷かれる。演説は成されるのか。

もし最高のハウダニットを選ぶ機会があったら、私はおそらくこれを選びます。ハウダニットを突き詰めていくと、舞台装置のようにあまりに大掛かりになったり、クロースアップマジックのようにあまりに繊細になったり、張り巡らした糸を引っ張ったりするものになりがちですが、こういう方向からハウダニットを磨き上げることが出来るのか、こんな手があったのかと息を呑んだ、華麗な一篇です。その手法は一般性に欠けるけれど、逆の見方をすれば、ミステリが書かれた背景を十二分に生かしているとも言えます。

小説の最後の一言が、またすばらしい。時代の運命を言い尽くして、余韻があります。

ロード・ダンセイニ
ロード・ダンセイニ卿と書くべきかダンセイニと書くべきかはいつも悩みます。それはさておき、ダンセイニのミステリから一本を選ぶのは難しい仕事でした。極めて有名な短篇「二壜の調味料」について、きっちり書く機会が欲しかった。あれはただの悪趣味な小説ではなく、ホワイダニットの極致なのです。「死番虫」も忘れがたい物語です。「あなたが私に金を渡さないなら、あなたは死ななければなりません」と言う男を追い返した男が、翌日死んだ。検屍法廷の評決は、全会一致で「事故による自然死」。そして男は別の家に行き、同じことを言う……。怪奇的に始まる掌篇です。その真相はあまりにもシンプルなのに、私はその一端さえ見抜くことが出来ませんでした。こういう綺麗な短篇に出会いたくて、短篇集を読むようなものです。

②「大暗号」メルヴィル・デイヴィスン・ポースト

白人探検家がアフリカ大陸の奥地まで入り込んでいた時代、ある著名な探検家にして考古学者が、冒険の果てに命を落とした。遺された日記の文章を読む限り、彼は過酷な冒険の中で正気を失って自殺したと思われるのだが……。

もし最高の暗号ミステリを選ぶ機会があったら、私はおそらくこれを選びます。暗号ミステリを突き詰めていくと、とても解けるとは思えない錯綜したものになったり、なぜ暗号などという手の込んだ方法を選んだのかわからないものになったりしがちですが、こういう方向から暗号というものを捉えることが出来るのかと目から鱗が落ちた、実に練られた一篇です。……ええと、さっきも似たような文章を書いたような……つまり、ミステリには幾つかのサブジャンルがあるけれど、それを突き詰めるというのは問題をいたずらに複雑化させることではなく、アプローチを再検討することなのだと私はこれらの短篇で知った、と言いたいのです。

③「タイムアウト」デイヴィッド・イーリイ＊

アメリカでイギリスの政治史を研究するガル教授は、その専攻分野にもかかわらず、いちどもイギリスに行ったことはなかった。アメリカ政府がイギリスで人文学的調査を行うと発表した時に、ガル教授は忘れずに参加を申し込んだが、選ばれるとは思っていなかった。しかし教授は選ばれ、イギリスに渡航し、そこである事実を聞かされる。イギリスは、謎の核攻撃で消失したというのだ。

＊デイヴィッド・イーリイ
イーリイにはもう一篇、好きな短篇があります。「グルメ・ハント」というストレートな題名で、その名の通り美食に関する小説です。フランス一の美食家が、本物のイタリア料理を求めてイタリアへ旅立つ。なかなか戻ってこない彼のことを心配し、グルメ仲間が後を追う。ユーモア……というよりギャグが横溢する、一笑してその日を明るくしてくれるようなお話なのですが、私はこの短篇がちょっとおそろしいのです。いつか自分が、ミステリや小説に対して、「グルメ・ハント」のように振る舞うのではないか、と……。

初めてこの小説を読んだとき、なんて素晴らしいミステリなんだと思った記憶があります。ところが今回読み返してみると、小説のすさまじさは変わりませんが、「誰がどう見てもミステリ」とは言えないことに気がつきました（どちらかといえばＳＦでしょう。人文学ＳＦ！）。では、最初の直感は何だったのか。ただの勘違いだったのでしょうか。たとえば著者がエドガー賞を「ヨットクラブ」で受賞しているから、それと間違えたとか……。

そうではないでしょう。私はこの小説を人類史上最大の陰謀を描いたものと捉え、主人公の行動を、その陰謀を頓挫（とんざ）させるための破壊工作（サボタージュ）と捉えたのです。人文学的陰謀に対する人文学的抵抗を描いたと見れば、これはまったく稀有なる犯罪小説と言えるでしょう。

④**「飛ぶ星」**ギルバート・キース・チェスタトン

クリスマスの夜、ある中流階級の家庭でパーティーが催される。出し物は即興演劇で、素人劇ながら聖夜を盛り上げた。だがその劇の上演中、パーティーの客の一人が、ポケットに入れていたはずのダイアモンドが消え失せていることに気がつく。そのダイアはあまり頻繁に盗まれるので、〈飛ぶ星〉と名づけられたものだった。

ブラウン神父ものには極めてすぐれたミステリが揃っています。「イズレイル・ガウの誉れ」や**「折れた剣」**、**「古書の呪い」**などは永遠の傑作でしょう。**「ペンドラゴン一族の滅亡」**や**「大法律家の鏡」**も忘れがたい。**「手早いやつ」**

「犬のお告げ」あたりも好きで……と始めると、きりがありません。同時にこのシリーズはしばしば、倫理的な寓話でもあります（その代表が**「見えない人」**でしょう）。教訓*を垂れるのがブラウン神父ものの個性であり良さでもあり、時にはやや敬遠される点でもあろうかと思います。ところで最近気づいたのだが、「飛ぶ星」で犯人に対して神父が語った言葉は、どうやら、私が世の中をどう見るかの柱の一つであったようです。私はこれを挙げざるを得ません。

⑤「精緻な都市4」イタロ・カルヴィーノ

ヴェネツィアの商人マルコ・ポーロは、フビライ・カンから帝国内の視察を命じられる。帝国の都市を巡り報告せよ、と。かくしてマルコ・ポーロは世界の不思議を、奇妙な都市*の数々を報告する。今回彼が報告するのは、二つの半都市から成り立つ都、ソフローニア。

小説はまったくフェアに書かれているのに、読者が無知ゆえ、あるいは逆に知りすぎているがため、あるいは偏見や蔑視ゆえに勝手な思い込みをして前のめりになったところを巴投げで放り投げられるというミステリが時折ありまして、そういうものに引っかかると自分の視野の狭さというものを思い知らされてまことに痛快です。「精緻な都市4」を読んだとき、私は「あ」と声を上げました。わずか一ページ半の投げ技です。

⑥「誰でもない男の裁判」アルバート・H・ゾラトコフ・カー

教訓
ブラウン神父のミステリが時に教訓を含むとするなら、もう一人並び立たせなければならない探偵がいます。M・D・ポーストが書いたアブナー伯父そのひとです（**『アブナー伯父の事件簿』**）。ブラウン神父はイギリスの都市に住むカトリックの神父で、アブナー伯父はアメリカの開拓地に住む（おそらくは）プロテスタントの信者です。ブラウン神父は不可解なことに直面しても、滅多に神の名を出しません。アブナー伯父は頻繁に聖書を引用し、この世を「神の審判の庭」と呼びます。ブラウン神父は、法的手続きの順守を重んじているようには思えません。アブナー伯父はその逆です。ブラウン神父は小男で、アブナー伯父は堂々たる体軀の持ち主です。この二人の探偵の差には、つまるところイギリスとアメリカの違いが表れていると解しては、早とちりでしょうか。

無神論者が講演を行い、キリスト教を糾弾し悪徳を称揚する。講演の中で彼は昂奮のうちに、「さあこい、神さま。おれを殺してみろ」と叫ぶ。そして彼は死ぬ――ライフルで撃たれたのだ。だが撃った男は自らの名も知らず、被害者のことも知らず、ただ頭の中に聞こえた神の声に従ったのだと主張した。

　ミステリはもっぱら、罪について書くものです。罪が混乱を巻き起こす一方、推理が秩序の側に立って世界を然るべき状態へと戻すのがミステリの基本的な構造と言えます。そして一般的には推理の側に小説の焦点があてられるのですが、スポットライトを罪の側に向けることも出来るわけで、実際に数多くのミステリが罪について書いてきました。その中でも傑出しているのが、この短篇です。これは罪と世間との関係を書き、罪とその利益について書き、最後に罪と罰について書いています。結末に至るための伏線は巧妙で、その構造は堅牢な土台の上に築かれた祭壇を思わせます。

⑦「赤粘土の町」マイケル・マローン

　アメリカ南部の小さな町で、ハリウッド帰りの女性が評決を待っている。彼女には夫を撃ち殺した疑いがかかっているのだ。幼いわたしは、父がその人殺しに近づいて、手を差し伸べるのを見た。父は言った。きみがやったんじゃないってことは知ってる。幸運を祈る――。それからわたしは、人生の節々で彼女と会うことになる。

　人間が生きることのやりきれなさを知った作家が書く、郷愁に満ちた短篇で

奇妙な都市

奇妙な都市……そう口にしただけで、なんとなく嬉しい気持ちになってしまいます。なぜなのか、自分でもよくわかりません。奇妙な都市の原体験は間違いなく、『オズの魔法使い』のエメラルドの都なのですが。**『見えない都市』**にはソフローニアのほかにも好きな都市がいくつもあります。不思議と忘れられないのが**「精緻な都市3」**に書かれたアルミッラ。この都市には人の姿がなく、壁もなく、天井も床もありません。アルミッラは、ジャングルのように密集し伸びあがった、水道管だけから成る街なのです。

す。しあわせについて書かれているのに、胸に残るのはさみしさばかり。この小説がエドガー賞*を受賞しているというのは意味深いことです。ミステリが小説に近づいていくとき、犯罪とそれがもたらす人間関係の変化だけが残り、探偵と推理がフェイドアウトしていったようではありませんか。私には、その変化がミステリに何をもたらしてきたのか、言うことは出来ません。ただ言えるのは短く豊かな小説を読み、それが深く胸に残ったということだけです。

⑧「アベリーノ・アレドンド」ホルへ・ルイス・ボルヘス

一八九七年、モンテビデオ。アベリーノ・アレドンドは無口な男だった。国内の混乱が仲間内の話題になることがあっても、彼は何も言わなかった。ある日、彼は自らを幽閉した。恋人には仕事で忙しくなったと嘘を言い、小さな部屋に閉じこもりきりになって誰にも会わず、新聞を読むことさえやめたのだ。それはなんのためであったか。

もし最高のホワイダニットを選ぶ機会があったら、私はおそらくこれを選びます。動機当てというのはミステリのサブジャンルとして広く認められており、かつミステリを大きく深化させるアプローチではありますが、同時に推理の楽しみを希薄にしたことも否めません。なぜなら、作家がいくらでも狂気的な動機を創作できる以上、読者が高い蓋然性(がいぜん)をもって犯人の心の中を推理することなど不可能だからです。ゆえにホワイダニットはしばしば、あまりにも極端な動機が開陳されるのを、「ははあ、そういうものですか」と曖昧に頷きながら

エドガー賞
私の本棚には『エドガー賞全集〔上〕』、『エドガー賞全集〔下〕』、『エドガー賞全集〔1990～2007〕』があります。ところで前の二つは一九四七年（「**気ちがいティー・パーティー**」エラリー・クイーン）から一九八〇年（「**ホーン・マン**」クラーク・ハワード）まで収録されています。つまり……一九八一年から一九八九年までが欠けていますね（いま気づいた）。読んでいないものも多いのですが心に残っているものを挙げますと、ウェンディ・ホーンズビー「**九人の息子たち**」は何を呪っていいのか迷うようなやる瀬ない物語、アン・ペリー「**英雄たち**」はミステリとしての驚きは少ないものの事件の後処理が胸に残る好篇です。ジョー・ゴアズ「**さらば故郷**」は道を踏み外した男のたった一つの望みを描いて、余韻があります。

拝聴するミステリになってしまいます。かといって、動機当ての果てに出てきたのが凡庸な動機ではつまらない。凡庸と極端の境目を見定め、意外性と納得感を両取りするのがホワイダニットの核と言えるでしょう。「アベリーノ・アレドンド」は魅力的な謎とそのシンプルかつ意外な解明が、時代性に裏打ちされています。意外な作家*が出してきたあまりにスマートなミステリに、みとれた一篇です。

⑨「東洋趣味(シノワズリ)」ヘレン・マクロイ*

清朝の都北京の露国使館で、晩餐会が開かれる。食後の歓談で、露国公使が一幅の絵を披露した。王維の真筆――その絵を見た日本公使は鮮やかさに言葉を失うが、その賛を読むよう促されると、漢文が読めないと言って断った。一行は日本使館で開かれる舞踏会へと向かうが、その道中で、露国公使夫人が姿を消した。

真相のグロテスクさ、殺人の動機のスマートさなど語るべき点は多々ありますが、根本的には好みであるとしか言いようがない、偏愛する短篇です。闇の濃い都市、絶佳の絵、消えた麗人、「チャーリー、人生が愉しいのはうわべだけだ。これからその裏側の世界に行くのだよ」……。私はミステリを合理的なものとして解釈し、好んできましたが、この「東洋趣味」を出されるとぐうの音も出ず、ムードこそがミステリを支配するのだ！ と言いたくもなります。ミステリではないですが、マルグリット・ユルスナール『**東方綺譚**』を読んだ

意外な作家
ボルヘスがミステリを書くことは意外ではありません。意外なのは、このシンプルさと、南米らしさです。ほかにボルヘスが書いたミステリと言えば「**八岐の園**」や「**死とコンパス**」を思い出しますが、どちらも迷宮のように入り組み、異国の地の話であるという雰囲気が濃厚で、「アベリーノ・アレドンド」とはまったく違っているのです。

ときの、好みのど真ん中を射貫かれた感じを思い出します。まったく、人にはそれぞれ弱みがあるものです。

⑩「鉄の宝玉」アイザック・アシモフ

定期的な食事会「黒後家蜘蛛の会」に参加したゲストは、レギュラーメンバーがそれを望んでいない時でさえ、ミステリに満ちた話をする。今回のゲストの宝石商は、曾祖父が香港から送ってきた鉄の宝玉の話をした。荷物に同梱されていた手紙によると、この宝玉はメッカの黒の聖石から欠き取ってきたものなのだという。だがそれは曾祖父の茶目っ気たっぷりの大法螺であると証明済みだった。宝玉はただの隕鉄である。しかしある男が、それを五百ドルで買いたいと申し出てきた。

私の本棚にある『黒後家蜘蛛の会』はくたびれて、ところどころ傷んでいます*。たしか私は、それを古本屋で買ったのです。たまたま『黒後家蜘蛛の会』が品切れだったのか、私の財布の中身が品切れで古本しか買えなかったか、どちらもあり得る話ですが、ずいぶん前のことで事情は憶えていません。いずれにせよそれを手に入れて以降、『黒後家蜘蛛の会』は私の憧れでした。いつか自分にも、こうして気の置けない友人と食卓を囲んで謎解きに興じる日が来ればいいと思っていました（むろん、その暁（あかつき）にはヘンリー役を務めたいものだと思っていました）。ですがどうやら、それは夢に終わりそうです。

私は、この「鉄の宝玉」が『黒後家蜘蛛の会』の中で最も優れたミステリだ

ヘレン・マクロイ
マクロイを読みつくしたわけではないのではっきりとは言えないのですが、「東洋趣味」のほかに、マクロイには異国情緒に富むものが見当たりません。マクロイはアメリカを舞台としたミステリを専らとし、SFも作例がありますが、それにしたところで舞台は恐らくアメリカです。作家は別にどんなものを書いてもいいのですが、作例を見る限り、私にはマクロイが、清朝末期の北京を書く作家のようには思えないのです。それまでの創作傾向からかけ離れたものが出てきたのはなぜなのか、それとも花の咲き方が違うだけで根は同じと見なし得るのか。何か、一回だけ東洋を書きたいと思わせる理由があったのか。興味が募ります。

ところどころ傷んでいます
二〇一八年に創元推理文庫から新版が出まして、そちらももちろん、揃っています。しかしこのくたびれた旧版も、私の思い出として棚に眠っています。

と思っています。右手に注目させて左手で種を操る、ミスディレクションのもっとも美しい形が、ここにあるのです。これは個人的な思い入れでしょうか？そうかもしれません。けれど私が私の好きなミステリを挙げるにあたって、思い入れ以上に妥当な理由は、思いつきそうもありません。

遠慮も衒いもなく、メジャーを厭（いと）わずマイナーを避けず、ただ好きなミステリについて好きなだけ書きました。いまはもう、何も付け加えることはありません。言葉が尽きたので、これでお別れいたします。

ありがとうございました。またどこか、本の中でお会いできることを楽しみにしています。

米澤穂信

註釈欄からもお礼とご挨拶を申し上げます。せっかく本になるならお楽しみ頂こうと、非才を顧みず註釈を加えて来ましたが、蛇足でなかったことを心から願っています。ありがとうございました。

二〇一二年十月（読むべき場所、装幀考 共犯者的な喜び「CREA」2013 年 1 月号改題）
二〇一二年十二月（思い立っての京都旅行 感情移入についての考察「CREA」2013 年 3 月号改題）
本に呼ばれて修善寺詣（憧れの修善寺行 本に呼ばれて修善寺詣「CREA」2013 年 5 月号改題）
二〇一三年二月（本に酔うということと創造と創作に関わる小説「CREA」2013 年 5 月号改題）
二〇一三年四月（物を選ぶということ、土地の繋がり。カレーライス？「CREA」2013 年 7 月号改題）
二〇一三年六月（恐ろしい話と素敵な絵本。そして、誤植を探せ！「CREA」2013 年 9 月号改題）
二〇一三年八月（読書にはいつだって、予想もしない面白さが待っている。「CREA」2013 年 11 月号改題）
二〇一三年十月（本を読むということ、そして、大人になるということ「CREA」2014 年 1・2 月合併号）

6　書外棚

わたしの鞄を見て！　朝日新聞社「好書好日」2018 年 12 月 3 日
no music, but life　朝日新聞社「好書好日」2018 年 12 月 10 日
太い背骨　朝日新聞社「好書好日」2018 年 12 月 24 日
さあ神を選びたまえ　朝日新聞社「好書好日」2017 年 12 月 17 日
思い出の映画「小説現代」2007 年 12 月号

7　バックヤード

書店認識の歩み「新刊展望」2011 年 3 月号
素敵な場所、あるいは売書稼業「日販通信」2016 年 2 月号
入荷と返品の間に残るもの「小説すばる」2007 年 7 月号
本をどこで買ってきたか「KADOKAWA アプリ」2019 年 6 月 14 日配信
鷹と犬「本の雑誌」2016 年 8 月号

8　私室

岐阜県図書館Ｑ＆Ａ「岐阜県図書館企画展　清流の国ぎふ発　小説家の素顔に迫る 2017　～今躍動する県内出身の作家たち～」
文庫と共に去りかけぬ「おすすめ文庫王国 2017」
ネヴィル・シュートの『パイド・パイパー』について（書き下ろし）
一文に願いを託す―― 於・福岡県大刀洗町「ミステリーズ！ Vol.81 FEBRUARY 2017」
13 冊のミステリについて「ミステリーズ！ vol.105　FEBRUARY 2021」

9　対談 2

ミステリーにとって必要なものは何か？　×有栖川有栖「ダ・ヴィンチ」2016 年 4 月号
創作と自分　×朝井リョウ「ミステリーズ！ vol.94　APRIL 2019」

単行本化にあたり、加筆・修正を施しました。

初出一覧

1　選書棚

文庫ならでは（いつもサイドポケットにしのばせていた小さな友人たち「おすすめ文庫王国 2010-2011」改題）
日本という異界「オール讀物」2017年6月号
みじかいミステリのちいさな本棚「kotoba」2017年秋号

2　乱読棚

何事も例外はありますが（半歩遅れの読書術第一回「日経新聞」2020年4月4日改題）
必然性のない読書（半歩遅れの読書術第二回「日経新聞」2020年4月11日改題）
好きなように（半歩遅れの読書術第三回「日経新聞」2020年4月18日改題）
文脈（半歩遅れの読書術第四回「日経新聞」2020年4月25日改題）
物語酔いが醒めるまで（昨日読んだ文庫「毎日新聞」2015年7月19日改題）
美三題「ワテラスコモン」展示解説文
百といくつかの禁書「早稲田文学」2016年夏号
割り切れないんですよ「野性時代」2010年5月号

3　対談1

心に刺さるミステリー10冊＋2　×柚月裕子「女性自身」2016年5月10・17日合併号
笑えるミステリー10選　×麻耶雄嵩「女性自身」2018年5月8・15日合併号

4　愛書棚

よろこびの書「文藝別冊 総特集 泡坂妻夫 からくりを愛した男」
私淑　泡坂先生追悼文「ミステリーズ！ vol.34　APRIL 2009」
混沌の果て「野性時代」2013年12月号
端倪すべからざる運命の落とし穴『列外の奇才　山田風太郎』
花衣の客『連城三紀彦 レジェンド 傑作ミステリー集』
他人たち『連城三紀彦 レジェンド2 傑作ミステリー集』
白蘭『連城三紀彦 レジェンド2 傑作ミステリー集』
景色を惜しむ　連城先生追悼文「オール讀物」2013年12月号
鳥をひねって鍋にしよう「オール讀物」2008年7月号

5　遊歩棚

雨読「オールスイリ2012」
地獄と作家と京都旅（地獄逃れの京都旅「CREA」2011年9月号改題）
二〇一二年二月（野望を持つ女主人公ショートカットと巫女の物語「CREA」2012年5月号改題）
二〇一二年四月（面白さの価値を考え 恩人の復帰を喜ぶ「CREA」2012年7月号改題）
二〇一二年六月（ミステリの故郷ロンドンには怪盗たちの活躍が似合う「CREA」2012年9月号改題）
二〇一二年八月（読書の趣味、本への情熱 大好きな作家への思い「CREA」2012年11月号改題）

本文中に登場する作家名の一覧です。

人名のうしろの数字は、その名前が登場するページを示しています。人名は五十音順で並んでいます。

れ

ろ

わ

索引　作家名

本文中に登場する作家名の一覧です。

人名のうしろの数字は、その名前が登場するページを示しています。人名は五十音順で並んでいます。

索引　作家名

本文中に登場する作家名の一覧です。
人名のうしろの数字は、その名前が登場するページを示しています。人名は五十音順で並んでいます。

き

く

け

こ

さ

索引　作家名

本文中に登場する書籍の作品名の一覧です。

作品名のうしろの数字は、その作品が登場するページを示しています。作品名は五十音順で並んでいます。

索引　作品名

本文中に登場する書籍の作品名の一覧です。
作品名のうしろの数字は、その作品が登場するページを示しています。作品名は五十音順で並んでいます。

ふ

へ

ほ

ま

索引　作品名

本文中に登場する書籍の作品名の一覧です。

作品名のうしろの数字は、その作品が登場するページを示しています。作品名は五十音順で並んでいます。

索引　作品名

本文中に登場する書籍の作品名の一覧です。

作品名のうしろの数字は、その作品が登場するページを示しています。作品名は五十音順で並んでいます。

索引　作品名

本文中に登場する書籍の作品名の一覧です。

作品名のうしろの数字は、その作品が登場するページを示しています。作品名は五十音順で並んでいます。

索引　作品名

装丁　大久保明子
カバー写真　Gualtiero Boffi / EyeEm/Getty Images

米澤 穂信（よねざわ・ほのぶ）

一九七八年岐阜県生まれ。二〇〇一年『氷菓』で第五回角川学園小説大賞奨励賞（ヤングミステリー&ホラー部門）を受賞しデビュー。一一年『折れた竜骨』で第六四回日本推理作家協会賞（長編及び連作短編集部門）を、一四年『満願』で第二七回山本周五郎賞を受賞。同作で「ミステリが読みたい！」「週刊文春ミステリーベスト10」「このミステリーがすごい！」の国内部門一位で、史上初のミステリーランキング三冠を達成。翌年『王とサーカス』でもミステリーランキング三冠に輝く。その他の著書に『さよなら妖精』『春期限定いちごタルト事件』『ボトルネック』『インシテミル』『本と鍵の季節』『Iの悲劇』『黒牢城』など多数。

米澤屋書店

二〇二一年十一月十日　第一刷発行

著　者　米澤穂信
発行者　大川繁樹
発行所　株式会社　文藝春秋
〒一〇二‐八〇〇八
東京都千代田区紀尾井町三番二十三号
電話　〇三‐三二六五‐一二一一

印刷所　凸版印刷
製本所　加藤製本
DTP組版　言語社

ISBN978-4-16-391452-7